Эльмира Меджитова

Вкус домашней кухни

Эта книга - подарок

от кого

кому

С пожеланиями теплого
домашнего очага,
здоровья, счастья, удачи!

МОСКВА

ЭКСМО

2007

Эльмира Меджитова

Вкус домашней кухни

Закуски и салаты

Первые блюда

Вторые блюда

Десерты и напитки

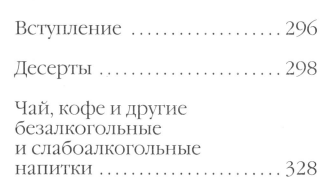

Закуски и салаты — это как бы еда перед едой. В настоящее время закуски и салаты получили широкое распространение практически во всей мировой кулинарии. Общепризнанно, что вымытые и уложенные целыми на блюде пучки зелени, огурцы, помидоры, редиска, морковь и другие овощи украсят любой стол — праздничный или будничный. Многие салаты и закуски включают в себя самые разнообразные продукты и по своим достоинствам являются подлинными шедеврами кулинарии.

Салаты и закуски можно условно разделить на 5 основных видов:

1. Салаты из свежих, квашеных, маринованных овощей (огурцов, помидоров, капусты, моркови, редиски, репы, лука, петрушки, сельдерея, зеленого салата и пр.) с добавлением вареных яиц, различных заправок. Эти салаты можно подавать как легкую закуску перед основной едой или как дополнительный гарнир к жареным и вареным мясу, домашней птице и рыбе.

2. Салаты из свежих и вареных овощей (картофеля, моркови, свеклы, репы, цветной капусты, спаржи, зеленого горошка, бобов, зелени и пр.) с добавлением вареной или жареной говядины, телятины, баранины, свинины, птицы, дичи. Именно такие салаты чаще всего используются в качестве закуски в начале обеда или ужина, закуски к водке, вину или пиву, а иногда как самостоятельное блюдо.

3. Салаты из свежих и вареных

овощей с добавлением рыбы, кальмаров, раков, крабов, креветок и других речных и морских продуктов. Эти салаты подают также в качестве закусок перед основной едой или как самостоятельное блюдо.

4. Десертные салаты, в которые входят различные фрукты, ягоды и другие продукты, подают, как правило, после еды. Эти салаты отнесены к главе «Десерты».

5. Горячие закуски готовят из различных продуктов, включая мясо, рыбу, грибы, яйца, лук и пр. Горячие закуски следует признать лучшими закусками к крепким напиткам. В этой книге горячие закуски не выделены в отдельный раздел и даны в разделах в соответствии с продуктами, из которых они приготовлены.

Готовя салаты, необходимо помнить о следующем. Желательно выбирать овощи одинакового размера и по возможности правильной формы. Каждый овощ для салата лучше варить отдельно, в небольшом количестве воды до полуготовности, а затем доваривать на пару. Варить овощи и яйца нужно заранее, чтобы они успели хорошо остыть до начала нарезки.

Вкус салатов в значительной мере зависит от того, чем они заправлены. В качестве заправки используют майонез, сметану, холодные соусы. Сметану можно приправить соком лимона и солью. Можно смешать в разных пропорциях майонез со сметаной. Для придания салатам более острого вкуса в заправки можно добавить горчицу, различные соусы или кетчуп. Салаты принято украшать теми же продуктами, из которых они приготовлены. Для украшения нужно отобрать ровно нарезанные ломтики огурцов, моркови, помидоров или дольки сваренных вкрутую яиц, листики зеленого салата, зелень укропа, петрушки, фрукты, ягоды. Украшение салатов и закусок дает домашнему кулинару возможность проявить художественный вкус и изобретательность. В этой книге на цветных иллюстрациях можно найти много различных примеров украшения салатов, закусок и других блюд.

Закуски и салаты из овощей, грибов, сыра и яиц

1 Салат зеленый

800 г листьев салата; укроп по вкусу.
Для салатной заправки:
¹/₄ стакана растительного масла, ¹/₄ стакана столового 3%-го уксуса, ¹/₂ ч. ложки соли, 1 ч. ложка сахара; перец по вкусу.

Листья салата тщательно промыть холодной водой, обсушить, нарезать на 3—4 части, положить в миску, полить салатной заправкой, перемешать, выложить в салатник и посыпать мелко нарезанным укропом.

Салатная заправка. Растительное масло смешать с уксусом, добавить соль, сахар, молотый черный перец, все размешать до получения однородной массы.

2 Салат из помидоров и огурцов

5 помидоров, 2 огурца; зеленый лук, салатная или горчичная заправка по вкусу.
Для горчичной заправки:
¹/₂ стакана растительного масла, ¹/₂ стакана столового 3%-го уксуса, 2 ч. ложки столовой горчицы, 1 ч. ложка сахара, ¹/₂ ч. ложки соли; перец по вкусу.

Тщательно вымытые помидоры и огурцы нарезать ломтиками или кружочками, посыпать мелко нарезанным зеленым луком, полить салатной (рецепт 1) или горчичной заправкой и перемешать. Салат будет нежнее, если огурцы и помидоры очистить от кожицы. Помидоры нужно предварительно опустить на 1 мин в горячую воду, затем ополоснуть холодной водой, после чего кожица легко снимется.

Горчичная заправка. Столовую горчицу, сахар, соль, черный молотый перец растереть с растительным маслом. В полученную массу добавить при постоянном перемешивании уксус.

3 Салат «Витаминный»

¹/₂ кочана свежей капусты, 2 лимона, 3 апельсина, 3 яблока; майонез по вкусу.

Капусту нашинковать и посолить. Яблоки очистить от кожуры и сердцевины, нарезать соломкой. Апельсины и лимоны очистить от кожуры и нарезать дольками. Часть цедры натереть на мелкой терке. Все уложить слоями, покрывая каждый слой майонезом. Сверху посыпать тертой цедрой.

4 Закуска по-деревенски

3 помидора, 2 огурца, ¹/₂ головки репчатого лука; листья салата, соль, столовый уксус, зелень петрушки, растительное масло по вкусу.

Свежие помидоры и огурцы тщательно вымыть, нарезать кружочками. Очищенный от кожуры лук нарезать тонкими кольцами, разделить на отдельные колечки, положить в миску или на блюдце, слегка посолить, залить уксусом и оставить на 10—15 мин для маринования. На блюдо или тарелку выложить с двух сторон тщательно вымытые и обсушенные листья салата, сверху уложить кружочки помидоров и огурцов, посолить, выложить подготовленные колечки лука, листья петрушки. Сбрызнуть закуску растительным маслом.

5 Салат «АВС»

2 помидора, 2 огурца, 1 маринованное или консервированное яблоко или кабачок, 1 луковица, 4 ст. ложки растительного масла; соль, зелень по вкусу.

Помидоры, огурцы, очищенное от сердцевины яблоко или кабачок нарезать ломтиками. Лук очистить и нарезать тонкими полукольцами. Подготовленные овощи сложить в миску, посолить, заправить растительным маслом, перемешать. Готовый салат выложить в салатник и украсить зеленью и «розочками», вырезанными из помидоров.

6 Салат «Мозаика»

Редис, огурцы, сладкий перец, щавель, сваренные вкрутую яйца по вкусу.
Для заправки:
кефир или сметана, яичные желтки, столовый уксус или сок лимона, растительное масло, сахарная пудра, соль по вкусу.

Овощи тщательно вымыть. Из перца удалить семенную часть. Яйца очистить от скорлупы и отделить белки от желтков. Редис, огурцы, перец, щавель тонко порезать. Яичные белки натереть на терке. Все перемешать, выложить в салатник и полить заправкой. Сверху посыпать рубленой зеленью.
Заправка. Желтки яиц растереть, смешать с предварительно взбитым кефиром или сметаной, добавить сахарную пудру, уксус или сок лимона, подсолнечное масло, соль. Полученную заправку слегка взбить венчиком.

7 Закуска из свеклы с клюквой

400 г свеклы, 1 стакан клюквы; сметана, соль, сахар по вкусу.

Свеклу отварить, очистить, натереть на терке, добавить промолотую на мясорубке клюкву, сметану, соль, сахар, все перемешать.

8 Салат «Ланжерон»

*4 луковицы, 2 яблока,
2 ч. ложки столового уксуса,
2 ч. ложки сахара, 2 ст. ложки
растительного масла;
соль, зелень, ягоды по вкусу.*

Лук очистить, нарезать тонкими полукольцами, сбрызнуть уксусом, посыпать сахаром, солью, перемешать и оставить на 15–20 мин. Яблоки очистить от сердцевины, нарезать соломкой, смешать с подготовленным луком. Заправить салат растительным маслом, перемешать и выложить в салатник. Украсить зеленью, ягодами и «розочкой», вырезанной из помидоров.

9 Салат из огурцов по-ставропольски

*500 г огурцов, 3 зубчика чеснока,
1 стакан простокваши или
кефира; соль, зелень по вкусу.*

Огурцы с мелкими семенами очистить от кожуры, натереть на крупной терке, смешать с растертым чесноком, посолить, залить охлажденным кефиром или простоквашей, перемешать, выложить в салатник и посыпать мелко нарезанной зеленью.

10 Закуска овощная с чесноком

*6 шт. моркови, 7 луковиц,
5 помидоров, 1–2 головки
чеснока, 2 ч. ложки муки,
1 ч. ложка сахара, $^1/_2$ стакана
растительного масла;
соль по вкусу.*

Морковь и лук нарезать соломкой и обжарить на растительном масле. Добавить нарезанные дольками помидоры и продолжать обжаривать. Муку обжарить без жира до слегка кремового цвета, всыпать в овощи, залить стаканом воды, положить соль, сахар и тушить овощи до готовности. Чеснок мелко нарезать или натереть на терке и добавить к овощам в конце тушения. Подавать закуску в охлажденном виде.

Чтобы свекла не потеряла своего
цвета во время варки,
не срезайте ее корешок
и основание стебля.

Свеклу будет легче очистить,
если сразу после варки окунуть
ее в холодную воду.

Нарезанную свеклу в винегрете
следует заправить растительным
маслом, а затем соединять
с другими овощами.

Чтобы тертый хрен не потемнел,
после измельчения его следует
сбрызнуть небольшим
количеством столового уксуса.

11 Свекла с яблоками и сметаной по-козьмодемьянски

2 свеклы, 2–3 яблока,
6 ст. ложек сметаны,
2 ст. ложки сахара,
2–3 ч. ложки столового уксуса;
соль по вкусу.

Свеклу промыть, очистить, залить водой с добавлением уксуса и
варить до готовности. Когда свекла остынет, нарезать ее соломкой или натереть на крупной терке. Яблоки очистить от кожуры,
вырезать сердцевину и также натереть на терке. Затем смешать
со свеклой, добавить сметану, соль, сахар, все перемешать и выложить в салатник. Украсить ломтиками свеклы и яблок.
Свеклу можно отварить в кожуре, при этом не нужно добавлять
уксус в воду для варки и отрезать корень свеклы, иначе во время
варки свекла потемнеет.

12 Закуска из свеклы с грибами «Селянская»

3–4 свеклы, 200 г соленых или
маринованных грибов.
Для соуса из хрена
со сметаной:
100 г корня хрена, 1 ст. ложка
сахара, 2 ст. ложки столового
уксуса, 6 ст. ложек сметаны;
соль, зелень по вкусу.

Свеклу отварить до готовности, очистить и дать остыть. Охлажденную свеклу нарезать небольшими кубиками или соломкой и
выложить горкой на блюдо или в салатник. Вокруг свеклы уложить соленые или маринованные грибы. Все залить соусом из
хрена со сметаной. Украсить зеленью.
Соус из хрена со сметаной. Корень хрена тщательно очистить, вымыть, обсушить салфеткой, натереть на терке, добавить
сахар, соль, уксус, сметану, все перемешать.

13 Салат «Ласпи»

1–2 свеклы, 2–3 яблока, 1 стакан кураги, 2 ст. ложки очищенного арахиса; зелень, лимонный сок по вкусу.
Для заправки:
2 зубчика чеснока, 3 ч. ложки столового уксуса, 2 ст. ложки растительного масла.

Свеклу отварить в кожуре, охладить и очистить от кожуры. Яблоки очистить от кожицы и сердцевины. Курагу промыть, залить кипятком, оставить для набухания на 20–30 мин, после чего откинуть на дуршлаг и дать стечь воде. Подготовленные продукты нарезать соломкой, сложить в салатник, полить заправкой и слегка перемешать. При подаче украсить салат зеленью, курагой, поджаренным арахисом и «розочкой», вырезанной из яблока и сбрызнутой лимонным соком. Можно арахис истолочь и посыпать им салат.

Заправка. Очищенный чеснок истолочь или натереть на мелкой терке, смешать с уксусом и подсолнечным маслом.

14 Закуска «Золотая осень»

3 помидора, 1 баклажан, 200 г сладкого перца, 1 луковица, 2 яблока, 1/2 стакана растительного масла; соль, перец по вкусу.
Для украшения:
овощи, зелень петрушки.

Баклажан и сладкий перец тщательно вымыть и просушить салфеткой. У перца удалить плодоножку с семенами. Нарезать баклажан и перец кубиками и обжарить их на масле вместе с мелко нарезанным репчатым луком. У яблок удалить сердцевину. Помидоры и яблоки нарезать дольками. Сложить обжаренные овощи в сотейник или кастрюлю, положить сверху подготовленные яблоки и помидоры, добавить соль, перец. Накрыть крышкой и поставить в духовку на 30–40 мин. Готовую закуску выложить на блюдо и украсить листиками петрушки и «цветками», вырезанными из помидора, огурца и вареной моркови.

15 Салат с тыквой

400 г тыквы, 2 соленых огурца, 1–2 помидора, 1 луковица, салатная заправка; соль, зелень по вкусу.

Очищенную тыкву нарезать мелкими кубиками, отварить в небольшом количестве подсоленной воды, отвар слить, тыкву охладить. Огурцы и помидоры нарезать кубиками. Лук мелко нарезать. Все перемешать, полить салатной заправкой (рецепт 1), уложить в салатник и украсить зеленью.

16 Салат из щавеля

400 г щавеля, 4 сваренных вкрутую яйца, 1 стакан сметаны; соль, сахар по вкусу.

Промытые листья щавеля нарезать мелкой соломкой. Яйца мелко порубить и смешать с подготовленным щавелем. Добавить сметану, соль, сахар, все хорошо перемешать. Выложить в салатник, украсить дольками яйца и листьями щавеля.

17 Репа с яблоками и сметаной

4 репки, 4 яблока, 4–6 ст. ложек сметаны, 1 ст. ложка сахара.

Сырые репки вымыть, очистить, натереть на крупной терке. Яблоки вымыть, очистить от кожуры, вырезать сердцевину и нарезать соломкой. Часть репы и яблока нарезать ломтиками для украшения. Подготовленные овощи переложить в миску, добавить сахар, сметану, тщательно перемешать и выложить в салатник. Украсить ломтиками яблока и репы.

18 «Тюльпаны» из помидоров

8 помидоров, 8 листьев салата; майонез; зелень по вкусу.
Для фарша:
4 сваренных вкрутую яйца, 1 луковица, 4 ст. ложки майонеза; соль, перец по вкусу.

Помидоры надрезать крест-накрест, осторожно вынуть из них сердцевину и наполнить помидоры фаршем. На блюдо уложить листья зеленого салата. На каждый лист положить по одному нафаршированному помидору. Сверху фарш аккуратно полить майонезом и посыпать мелко нарубленной зеленью.
Фарш. Яйца, лук мелко порубить, добавить мякоть, вынутую из помидоров, майонез, всё тщательно перемешать.

19 Салат слоеный «Магдалена»

1 свекла, 2 моркови, 50 г чернослива, 50 г твердого сыра, 2 ст. ложки обжаренных толченых орехов, 2 ст. ложки изюма; майонез по вкусу.

Свеклу и морковь отварить, охладить, очистить и отдельно натереть на терке. Чернослив вымыть, отварить до мягкости, охладить, вынуть из него косточки и мелко нарезать. Промытый изюм залить теплой кипяченой водой на 20 мин, затем воду слить, изюм отжать. Сыр натереть на крупной терке. На блюдо выложить слоями свеклу, изюм, морковь, сыр, чернослив, заливая каждый слой майонезом. Сверху салат посыпать измельченными орехами.

20 Салат «Беседка»

200 г редиски, 1 огурец, 1–2 картофелины, 4 сваренных вкрутую яйца, 3 ст. ложки зеленого горошка, 1 ст. ложка майонеза, 2 ст. ложки сметаны; соль, зеленый лук, зелень петрушки по вкусу.

Картофель отварить в кожуре, очистить и охладить. Остальные овощи тщательно вымыть, обсушить и также охладить. Охлажденные картофель, огурец, редис нарезать соломкой. Зеленый лук мелко порезать. Яйца очистить от скорлупы и натереть на терке. Подготовленные продукты сложить в миску, посолить и перемешать. Перед подачей салат выложить в салатницу, залить смесью майонеза со сметаной, украсить зеленью петрушки и «цветками», вырезанными из редиса и яичного белка.

21 Салат «Баксан»

*200 г твердого сыра,
400 г свеклы, 2 зубчика чеснока;
майонез, сметана, зелень
петрушки по вкусу.*

Свеклу отварить, охладить, очистить и мелко нашинковать или натереть на терке. Сыр натереть на терке. Чеснок измельчить. Все овощи сложить в миску, залить смесью майонеза со сметаной, перемешать, выложить на тарелку горкой. Украсить салат зеленью петрушки и укропа, ягодами и овощами.

22 Салат «Изысканный»

*2 моркови, 60 г чернослива,
60 г кураги, 2 ст. ложки изюма,
2 ст. ложки измельченных
грецких орехов; майонез,
сметана по вкусу.*

Морковь вымыть, очистить, натереть на терке. Чернослив и курагу вымыть, залить горячей водой и оставить в ней до размягчения. После чего из чернослива вынуть косточки. Чернослив и курагу порезать. Промытый изюм залить теплой водой на 20 мин, вынуть и обсушить. Все сложить в миску, добавить орехи, майонез со сметаной, перемешать и выложить в салатник.

23 Салат из редьки с морковью и яблоками

*1 редька, 2 моркови, 1 яблоко,
2 дольки чеснока,
$^1/_2$ ч. ложки лимонной цедры,
сок $^1/_2$ лимона.*

Очищенные редьку, морковь, яблоко натереть на крупной терке. Чеснок и цедру лимона натереть на мелкой терке. Все перемешать, добавить сок лимона и переложить в салатник. Вместо сока лимона салат можно полить салатной заправкой (рецепт 1).

24 Салат из моркови с орехами

3–4 моркови, 4 грецких ореха, 2 дольки чеснока, 4 ст. ложки майонеза; соль, изюм по вкусу.

Морковь вымыть холодной водой, очистить и натереть на крупной терке. Очищенные дольки чеснока растолочь или натереть на мелкой терке. Ядра грецкого ореха растолочь. Подготовленные продукты сложить в миску, залить майонезом, посолить и тщательно перемешать. Перед подачей салат выложить в салатник и украсить «цветками» из моркови и изюма.

25 Голубцы закусочные

Небольшой кочан капусты, 2 ст. ложки масла; соль, столовый уксус, лавровый лист по вкусу.
Для начинки:
3–4 моркови, 2–3 луковицы, 1 сладкий перец, 3 ст. ложки масла; соль, специи по вкусу.
Для украшения:
листья салата, свежий огурец, апельсин, консервированные или свежие помидоры.

У кочана капусты удалить подпорченные листья и вырезать кочерыжку. Подготовленный кочан положить в кипящую подсоленную воду, добавить уксус и варить 15 мин. Затем вынуть кочан из воды, дать воде стечь и разобрать кочан на листья. Утолщенные черешки листьев отрезать. Большие листья разрезать пополам. На подготовленные листья положить начинку. Листья с начинкой завернуть в виде конвертиков, обжарить на сковороде с маслом, залить небольшим количеством капустного отвара, положить лавровый лист и тушить под крышкой до готовности. Готовые голубцы выложить на блюдо, остудить и украсить зеленью, овощами и ломтиками апельсина.

Начинка. Морковь очистить и натереть на крупной терке. Лук очистить и мелко нарезать. У перца удалить семенную часть и нарезать перец соломкой. Подготовленные овощи обжарить на масле, добавив соль и специи.

26 Перец по-одесски

*800 г сладкого перца,
1–2 ст. ложки растительного
масла, $^1/_2$ стакана салатной
заправки; соль по вкусу.*
Для украшения:
*помидор, чеснок, редиска,
морковь, ягоды, зелень.*

Перец промыть холодной водой, обсушить, смазать растительным маслом, уложить на противень и запечь в духовке до готовности. Готовый перец охладить, очистить от кожицы, семян и
плодоножек, выложить на блюдо, посолить, полить салатной заправкой (рецепт 1), украсить зеленью, «цветками» из вареной
моркови, редиски, помидора с чесноком и ягодами.

27 Салат «Радуга»

*300 г сладкого перца,
2 луковицы, 3 помидора,
2–3 ст. ложки сметаны
или растительного масла;
соль, зелень по вкусу.*

Красный, зеленый, желтый сладкий перец вымыть, удалить семенную часть и нарезать перец кольцами. Очищенный лук нарезать кольцами, обварить кипятком и охладить. Помидоры нарезать кружочками. Подготовленные овощи смешать, посолить,
полить сметаной или растительным маслом, переложить в салатник и посыпать мелко нарубленной зеленью.

28 Кабачки с помидорами по-молдавски

*2 кабачка, 3 помидора,
3 зубчика чеснока, 100 г брынзы,
4 ст. ложки растительного
масла, 50 г сливочного масла;
соль, сыр по вкусу.*

Очищенные кабачки нарезать кружочками и поджарить на растительном масле. Помидоры нарезать кружочками. Чеснок измельчить и слегка обжарить. Овощи, чеснок, брынзу уложить слоями в
горшок или другую посуду, посолить, сверху положить кусочки
масла, посыпать тертым сыром и запечь в духовке.

29 Баклажаны закусочные

600 г баклажанов, стебли сельдерея. **Для рассола:** *1 л воды, 2 ст. ложки соли.* **Для фарша:** *3 моркови, 3 луковицы, 100 г корня петрушки, 4 зубчика чеснока, 4 ст. ложки растительного масла; зелень петрушки и сельдерея, соль по вкусу.*

Баклажаны отварить в подсоленной воде и положить под пресс. Затем заполнить баклажаны фаршем, обвязать стеблями сельдерея, уложить в кастрюлю, залить рассолом и оставить на 3—5 дней для квашения. Перед подачей на стол баклажаны выложить на блюдо и украсить овощами и зеленью.

Фарш. Корень петрушки, морковь нарезать соломкой и слегка обжарить на масле. Лук нарезать полукольцами и также обжарить. Все смешать, добавить рубленый чеснок, зелень и соль.

30 Баклажаны «Имам баялды»

800 г молодых баклажанов, 1 помидор, ¹/₂ стакана растительного масла; зелень петрушки по вкусу. **Для начинки:** *4 луковицы, 1 морковь, 1 корень сельдерея, 3 помидора, ¹/₂ головки чеснока; соль, красный молотый перец, петрушка по вкусу.*

Баклажаны очистить от кожуры, сделать на них глубокие надрезы и посолить. Через 30 мин отцедить выделившийся горький сок. Затем поджарить баклажаны в масле до полуготовности, слегка охладить и наполнить их начинкой через надрезы. Подготовленные баклажаны уложить на противень, положив на дно оставшуюся начинку. На каждый баклажан положить по кружочку помидоров, посыпать измельченной зеленью петрушки. Залить баклажаны небольшим количеством воды и тушить в духовке в течение 30 мин. Блюдо подается холодным.

Начинка. Нарезанный кольцами лук, натертые на терке морковь и корень сельдерея слегка обжарить на масле. Добавить измельченные чеснок, петрушку, помидоры, красный молотый перец, соль, все перемешать.

31 Баклажаны в ореховом соусе

4 баклажана;
соль, зелень петрушки по вкусу.
Для соуса:
100 г очищенных грецких
орехов, 1 луковица,
4 зубчика чеснока, $^1/_2$ ч. .ложки
молотого красного перца,
1 ст. ложка винного уксуса;
соль, зелень кинзы, петрушки,
базилика, чабера по вкусу.

Молодые баклажаны вымыть, сделать на них продольные разрезы, уложить в кастрюлю, залить кипятком, посолить и варить 20–30 мин. Затем баклажаны откинуть на дуршлаг и дать стечь воде. Выложить баклажаны на салфетку, накрыть сверху другой салфеткой, накрыть деревянной доской и положить сверху гнет на 30 мин, чтобы удалить лишнюю воду. После чего баклажаны наполнить ореховым соусом через продольные разрезы. Перед подачей выложить готовые баклажаны на блюдо, полить оставшимся соусом и посыпать зеленью петрушки. Можно блюдо украсить ломтиками помидора.

Ореховый соус. Очищенные грецкие орехи растолочь вместе с чесноком, красным молотым перцем и солью, добавить винный уксус, мелко нарезанный лук, зелень кинзы, петрушки, базилика, чабера и все тщательно перемешать.

32 Закуска по-молдавски

2 баклажана, 4 гогошара,
6–7 помидоров, 2 луковицы,
3 ст. ложки растительного
масла, 1 ст. ложка сахара;
соль по вкусу.

Баклажаны и сладкий перец-гогошары запечь в духовке. Затем баклажаны очистить, мелко порубить. У гогошар удалить семенную часть и нарезать их ломтиками. Помидоры ошпарить кипятком и, очистив от кожицы (рецепт 2), разрезать на четыре части. Лук нарезать полукольцами и обжарить в кастрюле с маслом. Затем положить подготовленные баклажаны и гогошары, сахар, соль и тушить на слабом огне до готовности.

33 Икра из баклажанов

500 г баклажанов, 200 г сладкого перца, 1 луковица, 4 зубчика чеснока, 4 ст. ложки растительного масла, 1 ст. ложка столового уксуса, 1 помидор; соль, зелень петрушки по вкусу.

Баклажаны вымыть, запечь в духовке, очистить от кожицы и нарезать на кусочки. Перец вымыть, удалить семенную часть, мелко нарезать и обжарить на растительном масле. Очищенный лук мелко нарезать и также обжарить. Подготовленные овощи промолоть на мясорубке, посолить, добавить растертый чеснок, уксус, масло и все тщательно перемешать. Выложить икру в тарелку и украсить дольками помидоров и зеленью петрушки.

34 Икра из кабачков

500 г кабачков, 200 г моркови, 300 г помидоров, 1 луковица, 4 ст. ложки растительного масла; соль, сахар по вкусу.

Кабачки, морковь очистить, натереть на терке, положить в глубокую сковороду или кастрюлю, добавить мелко нарезанные помидоры, мелко нарезанный обжаренный лук, масло, соль, сахар и тушить под крышкой на слабом огне в течение 1 часа.

35 Фасоль по-армянски

1 стакан красной фасоли, 1 луковица, 1–2 ст. ложки подсолнечного масла; соль, перец, зелень кинзы по вкусу.

Красную фасоль промыть, замочить в холодной воде в течение 5–8 часов и варить при слабом кипении до готовности 1–2 часа. Готовую фасоль откинуть на сито и обжарить на масле. К фасоли добавить нарезанный кольцами и слегка обжаренный лук, соль, перец, все перемешать и выложить на блюдо. Фасоль подать с зеленью кинзы, маринованным чесноком и овощами.

36 Овощи в ореховом соусе

*2–3 свеклы, **или** 800 г шпината,
или 600 г цветной капусты,
или 600 г белокочанной
капусты, **или** 500 г спаржи,
или 700 г лука-порея.*
Для соуса:
*4 ст. ложки толченых грецких
орехов, 1 луковица, 4 зубчика
чеснока, 1 ст. ложка винного
уксуса; соль, красный молотый
перец, хмели-сунели, зелень
петрушки, кинзы по вкусу.*

Свеклу отварить, охладить, очистить от кожуры. Шпинат промыть, припустить, откинуть на дуршлаг и отжать. Цветную капусту разобрать на кочежки, промыть, отварить в подсоленной воде, откинуть на дуршлаг, охладить и отжать. Белокочанную капусту, или спаржу, или лук-порей отварить в подсоленной воде, откинуть на дуршлаг, охладить и отжать. Подготовленные овощи, каждый отдельно, мелко нарезать, добавить ореховый соус, тщательно вымешать и выложить на блюдо. Украсить зеленью, овощами или зернами граната.

Ореховый соус. К толченым орехам добавить толченый чеснок, красный молотый перец, хмели-сунели, рубленую зелень, соль, винный или столовый уксус, все перемешать.

37 Салат «Греческий»

*4 ст. ложки риса, 1 луковица,
100 г сыра, 2 зубчика чеснока,
1 огурец, 200 г консервированной
кукурузы, 100 г оливок
без косточек.*
Для заправки:
*сок 1 лимона или ¹/₂ стакана
винного уксуса, 1 ст. ложка
сахара, ¹/₂ стакана
оливкового масла.*

Рис отварить в подсоленной воде, воду слить, рис охладить. Сладкий фиолетовый лук очистить, нарезать тонкими полукольцами. Отварной рис смешать с подготовленным луком, тертым сыром, измельченным чесноком, мелко нарезанным огурцом, добавить кукурузу, оливки. Все перемешать, переложить в салатник и полить заправкой.

Заправка. Сахар растереть с лимонным соком или винным уксусом, добавить охлажденное оливковое масло, все хорошо взбить до получения однородной массы.

38 Цвани лобио

500 г зеленой стручковой фасоли, 4 ст. ложки тертых грецких орехов; соль, перец, винный уксус, зелень кинзы, петрушки, базилика по вкусу.

Стручки фасоли промыть, нарезать соломкой, отварить в небольшом количестве подсоленной воды, откинуть на дуршлаг и охладить. Фасоль, орехи, мелко нарезанную зелень растолочь, добавить соль, перец, уксус, все перемешать. Цвани лобио выложить на блюдо и украсить овощами, ягодами, майонезом.

39 Лобио

1 стакан красной фасоли, 3 луковицы, 3 ст. ложки растительного масла, 4 ст. ложки толченых грецких орехов; соль, перец, зелень петрушки, кинзы, винный уксус по вкусу.

Красную фасоль промыть, залить водой и оставить на 5–8 часов. Затем фасоль отварить и процедить. Очищенный лук мелко нарезать и слегка обжарить на растительном масле. Вареную фасоль смешать с обжаренным луком, толчеными орехами, мелко рубленной зеленью петрушки и кинзы, добавить уксус, соль, перец, все хорошо перемешать, выложить на тарелку и посыпать мелко нарезанным репчатым луком.

40 Салат по-гуцульски

500 г свеклы, 1 ¹/₂ стакана фасоли, 200 г чернослива, ¹/₂ стакана подсолнечного масла; соль, перец по вкусу.

Свеклу отварить, охладить, очистить и нарезать соломкой. Отдельно отварить фасоль (рецепт 39). Чернослив промыть, отварить до мягкости, охладить, вынуть из него косточки, мелко нарезать и перемешать с фасолью и свеклой. Добавить подсолнечное масло, соль, перец, все перемешать.

Овощи при варке сохранят свой яркий цвет, если в воду, в которой они варятся, добавить щепотку питьевой соды.

Сваренные овощи не оставляйте в отваре, слейте его сразу, иначе овощи станут водянистыми.

Чтобы вареные яйца хорошо чистились, воду при варке нужно подсолить.

Яйца не трескаются, если перед варкой проколоть скорлупу с тупого конца иглой.

При приготовлении салатов нельзя соединять теплые продукты с холодными, иначе салат очень быстро испортится.

41 Салат «Молодежный»

2 моркови, 1—2 свежих или соленых огурца, 200 г свежей или квашеной капусты, 150 г зеленого лука, 4 ст. ложки сметаны, 1—2 ст. ложки тертого сыра; соль, зелень по вкусу.

Сваренную очищенную морковь, свежие или соленые огурцы нарезать мелкими кубиками. Зеленый лук, свежую или квашеную капусту тонко нашинковать. Если используется свежая капуста, ее нужно немного перетереть с солью. Часть продуктов оставить для украшения, а остальные сложить в миску, добавить соль, сметану, все тщательно перемешать и выложить горкой на мелкие тарелочки. Украсить зеленью, «колокольчиками» из огурца, сверху посыпать тертым сыром.

42 Салат из капусты по-голландски

400 г красной капусты, 1 яблоко, 2 луковицы, 2 ст. ложки изюма без косточек, 4 ст. ложки растительного масла; соль, сахар, уксус, тмин по вкусу.

Капусту мелко нашинковать. Яблоко очистить от семян, нарезать кубиками. Лук очистить и мелко нарезать. Изюм промыть, замочить в воде и обсушить. Сложить продукты в салатник, добавить соль, сахар, столовый уксус, тмин и перемешать.

43 Салат «Зима на пороге»

400 г капусты, 1 соленый огурец, 1 яблоко, 1 морковь, 3 ст. ложки растительного масла, 1 ст. ложка сока лимона; соль, зелень, маслины, апельсины по вкусу.

Капусту нашинковать, перетереть с солью, заправить растительным маслом и лимонным соком. Затем смешать с мелко нарезанным соленым огурцом, тонкими ломтиками яблока, кружочками вареной моркови, маслинами, кусочками апельсина, зеленью сельдерея или петрушки.

44 Соте из овощей

300 г баклажанов, 300 г кабачков, 200 г сладкого перца, 2 моркови, 2 помидора, 1 луковица, 4 зубчика чеснока; соль, растительное масло по вкусу.

Баклажаны промыть, очистить от кожицы, нарезать кружочками, посолить, оставить на 10–15 мин для удаления горечи, затем промыть, обсушить и обжарить с обеих сторон. Молодые кабачки вымыть и очистить от кожицы; крупные кабачки вымыть, очистить и удалить семена. Затем кабачки нарезать кружочками или ломтиками, посыпать солью и обжарить с обеих сторон. Перец вымыть, удалить семенную часть, нарезать кружочками и пожарить. Морковь очистить от кожуры, нарезать кружочками и обжарить. Помидоры вымыть, нарезать поперек кружочками, посолить и обжарить с обеих сторон. Лук мелко нарезать и слегка обжарить. Подготовленные овощи смешать, посыпать измельченным чесноком и потушить до готовности.

45 Салат «Паризьен»

2–3 картофелины, 1 морковь, 200 г зеленого горошка, 3 яблока, 200 г корня сельдерея, 2 сваренных вкрутую яйца, 2 маринованных огурца, 2 ст. ложки сливочного масла; соль по вкусу.
Для соуса:
200 г майонеза, 1 ст. ложка столовой горчицы, 2 ст. ложки сметаны, 1/2 стакана белого сухого вина.

Картофель отварить, очистить от кожуры, охладить и нарезать кубиками. Морковь, сельдерей очистить, нарезать кубиками, положить в сотейник или сковороду с разогретым сливочным маслом, добавить консервированный или свежий зеленый горошек и потушить. Яйца, маринованные огурцы, очищенные от кожуры и сердцевины яблоки также нарезать кубиками. Все перемешать, переложить в салатник и заправить соусом.
Соус. Горчицу растереть со сметаной и майонезом и, продолжая перемешивать, постепенно добавить вино.

46 Салат на скорую руку

5 сваренных вкрутую яиц, 5 яблок, 2 луковицы; соль, майонез по вкусу.

Яйца очистить от скорлупы и натереть на крупной терке. Яблоки также натереть на крупной терке. Лук мелко нарезать. Все перемешать, посолить и заправить майонезом.

47 Закусочка «Лимонные дольки»

1 лимон, 100 г майонеза «Оливковый», 100 г твердого сыра; сахар по вкусу.

Лимон среднего или крупного размера с тонкой кожей залить на 10 мин кипятком. Затем вынуть, охладить, нарезать тонкими дольками и выложить на блюдо. Каждую дольку посыпать сахаром. Удобно использовать майонез в пластиковой упаковке, для чего отрезать ножницами один из углов упаковки и выдавить немного майонеза на каждую лимонную дольку. Сыр натереть на мелкой терке и посыпать сверху майонеза горочкой.

48 Салат по-македонски

300 г цветной капусты, 200 г стручковой фасоли, 2 моркови, 1 сладкий перец, 1–2 огурца, 2 луковицы, 100 г листьев салата; соль, зелень петрушки, горчичная заправка по вкусу.

Цветную капусту разобрать на кочешки. У стручковой фасоли удалить прожилки и нарезать фасоль в форме квадратиков. Очищенную морковь нарезать кружочками, перец — соломкой. Подготовленные овощи отварить раздельно в кипящей подсоленной воде до готовности, откинуть на дуршлаг и охладить. Очищенные огурцы нарезать кружочками, лук — соломкой. Подготовленные овощи сложить в миску, полить горчичной заправкой (рецепт 2), для приготовления которой лучше использовать оливковое масло, и перемешать. Выложить овощи на листья салата и посыпать мелко нарезанной зеленью петрушки.

49 Салат «Талга»

3 свеклы, 1–2 консервированных огурца, 2–3 дольки чеснока, 40 г корня хрена, 5 ст. ложек майонеза или сметаны; зелень по вкусу.

Сваренную и очищенную свеклу, консервированные огурцы нарезать соломкой и смешать с тертым хреном и мелко нарубленным чесноком. Выложить горкой в салатник, полить майонезом или сметаной, украсить зеленью петрушки или укропа.

50 Яйца с чесноком по-болгарски

4 яйца, ¹/₄ пачки сливочного масла, 1 головка чеснока, ¹/₄ ч. ложки соли, 2 ст. ложки воды; сметана, перец по вкусу.

Яйца варить в течение 5 мин и очистить теплыми. Сливочное масло растопить в глубокой сковороде, выложить яйца, закрыть крышкой и обжаривать в течение 3 мин, периодически покачивая сковороду. Огонь не должен быть очень сильным, чтобы сливочное масло не подгорело. Затем яйца вынуть, разрезать пополам, положить на тарелку и посолить. Мелко нарезанный чеснок положить на сковороду, в которой жарились яйца, добавить соль, воду и тушить 2 мин. Этой смесью залить яйца. При подаче на стол блюдо можно полить сметаной и поперчить.

51 Яйца под майонезом

4 сваренных вкрутую яйца; майонез, листья салата.
Для украшения: *помидоры, вареная морковь, изюм, консервированная кукуруза, огурец, ягоды, зелень.*

Яйца очистить от скорлупы, разрезать пополам. Блюдо или тарелку выложить листьями зеленого салата, сверху положить половинки яиц желтком вниз и полить их майонезом.
Для детей можно сделать из яиц, овощей, зерен кукурузы и изюма «гномиков» и «зайчиков», положить их на блюдо, подлить майонез, украсить ломтиками огурца, ягодами и зеленью.

52   Рубленые яйца с сыром и чесноком

4 сваренных вкрутую яйца, 200 г сыра, 2–3 дольки чеснока, ¹/₂ стакана майонеза; соль, перец, вареная морковь по вкусу.

Яйца очистить от скорлупы. Из белков вырезать заготовки для украшения. Оставшуюся часть яиц и сыр натереть на крупной терке, чеснок — на мелкой. Переложить продукты в миску, добавить майонез, посолить, поперчить, все перемешать. Затем выложить горкой на блюдо и поставить на холод на 20 мин. При подаче украсить «цветками» из яиц и вареной моркови.

53   Закуска «Сырные цыплятки»

200 г твердого сыра, 100 г сливочного масла, 3 зубчика чеснока; морковь, перец горошком, зелень для украшения.

Сыр и чеснок натереть на мелкой терке, перемешать со сливочным маслом. Из полученной массы вылепить крупные и мелкие шарики — «туловища» и «головки» цыплят. Из вареной моркови вырезать «клювики» и «гребешки». Собрать «цыплят» на посыпанном зеленью блюде. Сделать «глазки» из горошин черного перца. Сверху слегка присыпать «цыплят» тертым сыром.

54   Закусочный салат по-фински

2 картофелины, 3 моркови, 2 свеклы, 200 г твердого сыра; соль по вкусу.

Картофель, морковь, свеклу отварить, охладить, очистить от кожуры. Отваренные овощи нарезать мелкими кубиками, смешать с половиной нарезанного мелкими кубиками сыра. Все перемешать, посолить, переложить на блюдо, украсить оставшимся сыром и поставить на 1 час в холодильник. В качестве украшения можно выложить вензель хозяина, хозяйки или гостя.

Нарезанную капусту для салата следует слегка посолить и помять, чтобы она дала сок, а затем заправлять.

Если нарубленную белокочанную капусту полить белым вином и размять, салат из нее приобретет неожиданный пикантный вкус.

Маринованные огурцы не заплесневеют в открытой банке, если сверху положить натертый хрен.

Порошком из семян укропа можно заменить отсутствующую зелень. Его можно добавлять в салаты и супы.

55 Закуска по-севастопольски

4 сладких перца.
Для начинки:
100 г твердого сыра, 3 зубчика чеснока, 50 г сливочного масла, 3 ст. ложки майонеза; укроп по вкусу.

Перцы вымыть, удалить семена и наполнить охлажденной начинкой. При подаче перцы нарезать кольцами. Блюдо можно украсить листьями салата.
Начинка. Натертый на мелкой терке сыр, мелко нарубленный чеснок, мелко нарезанный укроп тщательно перемешать с майонезом и сливочным маслом до получения однородной массы.

56 Салат слоеный «Изюминка»

200 г сыра, 3 яблока, 4 вареные картофелины, 3 сваренных вкрутую яйца, 6 грецких орехов, 100 г изюма; майонез по вкусу.

Натертые на терке картофель, сыр, яблоки, измельченные яйца, изюм разделить на 2 равные части. Одну часть уложить последовательно слоями на блюдо, промазывая их майонезом. Так же уложить вторую часть. Сверху посыпать рублеными орехами.

57 Рулет сырный

300 г твердого сыра.
Для начинки:
100 г творога, 2 зубчика чеснока, 4 грецких ореха, 1 ст. ложка майонеза, 1 ст. ложка рубленой зелени; соль по вкусу.

Сыр положить в полиэтиленовый пакет, смазанный изнутри растительным маслом. Пакет завязать и опустить в горячую воду, чтобы сыр стал мягким. Вынуть сыр из пакета, раскатать, положить на сыр начинку, свернуть рулетом, завернуть в фольгу и поставить в холодильник. При подаче нарезать ломтиками.
Начинка. Творог растереть с тертым чесноком, толчеными орехами, рубленой зеленью, майонезом и солью.

58 Закуска деликатесная

400 г творога, 50 г сливочного масла, 2 ст. ложки толченых грецких орехов, 3 зубчика чеснока; соль, специи по вкусу.

Творог протереть через сито, добавить размягченное сливочное масло, измельченные грецкие орехи, толченый чеснок, соль, специи, все тщательно перемешать до получения однородной массы и охладить. При подаче закуску выложить на блюдо. Украсить орехами, листьями петрушки, вареной морковью.

59 Яйца с сырным кремом

6 яичных белков, листья салата.
Для сырного крема:
6 яичных желтков, 200 г сыра, 100 г сливочного масла, 4 ст. ложки сметаны; соль, перец по вкусу.

Яйца разрезать поперек пополам, вынуть желтки. У белков срезать верхушки. На блюдо положить листья салата, на них — половинки яичных белков. Из кондитерского мешочка с гладкой насадкой выпустить в середину белков сырный крем.
Сырный крем. Яичные желтки растереть со сливочным маслом, добавляя тертый сыр, сметану, соль и перец, до получения пышной массы.

60 Салат-коктейль «Клюковка»

200 г сыра, 2 моркови, 4 сваренных вкрутую яйца, 1 стакан клюквы, 1 стакан грецких орехов; майонез, соль по вкусу.

Морковь отварить, охладить и очистить. Клюкву промыть и обсушить. Сыр и морковь натереть на крупной терке, яйца мелко нарезать. В фужеры выложить слоями морковь, клюкву, яйца, толченые орехи, тертый сыр, промазывая каждый слой майонезом. Сверху салат залить майонезом и посыпать клюквой.

61 Паштет из брынзы по-болгарски

200 г брынзы, 100 г сливочного масла, 2 зубчика чеснока, 8 грецких орехов; зелень, овощи, ягоды по вкусу.

Брынзу протереть через сито, добавить сливочное масло, тертые орехи, рубленый чеснок, все тщательно перемешать, затем пропустить через мясорубку с частой решеткой. Паштет охладить, выложить на блюдо, украсить зеленью, овощами и ягодами.

62 Огурцы фаршированные по-литовски

4 огурца, 1 картофелина, ¹/₂ свеклы, 1 морковь, ¹/₂ луковицы; соль, сахар, растительное масло, сметана, зелень по вкусу.

Огурцы вымыть, разрезать вдоль пополам, вынуть сердцевину и измельчить ее. Картофель, свеклу, морковь отварить, охладить, очистить и нарезать кубиками. Лук мелко порезать и слегка обжарить на масле. К огуречной массе добавить подготовленные овощи, сахар, соль, перец, растительное масло, все перемешать. Полученной смесью заполнить половинки огурцов. Подать со сметаной и рубленой зеленью.

63 Салат по-египетски

4 банана, 2 яблока, 1 помидор, 150 г корня сельдерея, 100 г листового салата; майонез по вкусу.

Спелые бананы вымыть и очистить. Мякоть бананов мелко нарезать. Яблоки вымыть, очистить от кожуры, вырезать сердцевину и нарезать кубиками. Помидор вымыть и также нарезать кубиками. Корень сельдерея вымыть, очистить и натереть на терке. Листья салата промыть и мелко нарезать. Все продукты соединить, добавить майонез, перемешать и выложить в салатник.

64 Сулугуни жареный

600 г сыра сулугуни, 1 ст. ложка муки, 2–3 ст. ложки топленого масла; зелень по вкусу.

Молодой или слабосоленый сыр сулугуни нарезать ломтиками толщиной 1–1,5 см, запанировать в муке и обжарить на масле на раскаленной сковороде с обеих сторон до образования румяной корочки. Подать сыр горячим, украсив зеленью петрушки, кинзы или укропа.

65 Горячая закуска по-провансальски

500 г кабачков, 2 ст. ложки муки, 2 ст. ложки сливочного масла, 2 ст. ложки растительного масла, 1–2 помидора, 2 зубчика чеснока; соль, зелень петрушки по вкусу.

Очищенные кабачки нарезать кубиками, посолить по вкусу, обвалять в муке и обжарить в смеси сливочного масла с оливковым или подсолнечным маслом до готовности. Помидоры мелко нарезать, потушить в собственном соку и перемешать с кабачками. Посыпать мелко нарубленными чесноком и зеленью петрушки. Закуску подать горячей.

66 Печеный фаршированный картофель

8 одинаковых картофелин, 100 г сливочного масла, 100 г сыра, 3 яичных желтка, $^1/_2$ стакана сметаны; соль, перец по вкусу.

Картофель хорошо вымыть, натереть солью и испечь в духовке до готовности. У горячего картофеля срезать верхушки, вынуть сердцевину, размять, смешать с маслом, тертым сыром, яичными желтками, сметаной, посолить, поперчить, все тщательно перемешать. Полученной массой нафаршировать картофелины, посыпать тертым сыром и запечь в духовке. Подать горячим.

67 Горячая закуска «Трапезная»

500 г свежих или 150 г сухих грибов, 1 луковица, 3 ст. ложки растительного масла, 2 сваренных вкрутую яйца; соль, сметанный соус по вкусу.
Для сметанного соуса:
150 г сметаны, 2 ст. ложки сливочного масла, 1 ст. ложка муки, 2/3 стакана бульона; соль, перец по вкусу.

Свежие грибы очистить и вымыть. Сухие грибы перебрать, замочить и откинуть на дуршлаг. Подготовленные грибы отварить, нашинковать соломкой и обжарить на масле с добавлением лука. Грибы с луком положить в глиняные горшочки, сверху выложить нарезанные кружочками яйца, залить сметанным соусом и запечь в духовке. При подаче закуску можно посыпать мелко нарезанным зеленым луком.

Сметанный соус. Муку слегка обжарить на сковороде без масла, охладить, растереть с маслом, положить в кипящую сметану, размешать, заправить солью и перцем, проварить 3—5 мин, процедить и довести до кипения.

68 Горячая закуска из шампиньонов

500 г шампиньонов с крупными шляпками, 1 луковица, 2 зубчика чеснока, 1 ст. ложка сливочного масла, 3—4 ст. ложки сметаны, 2 ст. ложки тертого сыра; соль, перец, зелень петрушки по вкусу.

Шампиньоны очистить, промыть водой. Ножки грибов отделить и мелко нарезать. Лук, чеснок очистить и мелко нарезать. Зелень петрушки вымыть, обсушить и также мелко нарезать. Подготовленные грибы и овощи положить на сковороду с разогретым сливочным маслом и тушить под крышкой на слабом огне в течение 5 мин. Затем добавить сметану, соль, перец, все перемешать. Шляпки грибов выложить в сковороду или на противень, смазанные растительным маслом. На каждую шляпку выложить подготовленную грибную массу. Посыпать мелко натертым сыром и запечь в духовке до готовности.

69 Закуска «Добуш»

1 кг кабачков, 1 кг сладкого перца, 1 кг лука, 1 кг моркови, 1 кг помидоров, 1 стакан растительного масла, 4 ст. ложки сахара, 2 ст. ложки соли, $^3/_4$ стакана столового уксуса.

Кабачки, лук, морковь вымыть, очистить, нарезать соломкой. Перец вымыть, удалить семенную часть и также нарезать соломкой. Помидоры вымыть и нарезать дольками. Подготовленные овощи сложить в кастрюлю, добавить масло, сахар, соль, уксус и потушить 20 мин. Затем разложить в горячие банки, накрыть крышками и стерилизовать — нагревать банки с закуской в емкости с водой при слабом кипении в течение 10–30 мин, в зависимости от емкости банок. После чего крышки закатать.

70 Закуска из зеленых помидоров

3 кг зеленых помидоров, 1 кг моркови, 1 кг сладкого перца, 1 кг репчатого лука, 1 стакан растительного масла, 3 ст. ложки соли, 1 стакан сахара, $^1/_2$ стакана столового уксуса.

Зеленые помидоры вымыть. Перец вымыть, удалить семенную часть, мелко порезать. Морковь вымыть, очистить, натереть на крупной терке. Лук очистить, нарезать соломкой. Подготовленные овощи сложить в кастрюлю, добавить растительное масло, соль, сахар, уксус и тушить в течение 25 мин. Готовую закуску стерилизовать и закатать в банки (рецепт 69).

71 Перец с чесноком и петрушкой

4 кг сладкого перца, 1 головка чеснока, 300 г зелени петрушки, 1 стакан растительного масла; перец горошком, лавровый лист по вкусу.
Для маринада:
2 стакана воды, 2 ст. ложки соли, 1 стакан сахара, 1 стакан столового уксуса.

Перец вымыть, удалить семенную часть, нарезать кольцами. Чеснок очистить и измельчить. Петрушку вымыть и мелко нарезать. В банки налить растительное масло, разложить подготовленные овощи, добавить горошины черного перца, лавровый лист. Залить овощи горячим маринадом, накрыть банки крышками, стерилизовать и закатать крышки (рецепт 69).
Маринад. Растворить в воде соль и сахар, прокипятить, влить уксус и размешать.

72 Лечо по-домашнему

4 кг помидоров, 3 кг перца, 1 стакан подсолнечного масла, 2 ст. ложки столового уксуса, 1 стакан сахара, 2 ст. ложки соли.

Помидоры вымыть, пропустить через мясорубку, потушить с солью в течение 30 мин, добавить сахар и подсолнечное масло. Перец вымыть, удалить плодоножки и семена, нарезать крупными кусками, добавить к помидорам и тушить все вместе в течение 20 мин. За 5 мин до окончания тушения добавить уксус. Затем разложить лечо в горячие банки и закатать (рецепт 69).

73 Закуска «Охотничья»

1 кг капусты, 1 кг репчатого лука, 1 кг моркови, 1 кг огурцов, $^1/_2$ стакана подсолнечного масла, 1 ст. ложка уксуса, 2 ст. ложки сахара, 1 ст. ложка соли.

Капусту нашинковать. Лук нарезать тонкими полукольцами. Морковь нарезать соломкой. Огурцы тонко нарезать. Овощи посолить, обжать руками, добавить сахар, столовый уксус, масло, все перемешать, разложить в банки и закатать (рецепт 69).

74 Маринованный чеснок

1 кг чеснока; укроп, черный перец горошком, гвоздика, лавровый лист по вкусу.
Для маринада:
1 л воды, 2 ст. ложки соли, $^1/_2$ л винного уксуса.

Головки чеснока очистить от корешков и верхней шелухи, вымыть и замочить в холодной воде на 8–10 часов. Разложить чеснок в стеклянные банки, прослаивая укропом. Сверху положить горошины перца, гвоздику, лавровый лист, залить маринадом, прижать гнетом и поставить в холодное место на 15 дней.
Маринад. Растворить в воде соль, прокипятить, влить уксус, размешать и охладить.

75 Квашеная капуста с солеными огурцами

200 г квашеной капусты, 1–2 соленых огурца, 1 луковица, 3 ст. ложки растительного масла; зелень по вкусу.

В квашеную капусту добавить нарезанные кружочками соленые огурцы, нарезанный кольцами репчатый лук, полить растительным маслом и тщательно перемешать. Затем уложить горкой в салатник, украсить ломтиками огурца, кольцами лука и клюквой.

76 Морковь по-корейски

1 кг моркови, 1 головка чеснока, $^2/_3$ стакана растительного масла, $^1/_2$ стакана столового уксуса; соль, черный перец по вкусу.

Морковь вымыть, очистить, тонко нашинковать и потушить с маслом в течение 5 мин. Затем добавить очищенный, мелко порезанный чеснок, соль, черный молотый перец, все перемешать и тушить еще 3 мин. Снять с огня, влить уксус, перемешать, накрыть крышкой, остудить и поставить на холод на 1 сутки.

77 Помидоры под желатином

4 кг помидоров, 2 л воды, 2 ст. ложки желатина, 4 ч. ложки соли, $^1/_2$ стакана сахара, 2 ст. ложки столового уксуса; соль, перец, лавровый лист по вкусу.

Желатин залить частью кипяченой воды и оставить на 3 часа для набухания. Помидоры вымыть, разрезать пополам и разложить в чистые стеклянные банки. В оставшуюся воду положить соль, сахар, перец, лавровый лист, все вскипятить, добавить желатин, уксус, размешать и залить полученным маринадом помидоры. Затем стерилизовать и закатать крышками (рецепт 69).

78 Овощная икра

4 свеклы, 3 моркови, 2 луковицы, 1/2 стакана растительного масла, 4 помидора или 2 ст. ложки томатной пасты; соль, перец по вкусу.

Свеклу, морковь, репчатый лук очистить, нарезать кусочками и 2 раза пропустить через мясорубку — сначала через крупную решетку, затем через мелкую. Овощи сложить в подходящую посуду, накрыть крышкой, поставить в горячую духовку и томить, пока они не станут мягкими. Выложить овощную смесь на разогретую с маслом сковороду, добавить предварительно измельченные помидоры или томатную пасту и тушить 20 мин. Горячую икру разложить в банки и закатать (рецепт 69).

79 Яблочная закуска

5 кг яблок, 1 кг сладкого перца, 300 г чеснока, 700 г зелени петрушки, укропа, кинзы; соль по вкусу.

Кислые яблоки вымыть, разрезать на четвертинки, очистить от сердцевины, положить в кастрюлю. Добавить немного воды, довести до кипения и проварить яблоки до мягкости. Затем яблоки протереть через дуршлаг. Протертые яблоки сложить в кастрюлю, добавить мелко нарезанные перец, чеснок, зелень, соль и проварить в течение 10 мин. Горячую закуску разложить в стерилизованные банки и закатать (рецепт 69). Поставить банки вверх дном, дать закуске остыть.

80 Салат «Нежинский»

Некрупные огурцы, репчатый лук, укроп, соль, сахар, столовый уксус, черный и душистый перец горошком, лавровый лист, подсолнечное масло.

Огурцы промыть. Мелкие огурцы нарезать кружочками, более крупные разрезать вдоль и нарезать поперек. Лук очистить и нарезать полукольцами. Укроп промыть, обсушить и мелко нарезать. В банки емкостью 0,5 л положить по 2−3 горошины черного и душистого перца, плотно уложить слоями подготовленные огурцы, лук, укроп. Добавить 3/4 ч. ложки соли, 1/2 ч. ложки сахара, 2 ст. ложки столового уксуса, 1/2 лаврового листика, залить кипящей водой, накрыть банки крышками, дать постоять 20 мин. Затем банки поставить в посуду с подогретой до 40° водой, стерилизовать в течение 10 мин и закатать крышками. Перед подачей на стол заправить салат подсолнечным маслом.

81 Закуска из капусты

1 кг капусты, 2 луковицы, 3 зубчика чеснока, 2 ст. ложки соли; красный молотый перец, столовый уксус, растительное масло, сахар по вкусу.

Капусту мелко нашиковать, посолить, слегка обмять и оставить на 2 часа. Затем добавить к капусте мелко нарезанные лук и чеснок, перец, перемешать и плотно уложить в эмалированную или стеклянную посуду, положить сверху гнет и поставить в прохладное место на 3 дня. Закуску можно подать в день приготовления, добавив в нее растительное масло, уксус и сахар.

82 Моченые яблоки

Яблоки осенних или зимних сортов.
Для сусла:
10 л воды, 100 г солода или 2 стакана ржаной муки, 4 ст. ложки соли, 1/2 кг сахара или меда.

Одинаковые по величине яблоки вымыть, уложить в эмалированную посуду или деревянную бочку, залить охлажденным суслом, придавить гнетом и закрыть крышкой. Первые три дня ежедневно открывать крышку, удалять образовавшуюся пену и доливать свежее сусло. Затем поставить яблоки на холод и хранить при температуре 0−4°.

Сусло. Воду вскипятить, добавить соль, сахар или мед, солод или ржаную муку, разболтанную в небольшом количестве холодной воды, размешать и кипятить еще в течение 5 мин.

Закуски из рыбы и морепродуктов

83 Сельдь закусочная

*3–4 некрупные селедки,
1 стакан молока.
Для украшения: зелень
петрушки, помидор, сваренные
вкрутую яйца.*

Селедки вымочить в холодной воде в течение суток, сменяя несколько раз воду. У селедок отрезать край брюшка, голову и хвост, вынуть потроха, сделать надрез вдоль спинки и снять кожицу. Вынуть из селедки все кости. Полученное филе сельди положить в подходящую посуду, залить холодным молоком и оставить в холодном месте на 3–4 часа. Вынуть селедочное филе из молока, слегка обсушить салфеткой и выложить на блюдо, свернув кольцами в форме цветков. Украсить зеленью петрушки, «цветками» из помидора и яичных белков.

84 Закуска «Птичьи гнезда»

*2 селедки, 1 яблоко,
100 г пшеничного хлеба,
2 ст. ложки молока, 2 луковицы,
2 ст. ложки сливочного масла,
2 сваренных вкрутую яйца;
зелень по вкусу.*

Филе сельди без костей (рецепт 83), кусочки очищенных от кожицы яблок, вареные яйца, замоченный в молоке и отжатый хлеб пропустить через мясорубку, добавить поджаренный на сливочном масле лук и все тщательно вымесить. На дно плоской тарелки уложить листья салата. На каждый лист положить по шарику, сделанному из селедочной массы. Обсыпать шарики смесью мелко нарезанного яичного белка и зелени. Сделать в шариках углубления, положить в них $1/2$ часть вареного желтка.

85 Сельдь по-киевски

*1 селедка, 2 ломтика
пшеничного хлеба, 2 ст. ложки
молока, 100 г сыра,
100 г сливочного масла,
1 ч. ложка столовой горчицы;
зелень петрушки, перец по вкусу.*

Селедку разделать на филе (рецепт 83). Хлеб замочить в молоке, отжать и вместе с филе два раза промолоть на мясорубке с мелкой решеткой. Сыр натереть на мелкой терке. Добавить к селедочной массе размягченное сливочное масло, тертый сыр, горчицу, перец, все тщательно перемешать, переложить в селедочницу и придать массе форму рыбы. Приложить к «рыбе» голову и хвост селедки и украсить зеленью петрушки.

86 Форшмак из сельди

*2 селедки, 200 г пшеничного
хлеба, $1/2$ стакана молока,
1 луковица, 1 яблоко, 2 ст. ложки
растительного масла;
панировочные сухари по вкусу.*

Приготовить филе сельди без костей (рецепт 83). Белый хлеб без корок замочить в молоке. Яблоко очистить от кожицы и сердцевины. Филе сельди, хлеб и яблоко пропустить через мясорубку. Лук мелко порезать, слегка обжарить на растительном масле и смешать с селедочной массой. Затем смазать сковороду маслом, выложить на нее подготовленную селедочную массу, посыпать панировочными сухарями, сбрызнуть растопленным сливочным маслом и запечь в духовке.

87 Закуска из лосося по-канадски

600 г лососевой рыбы, сок 1/2 лимона; растительное масло, соль, листья салата, лимон по вкусу.
Для салата с майонезом:
1 картофелина, 1 маринованный огурец, 100 г майонеза, 100 г сметаны; перец, зелень петрушки по вкусу.

Лосося, кету или горбушу очистить от чешуи, выпотрошить, вымыть, обсушить салфетками, нарезать поперек кусками толщиной 2 см, полить соком лимона и поставить в холодильник на 2 часа. Подготовленные куски рыбы посолить, слегка смазать с двух сторон растительным маслом, запечь в фольге в духовке и охладить, не вынимая рыбу из фольги. На блюдо или тарелку выложить листья салата, ломтики лимона, куски рыбы, салат с майонезом. Блюдо украсить «корзиночкой» из лимона или апельсина с зеленью петрушки.

Салат с майонезом. Картофель отварить в кожуре, охладить и мелко нарезать. Маринованный огурец мелко порезать, добавить картофель, рубленую зелень петрушки, молотый перец, майонез со сметаной, все перемешать.

88 Салат из лосося «Сахалинский»

1 банка консервированного лосося, 2 моркови, 2 луковицы, 3 сваренных вкрутую яйца, 1–2 свежих или соленых огурца; подсолнечное масло, майонез, зелень по вкусу.

Консервированного лосося размять вилкой. Морковь очистить, натереть на крупной терке и обжарить в небольшом количестве подсолнечного масла. Лук очистить, мелко нарезать и обжарить в небольшом количестве подсолнечного масла. Свежие или соленые огурцы мелко нарезать. Яйца очистить от скорлупы и натереть на крупной терке. В салатник выложить слоями морковь, лук, майонез, лосось, огурцы, яйца. Сверху залить салат майонезом и украсить зеленью петрушки или укропа.

89 Рыба с соусом «Мариенталь»

600 г рыбы, 1 л воды,
¹/₂ луковицы, ¹/₂ моркови; соль,
черный перец горошком,
лавровый лист по вкусу.
Для соуса «Мариенталь»:
1 ст. ложка муки,
1 ст. ложка масла, 100 г хрена,
100 г майонеза, 100 г сметаны,
1 стакан рыбного отвара;
соль, сахар, уксус, зелень по вкусу.

Осетрину, белугу, севрюгу обварить горячей водой, очистить от шипов и чешуи и обмыть. Судака, лососину или другую рыбу очистить от чешуи, выпотрошить и промыть. Нарезать рыбу крупными кусками, сложить в кастрюлю, залить кипящей водой, добавить мелко нарезанные лук и морковь, соль, пряности. Отварить рыбу на слабом огне и охладить в отваре. Нарезать рыбу тонким острым ножом на широкие куски и разложить «чешуей» на овальном блюде. Украсить ломтиками огурца, лимона, «розочкой» из помидора, зеленью. Подать с соусом.

Соус «Мариенталь». Муку растереть с маслом, развести холодным рыбным отваром, добавить соль, сахар, уксус, натертый на терке хрен, вскипятить и охладить. Добавить майонез, сметану, рубленые яйца, размешать и посыпать рубленой зеленью.

90 Рыбный салат «Ницца»

1 банка консервов тунца,
4 соленых анчоуса, 200 г салата,
¹/₂ огурца, 2 помидора,
2 сваренных вкрутую яйца,
1 луковица, 4 ст. ложки маслин.
Для соуса: *4 ст. ложки*
оливкового масла, 1 ст. ложка
винного уксуса; соль, перец, сухая
приправа для рыбы по вкусу.

Тунца разделить на маленькие кусочки. Анчоусы (хамсу) разделать на филе. Листья салата промыть, обсушить, нарезать крупными кусками. Огурцы и помидоры вымыть, нарезать ломтиками. Лук очистить и нарезать кольцами. Яйца очистить от скорлупы и нарезать дольками. Овощи, тунца и маслины перемешать, полить соусом. Сверху выложить анчоусы и дольки яиц.

Соус. В оливковое масло добавить уксус, соль, перец, сухую приправу для рыбы, все перемешать.

91 Фаршированная рыба

*1–2 рыбы общей массой 2 кг,
1 луковица, 1 морковь, 2 зубчика
чеснока; соль, перец,
рыбное желе, майонез, огурец,
зеленый лук по вкусу.*
Для фарша: *рыбное филе,
200 г пшеничного хлеба,
1 стакан молока, 2 яйца,
3 луковицы, 4 ст. ложки
сливочного масла; соль, перец
по вкусу.*

Щуку, карпа, судака, треску очистить от чешуи, выпотрошить, промыть, аккуратно снять кожу, отделить мякоть от костей. Снятую с рыбы кожу заполнить фаршем. На дно посуды положить нарезанные морковь, лук, чеснок, фаршированную рыбу, залить холодной водой и варить в закрытой посуде 1–2 часа. На бульоне, в котором варилась рыба, приготовить желе (рецепт 94) и порубить. На блюдо выложить рубленое желе, охлажденную рыбу, украсить майонезом, огурцом и зеленым луком.
Фарш. Рыбное филе и лук пропустить через мясорубку, смешать с маслом, яйцом, размоченным в молоке хлебом, солью, молотым перцем и вторично пропустить через мясорубку

92 Рыбный паштет по-шотландски

*300 г копченой рыбы,
3 ст. ложки сливочного масла,
1 ст. ложка оливкового масла,
2 ст. ложки сливок, 1 ст. ложка
лимонного сока; соль, перец,
мускатный орех по вкусу.*

Рыбу горячего копчения положить в кастрюлю с холодной водой, медленно довести до кипения и кипятить 1–2 мин, затем воду слить. Снять с рыбы кожу, отрезать голову, хвост, плавники, отделить мякоть от костей и нарезать на куски. Мясо рыбы пропустить через мясорубку или взбить миксером. Сливочное и оливковое масло взбить вместе, постепенно перемешать с рыбным фаршем, пока смесь не загустеет. Продолжая перемешивать, добавить сливки, соль, перец, молотый мускатный орех, лимонный сок. Выложить паштет на небольшое блюдо и охладить. Подавать со свежеподжаренным хлебом.

93 Галантин из рыбы

*300 г рыбного филе,
50 г шпика,
1–2 моркови, 1 яйцо,
1 ст. ложка зеленого горошка,
2 зубчика чеснока,
1 ст. ложка муки,
1 ¹/₂ стакана рыбного желе;
соль, перец,
соус из хрена по вкусу.*

Рыбное филе промолоть на мясорубке вместе с чесноком, добавить сырое яйцо, муку, соль, перец, все перемешать. В полученный фарш добавить зеленый горошек, нарезанные кубиками шпик и вареную морковь, все тщательно перемешать и отбить, придавая форму толстой колбасы. Положить фарш на смоченную водой ткань, завернуть, завязать марлей или нитками, опустить в кипящую подсоленную воду и варить под крышкой при слабом кипении 30–40 мин. Поместить галантин под легкий пресс и охладить. Затем снять ткань, нарезать галантин ломтиками, уложить на блюдо, залить рыбным желе (рецепт 94), украсить морковью и зеленью. Подать с соусом из хрена (рецепт 148).

94 Судак заливной «Царь-рыба»

*1 кг судака, 1 ¹/₂ л воды,
2 луковицы, 2 моркови;
соль, черный перец горошком,
лавровый лист, лимон, маслины,
овощи, зелень по вкусу.*
Для рыбного желе:
*3 стакана рыбного бульона,
2 ст. ложки желатина.*

Подготовленного судака разделать на филе с кожей. Филе нарезать порционными кусками, сложить всю рыбу в один ряд кожей вверх в посуду, залить кипятком, добавить лук, морковь, лавровый лист, соль, перец и варить без кипения 5–7 мин. Рыбу вынуть, оставшийся бульон процедить. На блюдо налить немного рыбного желе, дать застыть и уложить филе, голову и хвост в виде рыбы. Украсить лимоном, овощами, зеленью, маслинами, залить оставшимся охлажденным желе и дать застыть.

Рыбное желе. В горячий рыбный бульон положить предварительно замоченный в воде желатин и размешать до растворения.

95 Закусочные крокеты «Рыбачьи»

400 г рыбного филе, ¹/₂ луковицы, 1 ст. ложка картофельного крахмала, 2 ст. ложки молока; соль, соус из хрена по вкусу.

Рыбное филе пропустить через мясорубку вместе с луком, добавить картофельный крахмал, молоко, соль, перец, все перемешать. Из полученного фарша сделать небольшие шарики-крокеты и отварить их в рыбном бульоне. Подать крокеты горячими или холодными с соусом из хрена (рецепт 148).

96 Салат «Нептун» с крабовыми палочками или крабами

200 г крабовых палочек или крабов, 1 картофелина, 1 консервированный огурец, 2 сваренных вкрутую яйца; соль, листья салата, майонез, маслины, соленая семга или лососина по вкусу.

Крабовые палочки или крабы, вареный картофель, консервированный огурец и яйца нарезать ломтиками, а листья зеленого салата — на части. Все сложить в миску, добавить соль, майонез и перемешать. Выложить салат горкой в салатник, украсить листиками салата, ломтиками семги или лососины, кружками вареных яиц и маслинами без косточек.

97 Закуска из рыбьей мелочи

1 кг мелкой рыбы, 2 моркови, 4 луковицы, 5 ст. ложек растительного масла, 1 стакан воды; соль, черный перец горошком, лавровый лист по вкусу.

Мелкую рыбу очистить от чешуи, выпотрошить и вымыть. Морковь и лук очистить и нарезать кружочками. Подготовленные овощи и рыбу уложить в толстостенную посуду слоями, чередуя овощи и рыбу. Каждый слой посолить. На верхний слой положить промытую луковую шелуху, добавить растительное масло, воду, лавровый лист, перец. Поставить посуду с рыбой и овощами на огонь, довести до кипения, плотно закрыть крышкой и тушить на слабом огне 3—4 часа. После чего дать остыть под крышкой. Убрать луковую шелуху, выложить закуску на блюдо.

98 Рыбный салат «Капри»

600 г рыбного филе, 2 стакана воды, 1 стакан риса, 2 луковицы, 2 огурца, 2 помидора, 2 яблока, 3 ст. ложки растительного масла; лимонный сок, соль, перец, зелень петрушки и укропа по вкусу.

Рис отварить в подсоленной воде почти до готовности. Рыбное филе сбрызнуть лимонным соком, положить в рис и проварить под крышкой 10 мин. Затем рыбное филе вынуть, остудить и нарезать небольшими кусочками. Рис откинуть на сито, дать стечь воде. Лук очистить от кожуры, нарезать тонкими полукольцами и сбрызнуть лимонным соком. Огурцы вымыть, очистить от кожуры и нарезать кубиками. Помидоры вымыть и нарезать дольками. Яблоки вымыть, вырезать сердцевину и нарезать кубиками. Подготовленные продукты сложить в миску, добавить растительное масло, лимонный сок, соль, перец, мелко нарезанную зелень укропа и петрушки, все перемешать и поставить в холодильник на 1 час. Готовый салат выложить в салатник, украсить листиками петрушки.

99 Закуска «Озеро Таир»

1 банка шпрот или других рыбных консервов в масле, 2 сваренных вкрутую яйца, 3 стакана рыбного желе, зелень по вкусу.

Очищенные от скорлупы яйца нарезать в форме цветков или кружочками. В стеклянные вазочки, креманки или фужеры налить часть рыбного желе (рецепт 94) и дать ему застыть. На застывшее желе выложить рыбу, нарезанные яйца, веточки зелени и залить оставшимся охлажденным желе. Поставить посуду с закуской в холодильник и оставить до полного застывания желе. Отдельно подать соус из хрена (рецепт 148).

Если отваривать рыбу с добавлением огуречного рассола, она не будет развариваться и крошиться.

Чтобы кальмары после варки остались мягкими, их нельзя переваривать. Время варки не более 5 минут.

Майонез в салате можно заменить сметаной, смешанной с растертым яичным желтком, столовой горчицей и солью.

Маринад, оставшийся от консервированных огурцов, можно добавлять вместо уксуса в салатные заправки.

100 Салат из крабов и капусты

150 г крабов или крабовых палочек, 400 г капусты, 100 г майонеза; соль, сахар, клюква, яблоко, зелень петрушки по вкусу.

Капусту нашинковать тонкой соломкой, перетереть с солью. Мясо крабов или крабовые палочки мелко нарезать и смешать с капустой. Добавить майонез, сахар, все перемешать. Готовый салат выложить в креманку или на тарелку горкой и украсить ягодами клюквы, тонкими ломтиками яблока или листиками петрушки.

101 Салат из крабовых палочек с кукурузой

200 г крабовых палочек, 150 г консервированной кукурузы, 1 ст. ложка риса, 2 сваренных вкрутую яйца; соль, майонез, зелень по вкусу.

Рис отварить в подсоленной воде, откинуть на сито и охладить. Крабовые палочки, яйца мелко нарезать. Консервированную кукурузу откинуть на дуршлаг и обсушить. Все смешать, заправить майонезом, переложить в салатник, украсить зеленью.

102 Салат по-норвежски

300 г филе соленой рыбы, 1 свекла, 2 моркови, 1–2 луковицы.
Для соуса:
1 стакан сливок, 1 ст. ложка сахара, 1 ч. ложка горчицы, $^1/_2$ ч. ложки соли; перец по вкусу.

Филе сельди, салаки или другой соленой рыбы нарезать мелкими кусочками. Свеклу и морковь отварить, охладить, очистить и нарезать мелкими кубиками. Лук очистить и мелко порезать. Подготовленные продукты сложить в миску, перемешать и поставить в холодильник на 1 час. Затем салат выложить в салатник и подать с соусом.
Соус. Горчицу растереть с сахаром и солью, добавить охлажденные сливки, перец, все тщательно размешать.

103 Салат «Флотский»

250 г рыбного филе с кожей,
2 сваренных вкрутую яйца,
1—2 картофелины, 1 яблоко,
2 свежих или соленых огурца,
3 ст. ложки зеленого горошка,
3 ст. ложки майонеза;
соль, яблоки, ягоды,
зелень по вкусу.

Рыбное филе с кожей отварить в небольшом количестве подсоленной воды, охладить и мелко порезать. Картофель отварить с кожурой в подсоленной воде, охладить, очистить от кожуры и нарезать мелкими кубиками. Из яичных белков вырезать тонкие заготовки для украшения. Оставшуюся часть яиц мелко нарезать. Яблоки очистить от кожицы, удалить сердцевину. Из части яблока вырезать тонкие дольки для украшения. Оставшуюся часть нарезать мелкими кубиками. Огурцы также нарезать мелкими кубиками. Подготовленные продукты сложить в салатник, добавить зеленый горошек, майонез, все тщательно перемешать. При подаче украсить салат зеленью, ломтиками яблок, «цветками» из яиц и ягод.

104 Салат из кальмаров «Асахи»

400 г кальмаров, 1 луковица,
200 г морской капусты,
2 ст. ложки растительного масла;
перец, зелень, лимон по вкусу.
Для маринада:
2 стакана воды, 2 ст. ложки
столового уксуса, 1 ч. ложка
соли, 2 ч. ложки сахара;
перец горошком,
лавровый лист по вкусу.

Кальмары очистить от пленки и внутренностей, промыть, отварить в кипящей подсоленной воде в течение 3—5 мин, охладить и нарезать соломкой. Репчатый лук нарезать кольцами, ошпарить кипятком, смешать с кальмарами, залить маринадом и оставить на 1 час. После чего маринад слить, добавить морскую капусту, перец, растительное масло, все перемешать. Готовый салат выложить в салатник, украсить зеленью и кружочками лимона.
Маринад. В воду добавить соль, сахар, перец горошком, лавровый лист, довести до кипения, влить уксус и размешать.

105 Кальмары по-гречески

800 г кальмаров, 3 помидора, 1 пучок зелени петрушки, 2 зубчика чеснока, 100 г оливкового масла, $^1/_2$ стакана сухого белого вина, 1 ст. ложка лимонного сока; соль, перец по вкусу.

Подготовленные сырые кальмары (рецепт 104) натереть солью, сполоснуть, нарезать колечками и поджарить на масле в толстостенной посуде. Помидоры вымыть, опустить на 1 мин в кипяток, снять кожицу и мелко порезать. Положить помидоры в посуду с кальмарами, добавить мелко нарезанную петрушку, тертый чеснок, соль, перец, лимонный сок, вино и тушить под крышкой в течение 20 мин. Подать кальмаров охлажденными.

106 Закуска из кальмаров с редькой

400 г кальмаров, 2 редьки, 2 луковицы, 4 ст. ложки растительного масла; соль, уксус, зелень по вкусу.

Кальмары очистить, отварить (рецепт 104), охладить и нарезать соломкой. Очищенную редьку мелко нашинковать или натереть на крупной терке, заправить маслом, солью, уксусом. Лук нарезать тонкими кольцами, обжарить на масле и охладить. Подготовленные продукты смешать, выложить в салатник и посыпать мелко нарезанной зеленью петрушки или укропа.

107 Кальмары под маринадом

400 г кальмаров; зелень по вкусу.
***Для маринада:** 4 моркови, 2 луковицы, 1 корень петрушки, 1 ст. ложка томатной пасты, 2 ст. ложки растительного масла, 2 ч. ложки сахара; соль, уксус, перец горошком, лавровый лист по вкусу.*

Кальмары отварить (рецепт 104), охладить и нарезать соломкой. Вареные кальмары положить в подготовленный маринад и кипятить несколько минут на слабом огне. Охладить, выложить в салатник, посыпать мелко нарезанным зеленым луком.
Маринад. Морковь, петрушку нарезать соломкой или натереть на терке. Лук нарезать кольцами. Овощи поджарить до готовности, добавить томат и обжаривать еще 5—10 мин. Затем влить уксус, положить соль, сахар, лавровый лист, перец горошком, довести до кипения и прогреть в течение 15—20 мин.

108 Кальмары по-корейски

600 г кальмаров, 2 моркови, 1 луковица, 4 ст. ложки растительного масла; соль, красный молотый перец, соевый соус по вкусу.

Подготовленные кальмары (рецепт 104) опустить на 2 мин в кипящую воду, промыть водой и нарезать соломкой. Морковь нарезать соломкой, посолить, оставить на 30 мин, затем отжать выделившийся сок. Лук нарезать кольцами, обжарить и охладить. Все сложить в кастрюлю, добавить соль, перец, соевый соус, перемешать и поставить в холодильник на 10—12 часов.

109 Раки отварные

12 раков, 1 л воды, 2 ч. ложки соли, 1 луковица, $^1/_2$ моркови; корень петрушки, душистый перец горошком, лавровый лист по вкусу.

Живых раков промыть, положить в посуду, добавить соль, специи, мелко нарезанные петрушку, лук, морковь, залить кипятком и варить под крышкой 10 мин с момента закипания воды. Готовых раков вынуть из отвара через 10 мин и подать к столу горячими или охлажденными.

110 Креветки с рублеными яйцами

400 г креветок, 4 сваренных вкрутую яйца, 100 г зеленого лука, 2 ст. ложки сливочного масла; соль по вкусу.

Креветки отварить в подсоленной воде в течение 5 мин, охладить, очистить от панциря. Яйца очистить от скорлупы, мелко порубить. Зеленый лук промыть, мелко порезать, смешать с рублеными яйцами, добавить растопленное сливочное масло и соль. Все хорошо перемешать. На блюдо выложить рубленые яйца с луком, сверху выложить креветки.

111 Закуска с креветками «Касабланка»

400 г крупных вареных креветок, 100 г маринованного сладкого перца, 1/2 головки красного репчатого лука, 1 помидор; соль, перец, уксус, зелень по вкусу.

Лук нарезать тонкими кольцами, ошпарить кипятком, сбрызнуть уксусом, посолить и оставить на 1 час для маринования. Затем добавить вареные креветки (рецепт 110), нарезанный дольками помидор, нарезанный кружочками перец, рубленую зелень, все перемешать, выложить на блюдо и охладить. При подаче край блюда обложить мелкими кусочками льда.

112 Салат из креветок

400 г креветок, 1 свежий или соленый огурец, 2 моркови, 2 картофелины, 4 ст. ложки консервированного зеленого горошка; соль, майонез, зелень по вкусу.

Вареные креветки (рецепт 110) нарезать кусочками. Огурцы, вареные морковь и картофель нарезать кубиками, сложить в миску, добавить часть креветок, зеленый горошек, соль, майонез, все перемешать и уложить горкой на середину тарелки. Сверху положить оставшиеся креветки и полить майонезом. При подаче посыпать салат мелко нарезанной зеленью петрушки.

113 Заливное с креветками

500 г креветок, 1 вареная морковь, 1/2 соленого огурца, 1/2 лимона, 2 стакана рыбного желе; соль, зелень, соус из хрена или майонез по вкусу.

В салатник налить немного рыбного желе (рецепт 94), дать застыть, положить очищенные отварные креветки (рецепт 110), украсить нарезанными морковью, огурцом, кусочками лимона, листиками петрушки, залить оставшимся желе и дать застыть. Подать с соусом из хрена (рецепт 148) или майонезом.

114 Соление горбуши, семги, кеты, форели

На 1 кг рыбы:
1 ст. ложка сахара,
2 ст. ложки соли.

Рыбу можно брать свежую или мороженую, слегка ее разморозив. Лучше солить рыбу целиком, но можно голову и хвост использовать для ухи. Рыбу взвесить и отмерить количество соли и сахара. Натереть рыбу солью с сахаром, завернуть в полотняную тряпку, положить вверх брюхом в холодильник на 5–7 дней. У готовой рыбы ножом снять кожу и под острым углом нарезать филе рыбы тонкими ломтиками. Оставшуюся рыбу закрыть той же кожей, снова завернуть и положить в холодильник.

115 Соление сельди, салаки и другой рыбы

На 1 кг рыбы:
150 г крупной соли
для умеренного посола;
300 г крупной соли
для крепкого посола.

Для посола годятся свежие или мороженые сельдь, салака, килька, лещ, сазан и другая рыба. Перед солением мороженую рыбу разморозить. Мелкую рыбу не потрошить. Среднюю рыбу выпотрошить, оставляя икру и молоки. Крупную рыбу разрезать вдоль спинки и удалить все внутренности. Подготовленную рыбу промыть холодной водой, дать стечь жидкости. Мелкую рыбу выложить в таз, посыпать солью, перемешать руками. Среднюю рыбу натереть солью. Крупную рыбу дополнительно пересыпать солью изнутри и в жабрах. Уложить рыбу рядами в подходящую деревянную, эмалированную или стеклянную емкость, пересыпая рыбу солью. Рыбу прикрыть, положить гнет и поместить емкость в прохладное место. Мелкая рыба готова через 2–3 дня, средняя — через 5–7, крупная — через 7–10 дней.

116 Засолка рыбьей икры

Икра лососевых или частиковых пород рыб.
Для рассола:
1 л воды, 1–2 ст. ложки соли.

Икру горбуши, кеты, семги, щуки, судака, леща, сазана и другой рыбы положить в подготовленный рассол и вилкой освободить икру от пленок. Откинуть икру на марлю, дать стечь рассолу. Свернуть марлю желобком и катать в ней икру, чтобы пленки прилипли к марле. Освобожденную от пленок икру попробовать на вкус. Если икра очень соленая, промыть ее в воде 1–2 раза. Если икра покажется недосоленной, опустить икру еще раз в рассол или досолить солью тонкого помола. Затем подвесить марлю с икрой на 30 мин, после чего аккуратно сложить икру в банку и поставить в холодильник.
Солить лучше свежую икру. Если икра была заморожена, ее нужно предварительно разморозить в холодной воде.
Рассол. Вскипятить воду с солью, снять с огня, дать остыть примерно 10 мин, чтобы можно было в рассол окунуть палец.

117 Картофельные оладьи с красной икрой

1 банка красной икры, 1/2 кг картофеля, 1 луковица, 1/2 ч. ложки соли, 1 яйцо, 2 ст. ложки муки; растительное масло по вкусу.
Для соуса:
100 г сметаны, 1 ст. ложка майонеза; укроп по вкусу.

Очищенные картофель и лук натереть на терке и смешать. Добавить муку, яйцо, соль, все тщательно перемешать. На хорошо разогретой с маслом сковороде выпечь с двух сторон оладьи, беря по 1 ст. ложке полученной массы. На каждый оладышек положить по 1 ч. ложке красной икры. Отдельно подать соус.
Соус. Укроп вымыть, обсушить, мелко нарезать, положить в сметану, смешанную с майонезом, все размешать.

Закуски из мяса и птицы

118 Салат «Спектр»

200 г ветчины, 1 картофелина, 1 свежий огурец, 1 соленый огурец, 2 сваренных вкрутую яйца, 3 ст. ложки клюквы, 150 г майонеза; маслины, зелень по вкусу.

Часть ветчины, отварной картофель, огурцы нарезать мелкими кубиками. Яйца нашинковать. Из части клюквы выдавить сок. Майонез тщательно перемешать с клюквенным соком. Подготовленные продукты смешать, выложить на блюдо, украшенное листьями салата, посыпать рубленым яйцом. Салат украсить ломтиками ветчины, клюквой, маслинами и зеленью.

119 Тайский мясной салат

500 г говяжьего фарша, 1 зубчик чеснока, 1–2 моркови, 2 шт. лука-порея, 1 сладкий красный перец, 200 г салата; соль по вкусу.
Для заправки:
4 ст. ложки растительного масла, 4 ст. ложки столового уксуса, 4 ст. ложки соевого соуса; соль, зелень кинзы, мята, тертый имбирь и порошок чили по вкусу.

Говяжий фарш обжарить, помешивая, на сковороде. Добавить к фаршу соль, мелко порубленный чеснок, все обжарить, помешивая, в течение 1–2 мин. Морковь и лук-порей нарезать тонкой соломкой. У перца удалить семенную часть и также нарезать его тонкой соломкой. Кочанный или листовой салат нарезать мелкими кусочками. Подготовленные продукты сложить в миску, залить заправкой, все перемешать и выложить в салатник.
Заправка. Кинзу, мяту мелко нарезать, добавить соль, уксус, растительное масло, соевый соус, имбирь, чили, все перемешать.

120 Салат «Красная Шапочка»

300 г отварного мяса, 2 картофелины, 2 моркови, 2 сваренных вкрутую яйца, 1 луковица, 200 г твердого сыра, 3 ст. ложки толченых грецких орехов, 200 г майонеза, 1/2 помидора; соль по вкусу.

Отварное мясо нарезать кубиками. Картофель и морковь отварить, охладить, очистить и нарезать мелкими кубиками. Яйца мелко порезать. Лук нарезать тонкими полукольцами, ошпарить кипятком и сбрызнуть уксусом. Сыр натереть на терке. Часть сыра и толченые грецкие орехи смешать с майонезом. Подготовленные продукты посолить, перемешать, выложить горкой в салатник и посыпать оставшимся сыром. Сверху салат украсить половинкой помидора.

121 Закуска «Фирюза»

400 г отварной говядины или баранины, 4 помидора, 3–4 огурца, 4 ст. ложки зеленого горошка, 250 г сюзьме или брынзы; зелень по вкусу.
Для сюзьме:
1 л молока, 1/2 стакана кислого молока, 1/4 ч. ложки соли.

Мясо нарезать тонкими ломтями. Вымытые огурцы и помидоры нарезать кружочками. Зелень петрушки, кинзы, укропа промыть и обсушить. В салатник уложить ломтики мяса, зеленый горошек, нарезанные огурцы и помидоры, зелень. В середину положить сюзьме или растертую брынзу.
Сюзьме. Молоко вскипятить, охладить до температуры 35–40°, добавить кислое молоко, перемешать и поставить в закрытой посуде в теплое место на 5–6 часов. После чего отцедить через плотную ткань, добавить соль, перемешать и охладить.

122 Салат «Застолица»

200 г языковой или другой колбасы, 8 сваренных вкрутую яиц, 100 г зеленого лука; соль, майонез, огурец, лимон, зелень по вкусу.

Яйца нарезать тонкими дольками, часть колбасы — мелкой соломкой, выложить в миску, добавить соль, мелко нарезанный зеленый лук, майонез. Все перемешать и выложить в салатник, украсить ломтиками колбасы, огурцом, лимоном, ягодами, листиками петрушки или укропом.

123 Мясной салат с апельсином

200 г отварной говядины, ¹/₂ стакана риса, 1 апельсин; соль по вкусу.
Для заправки:
150 г майонеза, сок ¹/₂ апельсина.

Отварную говядину нарезать мелкими кубиками. Рис отварить в подсоленной воде и откинуть на сито. Апельсин очистить, разделить на дольки и разрезать дольки на кусочки. Все перемешать, полить заправкой и выложить в салатник.
Заправка. К майонезу добавить свежеотжатый апельсиновый сок и размешать.

124 Закуска по-кубински

150 отварного мяса, 150 г ветчины, 1 луковица, 150 г сладкого маринованного перца, 1–2 ломтика консервированного ананаса; соль, зелень, салатная заправка по вкусу.

Отварную говядину и ветчину нарезать мелкими кубиками. Лук и сладкий маринованный перец нарезать тонкими кольцами. Ананас нарезать мелкими кубиками. Подготовленные продукты перемешать, посыпать рубленой зеленью петрушки или укропа, залить салатной заправкой (рецепт 1), еще раз перемешать и выложить в салатник.

125 Завитки из ветчины с салатом

300 г ветчины или окорока,
200 г картофельного салата,
или *200 г яичного салата,*
или *200 г мясного салата.*
Для картофельного салата:
2 картофелины,
2 сваренных вкрутую яйца,
1 свежий или соленый огурец;
соль, майонез по вкусу.

Ветчину или окорок нарезать тонкими квадратными ломтиками размером 10х10 см толщиной 3–5 мм, завернуть в форме кулька, заполнить картофельным, яичным (рецепт 52) или мясным (рецепт 134) салатами и уложить на блюдо. Украсить зеленью, ягодами, свежими и вареными овощами.

Картофельный салат. Очищенный вареный картофель, свежий или соленый огурец нарезать мелкими кубиками. Яйца мелко покрошить. Все перемешать с майонезом, добавив соль.

126 Салат «Севилья»

200 г ветчины, 400 г кочанного
или листового салата,
3 помидора, 1 лук-порей,
1 плод авокадо, 100 г твердого
сыра, 1/2 ч. ложки порошка чили;
соль, маслины, лимон по вкусу.
Для заправки:
3 ст. ложки лимонного сока,
2 ст. ложки оливкового масла,
1 ч. ложка сахара, 1/2 ч. ложки
тертой цедры лимона.

Ветчину нарезать брусочками. Кочанный или листовой салат промыть, обсушить и нарезать узкими полосками. Помидоры вымыть, опустить на 5 мин в кипяток, сполоснуть холодной водой, очистить от кожицы и нарезать дольками. Лук-порей промыть и тонко нарезать. Плод авокадо очистить от кожуры и нарезать дольками. Сыр чеддер или другой твердый сыр натереть на крупной терке. Подготовленные продукты сложить в миску, посыпать солью, порошком чили, перемешать, полить заправкой, еще раз перемешать, выложить в салатник. Украсить салат маслинами, дольками лимона и салатной зеленью.

Заправка. Сахар растереть с лимонной цедрой, добавить лимонный сок и перемешать. Продолжая перемешивать, влить маленькими порциями оливковое масло.

127 Салат «Мона Лиза»

200 г ветчины или окорока, 300 г кочанного или листового салата, 100 г сыра, 2 груши, 2 ст. ложки тертых орехов; горчичная заправка, соль, зелень по вкусу.

Ветчину или вареный окорок тонко нарезать соломкой. Кочанный или листовой салат промыть, обсушить и нарезать полосками шириной 1–1,5 см. Пармезан или другой сыр натереть на терке. Груши вымыть, очистить от кожуры и сердцевины и нарезать тонкими ломтиками. Подготовленные продукты смешать, добавить обжаренные тертые орехи, соль, полить горчичной заправкой (рецепт 2), приготовленной с оливковым маслом и винным уксусом. Все перемешать, выложить в салатник, украсить зеленью петрушки или укропа.

128 Салат «Варна»

100 г ветчины, 4 картофелины, 3 ст. ложки белого сухого вина, 2–3 ст. ложки маслин, 3 ст. ложки лимонного сока, 3 ст. ложки растительного масла; соль, зелень петрушки по вкусу.

Ветчину нарезать тонкими полосками. Картофель вымыть, отварить с кожурой в подсоленной воде, очистить горячим, нарезать кружочками, залить белым сухим вином и охладить. Маслины без косточек мелко нарезать. Зелень петрушки промыть, обсушить и мелко порубить. Подготовленные продукты сложить в миску, добавить соль, лимонный сок, растительное масло, все перемешать, выложить в салатник и украсить зеленью.

129 Мясной салат с фасолью

200 г вареного мяса или ветчины, 1 стакан фасоли, 1 луковица, 2 сваренных вкрутую яйца, 2–3 ст. ложки тертого хрена; соль, перец, зелень петрушки по вкусу.

Предварительно замоченную фасоль отварить в подсоленной воде, откинуть на дуршлаг и охладить. Вареное мясо или ветчину нарезать мелкими кубиками. Лук очистить от шелухи, нашинковать тонкими полукольцами. Яйца очистить от скорлупы и мелко порубить. Корень хрена очистить, промыть, натереть на терке. Подготовленные продукты сложить в миску, добавить соль, черный молотый перец, заправить салатной заправкой (рецепт 1), все перемешать, выложить горкой в салатник и украсить зеленью петрушки.

130 Мясной салат с цветной капустой

300 г вареного мяса или вареной колбасы, 1 морковь, 300 г цветной капусты, 2 ст. ложки зеленого горошка; майонез по вкусу.

Отдельно отварить в подсоленной воде цветную капусту и морковь. Морковь очистить. Охлажденные овощи и отварное мясо или вареную колбасу мелко нарезать и смешать. Добавить горошек, соль, майонез, все перемешать и выложить в салатник.

131 Салат «Сан-Жозе»

300 г говядины без костей, 1 луковица, 1 ст. ложка растительного масла, 200 г салата, 50 г зеленого лука, 1 огурец, 50 г сыра; соль, помидоры, зелень по вкусу.
Для томатной заправки: *2 помидора, 2 ст. ложки растительного масла, 2 зубчика чеснока; соль, перец по вкусу.*

Говядину без костей нарезать мелкими кубиками, положить на разогретую с маслом сковороду и обжарить на среднем огне, помешивая, до готовности. Добавить мелко нарезанный лук, соль и жарить еще, помешивая, 10 мин. Затем говядину с луком охладить. Сыр натереть на терке. Огурцы очистить от кожицы, разрезать вдоль и нарезать ломтиками. Кочанный или листовой салат, зеленый лук промыть, обсушить и мелко нарезать. Подготовленные продукты сложить в миску, добавить томатную заправку, все хорошо перемешать, переложить в салатник и украсить тонкими ломтиками помидора и листочками зелени.

Томатная заправка. Помидоры вымыть, мелко порезать, положить на разогретую с маслом сковороду и обжарить, часто помешивая, в течение 10 мин. Добавить измельченный чеснок, соль, перец, все обжарить 1–2 мин и охладить.

132 Салат «Архиерейский»

400 г говядины или баранины, 300 г редьки или красного редиса, 2 луковицы, 2 моркови, 2 сваренных вкрутую яйца, 2 ст. ложки растительного масла; соль, перец, майонез, зеленый лук по вкусу.

Баранину или говядину без костей залить небольшим количеством кипятка, посолить и варить до готовности. Мясо вынуть из бульона, охладить и нарезать соломкой. Репчатый лук и морковь также нарезать соломкой и слегка обжарить на масле. Очищенную редьку или редис нарезать соломкой. Подготовленные продукты смешать, посолить, заправить майонезом, все хорошо перемешать. Выложить салат горкой в салатник, посыпать натертыми на терке яйцами, нарезанным зеленым луком, украсить вырезанными из яиц «цветками».

133 Салат «Любимый»

300 г отварного мяса, 1 редька, 2 ст. ложки изюма, 6 грецких орехов; майонез, сметана по вкусу.

Нежирное отварное мясо нарезать кубиками. Очищенную редьку натереть на терке. Изюм промыть, замочить на 15 мин и отжать. Ядра грецких орехов поджарить и измельчить. Все смешать, заправить майонезом со сметаной, выложить в салатник.

134 Салат «Гость на пороге»

200 г вареного нежирного мяса, 2 свежих или соленых огурца, 3 яблока, 1 луковица; соль, перец, майонез, укроп по вкусу.

Вареную нежирную говядину, баранину или свинину, очищенные от сердцевины яблоки, свежие или соленые огурцы, лук порезать мелкими кубиками. Все смешать, добавить соль, перец, майонез, выложить в салатник и посыпать укропом.

135 Салат «Дядя Ваня»

*400 г отварного мяса,
2–3 соленых огурца, 2 сваренных
вкрутую яйца, 4 зубчика чеснока;
грецкие орехи, майонез по вкусу.*

Мясо и огурцы нарезать соломкой. Очищенные яйца и чеснок мелко порубить. Подготовленные продукты смешать с майонезом, выложить в салатник, обсыпать обжаренными на сковороде без масла тертыми грецкими орехами.

136 Салат «Дачный»

*1 консервная банка тушеной
говядины, 4 картофелины,
1 свекла, 2 сваренных вкрутую
яйца; листья салата, зелень
петрушки или сельдерея,
майонез, соль по вкусу.*

Картофель и свеклу отварить с кожурой, охладить, очистить и нарезать тонкими ломтиками. Яйца очистить и нарезать дольками. Листья салата, зелень петрушки или сельдерея хорошо промыть и обсушить. Тушенку нарезать кусочками, сложить в миску, добавить овощи, яйца, соль, майонез, все перемешать и переложить на тарелку, выложенную листьями салата. Посыпать салат мелко рубленной зеленью и украсить дольками яиц.

137 Салат «Гнездышко»

*300 г говядины без костей,
300 г цветной капусты,
2 моркови, 2 луковицы,
2 сваренных вкрутую яйца; соль,
перец, растительное масло,
майонез, сметана по вкусу.*

Мясо нарезать тонкой соломкой, обжарить на масле до готовности. Цветную капусту тщательно вымыть, отварить в подсоленной воде до полуготовности, разобрать на кочешки, обвалять в муке и обжарить на масле до готовности. Морковь очистить, вымыть, нашинковать соломкой и слегка обжарить на масле. Лук очистить, нарезать полукольцами и также обжарить. Яйца очистить от скорлупы и разрезать пополам. Сыр натереть на мелкой терке. На круглое блюдо уложить слой моркови в виде круга. Отступив от края моркови 2 см, выложить цветную капусту соцветиями наружу. Отступив от края капусты на 2–3 см, выложить жареное мясо. На мясо выложить слой жареного лука. В центре салата выложить половинки яиц. К салату подать майонез, смешанный со сметаной.

138 Мясная закуска по-клински

*400 г отварной говядины,
4 луковицы, 100 г майонеза,
100 г сыра; столовый уксус,
лимонный сок, зелень по вкусу.*

Отварное мясо нарезать брусочками толщиной 1 см. Лук очистить от шелухи, нарезать кольцами, обдать кипятком, сбрызнуть уксусом, оставить на 10 мин, перемешать с частью майонеза. Охлажденную говядину перемешать с частью майонеза, поперчить и разложить равномерно на блюде. Сверху выложить слой лука, залить закуску майонезом, сбрызнуть лимонным соком и дать настояться в течение 1 часа. Перед подачей закуску обсыпать тертым сыром, украсить листиками петрушки.

139 Салат «Богатырь»

*300 г отварной свинины,
4 яйца, 2 картофелины,
1 морковь, 1 соленый огурец
или соленый помидор,
3 ст. ложки квашеной капусты,
2 ст. ложки зеленого горошка,
пучок зеленого лука,
8 шт. чернослива, 8 ст. ложек
сметаны, 1 ч. ложка сахара;
соль, специи, зелень по вкусу.*

Холодную отварную свинину нарезать небольшими тонкими ломтиками. Картофель и морковь отварить, очистить от кожуры и нарезать кубиками. Зеленый лук и квашеную капусту мелко покрошить. Огурец или помидор нарезать тонкими ломтиками. Подготовленные продукты сложить в миску, добавить соль, сахар, перец, половину сметаны и перемешать. Готовый салат выложить горкой в салатник, в середине сделать лунку, в которую уложить сваренное вкрутую и фигурно вырезанное яйцо. Залить салат оставшейся сметаной. По бокам украсить черносливом, ломтиками крутых яиц, зеленым горошком и зеленью.

140 Рулет «Ярославич»

800 г говядины или свинины без костей; соль, перец, сваренные вкрутую яйца, сухари, листья салата, помидоры по вкусу.
Для яичной массы:
3 сваренных вкрутую яйца, 50 г сыра, 2 зубчика чеснока, 4 ст. ложки сметаны; соль по вкусу.

Мясо нарезать на куски, промолоть на мясорубке, добавить соль, перец и тщательно вымесить. Мясной фарш разложить ровным слоем толщиной 1,5–2 см на смоченную водой полотняную ткань. Посередине выложить подготовленную яичную массу. Края ткани приподнять и соединить так, чтобы фарш полностью закрыл яичную массу. Аккуратно скатить рулет швом вниз на смазанные маслом противень или большую сковороду. Поверхность рулета смазать яйцом, посыпать тертыми сухарями, сбрызнуть маслом и запекать рулет в духовке 30–40 мин. Готовый рулет нарезать ломтями, выложить на блюдо, украшенное листьями салата, нарезанными яйцами и помидорами.

Яичная масса. Яйца очистить от скорлупы, нарезать тонкими дольками. Сыр натереть на крупной терке. Чеснок очистить и мелко порубить. Все перемешать со сметаной, добавив соль.

141 Мясной хлеб «Замоскворечье»

400 г говядины, 400 г свинины, 2 яйца, 2 луковицы, 2 ст. ложки нарезанной зелени петрушки; сливочное масло, соль, перец, тертый мускатный орех по вкусу.

Мясную мякоть, замоченный в воде и отжатый хлеб пропустить через мясорубку. Добавить соль, перец, мускатный орех, взбитые яйца, мелко нарезанные лук и зелень петрушки, смешать в однородную массу и придать фаршу форму батона. Выложить мясной батон на смазанную сливочным маслом фольгу, края фольги плотно завернуть. Переложить батон в фольге на противень и запекать в умеренно разогретой духовке 40–50 мин.

142 Рулет «Сторожка»

1 кг мясной мякоти; соль, перец, овощи, зелень по вкусу.
Для сырной массы:
100 г сыра, 100 г сливочного масла, 4 зубчика чеснока; соль, свекла по вкусу.

Говядину или постную свинину отварить, охладить. Вареное мясо нарезать тонкими, широкими ломтями, уложить ровным слоем на пергаментную бумагу. На половину слоя мяса выложить ровным слоем подкрашенную свеклой сырную массу, на другую половину мяса выложить оставшуюся сырную массу. Подготовленное мясо плотно свернуть рулетом и поставить в холодильник. Перед подачей нарезать рулет поперек ломтями, уложить на блюдо, украсить листьями салата и овощами.

Сырная масса. Сыр натереть на терке, добавить рубленый чеснок, размягченное сливочное масло, все тщательно перемешать. Половину сырной массы подкрасить вареной свеклой.

143 Язык отварной

600 г говяжьих или свиных языков, 1 луковица, 1 морковь, 1 корень петрушки; соль, соленые огурцы, маринованная капуста, зеленый горошек, зелень, соус из хрена, майонез по вкусу.

Свежие или мороженые языки положить в кастрюлю, добавить соль, лук, нарезанные морковь и корень петрушки, залить горячей водой и варить 2—3 часа. Вареные языки положить в холодную воду на несколько минут и немедленно снять кожу, начиная с тонкого конца. Очищенные языки положить в отвар, в котором они варились, и охладить. Затем нарезать языки широкими тонкими ломтиками наискось, начиная с толстого конца. Ломтики языка уложить на блюдо, украсить солеными огурцами, маринованной капустой, зеленым горошком, веточками зелени. Отдельно подать соус из хрена (рецепт 148) или майонез.

144 Окорок «Деликатесный»

Свиной окорок; соль, красный молотый перец, лавровый лист, консервированные персики или абрикосы по вкусу.

У свиного окорока срезать излишний жир. Натереть окорок солью, красным молотым перцем. Противень смазать растопленным свиным салом. Положить на середину противня несколько лавровых листиков, выложить на них подготовленный окорок и поставить противень с окороком в разогретую духовку. Выпекать окорок до готовности, периодически поливая выделившимся соком. Мясо готово, если из него потечет прозрачный сок. Готовый окорок нарезать ломтями, выложить на блюдо, полить мясным соком, украсить консервированными персиками или абрикосами.

145 Буженина по-домашнему

Свиные окорок или шейная часть; соль, черный или красный молотый перец, черный перец горошком, лавровый лист, столовый уксус, чеснок, свежие, соленые или маринованные овощи и фрукты по вкусу.

Свиной окорок или шейную часть натереть солью, перцем, положить в глубокую посуду, добавить перец горошком, лавровый лист, залить уксусом, разведенным в воде. Накрыть посуду крышкой и поставить на 1 сутки в холодильник. За это время мясо нужно несколько раз перевернуть. Маринованное мясо нашпиговать чесноком, слегка обжарить на сковороде со всех сторон. После чего завернуть мясо в фольгу или обмазать пресным тестом и запечь на противне в духовке при температуре 170–180° до готовности. Готовую буженину охладить, нарезать ломтями и уложить на блюдо. Подать со свежими, солеными или маринованными овощами и фруктами.

146 Закуска «Хмельницкая»

400 г ветчины или вареного окорока, 1–2 сваренных вкрутую яйца, 50 г сыра, 3 ст. ложки майонеза, 1 зубчик чеснока; майонез, овощи, ягоды, зелень по вкусу.

Ветчину или вареный окорок нарезать тонкими прямоугольными ломтиками. Яйца, сыр, чеснок натереть на мелкой терке, добавить майонез и тщательно перемешать. Полученную массу разложить на ломтики ветчины или окорока и свернуть каждый ломтик в форме рулета. Сложить рулетики в подходящую посуду, слегка прижать и охладить. При подаче выложить рулетики на блюдо, украсить майонезом, овощами, ягодами и зеленью.

147 Ростбиф по-английски

Говяжья вырезка или тонкий край; соль, перец, растительное масло по вкусу.

Охлажденную говяжью вырезку или тонкий край очистить от пленок и сухожилий, промыть, слегка отбить, посолить, поперчить, смазать оливковым или другим растительным маслом. Мясо уложить на решетку, смазанную маслом, и поставить в хорошо разогретую духовку. Под решетку установить противень для сбора сока. Мясо обжаривать при высокой температуре до появления коричневой корочки в течение 10 мин, затем мясо перевернуть. После чего налить на противень горячую воду, снизить температуру в духовке и продолжать обжаривать мясо до готовности. Готовый ростбиф внутри должен быть розового цвета. При подаче ростбиф нарезать тонкими ломтями. Горячий ростбиф полить мясным соком, а к холодному ростбифу подать соус из хрена (рецепт 148), или соус с корнишонами (рецепт 392), или соевый соус, или кетчуп.

148 Холодец

1 кг мясных продуктов, 2 л воды, 2 луковицы, 1 морковь, корень петрушки или сельдерея; соль, черный перец горошком, лавровый лист, чеснок по вкусу.

Для соуса из хрена:
100 г корня хрена, ²/₃ стакана воды, ¹/₂ ч. ложки соли, 1 ч. ложка сахара, 5 ст. ложек столового уксуса.

Для приготовления холодца можно использовать говяжьи, бараньи, свиные ноги, бараньи и свиные головы, рубцы, свиную кожу и кожу от копченостей, говяжье или свиное мясо.

Ноги опалить, разрубить, вымочить в воде в течение 4–5 часов, вымыть щеткой, обмыть водой. Головы опалить, вымыть, разрубить на части, еще раз промыть. Подготовленные ноги и головы, рубцы, кожу положить в кастрюлю, залить холодной водой и варить при слабом кипении в течение 6–7 часов, периодически снимая пену и жир. Через 4 часа после начала варки положить мясо. За 1 час до окончания варки положить в бульон репчатый лук, коренья, лавровый лист и перец. За 30 мин до окончания варки добавить морковь.

Вареное мясо вынуть из бульона, отделить от костей, мелко нарезать или пропустить через мясорубку. У вареных субпродуктов отделить мякоть и мелко ее порубить. Бульон процедить, положить в него измельченные мясные продукты, посолить и варить еще в течение 25–30 мин. По окончании варки добавить тертый чеснок и размешать. В формы выложить нарезанную кружочками вареную морковь, листики петрушки или сельдерея. Залить подготовленные формы бульоном и поставить в холодное место для остывания. Перед подачей окунуть формы в горячую воду и выложить холодец на блюдо. Подавать холодец с солеными огурцами, соусом из хрена или горчицей.

Соус из хрена. Очищенный корень хрена натереть на терке, залить кипятком, добавить соль, сахар, уксус, все перемешать.

149 Закуска «Пошехонье»

200 г ветчины, 300 г пошехонского или другого сыра; сливочное масло, красный молотый перец по вкусу.

Ветчину нарезать ломтиками толщиной 5–7 мм. Сыр нарезать ломтиками толщиной 8–9 мм. Ломтики ветчины смазать сливочным маслом, посыпать красным молотым перцем. Ломтики ветчины и сыра разделить на 5–6 частей. Из одной части ветчины выложить нижний слой, на него уложить ломтики сыра, затем — слой ветчины и снова слой сыра. Так уложить оставшуюся ветчину и сыр. Сверху придавить легким грузом и поставить в холодильник. Перед подачей нарезать ветчину с сыром на ломтики толщиной 1 см и украсить зеленью, свежими, солеными или маринованными овощами и фруктами.

150 Ветчина по-севастопольски

500 г свинины, 500 г говядины, 5–6 зубчиков чеснока, 1 ст. ложка желатина; соль, перец, лавровый лист, лимон, овощи, зелень по вкусу.

Мякоть свинины и говядины нарезать ломтиками, положить в кастрюлю, добавить соль, лавровый лист, перец, уксус и мариновать в течение трех суток. Маринованное мясо положить в форму, чередуя говядину со свининой и покрывая каждый слой желатином и мелко рубленным чесноком. Закрыть форму крышкой, опустить в кастрюлю с горячей водой и варить ветчину 4–5 часов. Затем форму с ветчиной вынуть из кастрюли, остудить, не снимая крышки, и поставить в холодильник. Перед подачей на стол опустить форму в теплую воду и опрокинуть ветчину на разделочную доску. Нарезать ветчину ломтями, выложить на блюдо, украсить дольками лимона, овощами и зеленью.

151 Салат «Гранатовый браслет»

¹/₂ курицы, 2 картофелины, 1 луковица, 1 морковь, 2 сваренных вкрутую яйца, 200 г грецких орехов; соль, майонез, зерна граната по вкусу.

Курицу отварить, отделить мясо от костей и кожи и нарезать кубиками. Лук мелко нарезать. Картофель и морковь отварить и натереть на крупной терке. Грецкие орехи очистить, поджарить и измельчить. Вареные яйца мелко покрошить. Все продукты выложить в салатницу слоями толщиной 0,5—1 см в той последовательности, как они перечислены. Каждый слой покрыть майонезом. Сверху густо посыпать зернами граната.

152 Закуска «Застольная»

400 г отварного куриного мяса, 1—2 соленых огурца, 4 крутых яичных белка, ¹/₂ свеклы, 2 ст. ложки толченых орехов; маринованные яблоки, свежие или консервированные сливы, зелень по вкусу.
Для начинки: *4 крутых яичных желтка, 2 ст. ложки тертого сыра, 1 ч. ложка столовой горчицы; майонез по вкусу.*

Вареную очищенную свеклу, маринованные яблоки нарезать соломкой, смешать, добавить толченые поджаренные орехи, заправить майонезом, перемешать и выложить в салатник.
Часть куриного мяса нарезать соломкой. Соленые огурцы очистить от кожицы и нарезать соломкой. Яичный белок натереть на терке. Все смешать, добавить майонез и положить горкой на свекольную массу. Остальное мясо нарезать тонкими ломтиками, свернуть трубочками, заполнить начинкой и выложить на середину салата. Украсить салат дольками маринованных яблок, сливами и листиками петрушки.
Начинка. Яичные желтки и натертый на терке сыр растереть с горчицей и майонезом до получения однородной массы.

153 Салат «Петергоф»

400 г жареного куриного мяса, 2 картофелины, 2 огурца; соль, оливки без косточек или каперсы, зелень по вкусу.
Для соуса: *¹/₂ стакана сливок, ¹/₂ стакана майонеза, 1 ч. ложка столовой горчицы.*

Жареное куриное мясо нарезать небольшими тонкими ломтиками. Отварной картофель и огурцы нарезать мелкими ломтиками. Мясо и овощи положить в миску, добавить соль, оливки или каперсы, перемешать, выложить в салатник, полить соусом. Украсить салат оливками или каперсами, веточками укропа.
Соус. К сливкам добавить майонез и горчицу, все тщательно размешать до получения однородной массы.

154 Салат «Паланга»

¹/₂ копченой курицы, 4 картофелины, 3 сваренных вкрутую яйца, 1 огурец, 6 ст. ложек консервированной кукурузы; соль, майонез, по вкусу.

Мясо копченой курицы отделить от шкуры и костей, мелко нарезать. Картофель отварить в кожуре, охладить, очистить и нарезать мелкими кубиками. Огурец очистить от кожицы и также нарезать мелкими кубиками. Все сложить в миску, добавить кукурузу, соль, майонез, перемешать и выложить в салатник.

155 Салат «Петушок-гребешок»

300 г отварного куриного филе, 1 огурец, 3 моркови, 1 луковица, 1 сваренное вкрутую яйцо, 2 ст. ложки зеленого горошка, 400 г свежих или 100 г сушеных грибов, 1 ст. ложка сливочного масла; соль, салатная заправка, морковь, огурец, ягоды, зелень петрушки по вкусу.

Отварное куриное филе без кожи, отварную очищенную морковь и огурцы нарезать мелкими кубиками. Сушеные грибы предварительно замочить в воде. Грибы отварить, откинуть на дуршлаг, дать стечь воде, затем грибы мелко нарезать и охладить. Лук мелко нарезать и слегка обжарить на масле. Яйцо мелко порубить. Подготовленные продукты сложить в миску, добавить зеленый горошек, посолить, полить салатной заправкой (рецепт 1) и перемешать. Салат выложить на тарелки кучками овальной формы. Украсить салат вырезанными из моркови «гребешками», «глазами» из ягод, «крыльями» из огурца или листьев петрушки и «хвостами» из пучков петрушки.

156 Салат «Ориент»

1 куриное филе, 2 сладких перца, 100 г стеблей сельдерея; пряные приправы, лимонный сок, листья салата, мандарины, картофель, соус сметанный по вкусу.

Куриное филе отварить с пряными приправами, охладить и нарезать мелкими кубиками. Перец вымыть, обсушить, очистить от семенной части, мелко нарезать. Стебли сельдерея промыть, мелко нарезать, опустить на 1–2 мин в кипяток, откинуть на дуршлаг и обсушить. Подготовленные куриное мясо и овощи смешать, сбрызнуть лимонным соком и поставить в холодильник на 30 мин. Промытые и обсушенные листья салата выложить на блюдо, в середине положить куриный салат. Украсить салат «цветками» из отварного молодого картофеля и долек мандаринов. Подать со сметанным соусом (рецепт 67).

157 Салат «Пикантный»

1 курица, 2 куриные печенки, 2 ст. ложки сливочного масла, 4 груши, 2 ч. ложки столовой горчицы, 1 стакан сметаны; соль, перец, лимонный сок, листья салата, зелень по вкусу.

Курицу промыть, обсушить салфеткой, натереть снаружи и изнутри солью и перцем, положить на противень, облить 1 ст. ложкой растопленного сливочного масла и запечь в духовке. Готовую курицу охладить. Куриное мясо отделить от кожи и костей и нарезать мелкимии кусочками. Груши очистить, удалить сердцевину, нарезать кусочками. Куриную печенку обжарить на сливочном масле, размять вилкой, добавить лимонный сок, горчицу, соль, перец, сметану, все хорошо размешать. Положить в печеночную массу куриное мясо и груши, еще раз размешать. Салат переложить в салатник, украсить листьями салата, посыпать мелко рубленной зеленью петрушки.

158 Салат «Гостиный двор»

300 г отварного куриного мяса, 200 г свежих или 60 г сущеных грибов, 1 соленый огурец, ¹/₂ луковицы, 50 г сыра, 2 сваренных вкрутую яйца; соль, майонез, зеленый лук, по вкусу.

Отварное куриное мясо без кожи нарезать кусочками. Соленые огурцы мелко нарезать. Сушеные грибы промыть, замочить в холодной воде, отварить в подсоленной воде, откинуть на дуршлаг и охладить. Свежие грибы перебрать, очистить, промыть, отварить в подсоленной воде, откинуть на дуршлаг и охладить. Подготовленные грибы нарезать соломкой. Репчатый лук, сыр и яйца мелко порезать. Все смешать, добавить соль, майонез, горчицу, перемешать, выложить в салатник горкой, посыпать мелко нарезанным зеленым луком, украсить овощами и яйцами.

159 Салат «Фаворит»

300 г отварного куриного мяса, 1 морковь, 2 сваренных вкрутую яйца, 1 яблоко, ¹/₂ апельсина, 1 мандарин, 100 г чернослива, 3 ст. ложки зеленого горошка, 1 ч. ложка сахара, 1 ст. ложка лимонного сока, 4 ст. ложки майонеза, 3 ст. ложки сметаны; соль по вкусу.

Отварное куриное мясо без кожи, отварную очищенную морковь нарезать соломкой. Яйца очистить от скорлупы и мелко порубить. Яблоко очистить от кожуры и семян и нарезать тонкой соломкой. Апельсин и мандарин очистить от кожуры, разделить на дольки, нарезать и удалить зерна. Чернослив промыть, замочить, отварить в небольшом количестве воды до размягчения и остудить. Затем вынуть косточки и мелко нарезать. Часть подготовленных продуктов оставить для украшения. Оставшиеся продукты смешать, добавить зеленый горошек, соль, сахар, лимонный сок, майонез и сметану. Все перемешать, выложить в салатник горкой. Полить салат майонезом, смешанным со сметаной, и украсить оставленными продуктами.

Вареное мясо для салата будет более сочным, если его закладывать в кипящую воду, а затем варить при слабом кипении.

Если в воду, в которой варится птица, добавить ложку столового уксуса — мясо птицы получится более нежным.

Зелень сохранится долгое время свежей, если ее промыть, обсушить, завернуть в бумагу, положить в полиэтиленовый пакет и поместить в холодильник.

Зелень хорошо сохранится в холодильнике, если ее поставить в банку с холодной водой как букет, предварительно немного подрезав стебельки.

160 Салат из жареного куриного филе

300 г куриного филе, 2 моркови, 200 г кочанного салата, 100 г маринованного перца; оливковое или другое растительное масло, соль, лимонный сок по вкусу.

Куриное филе без кожи нарезать узкими полосками, слегка посолить, сбрызнуть лимонным соком, накрыть крышкой и оставить на 20 мин. После чего обжарить на сковороде с маслом на небольшом огне до готовности и остудить. Морковь очистить, нарезать кружочками, слегка обжарить на сковороде с маслом, подлить на сковороду немного воды и потушить морковь под крышкой до мягкости. Кочанный салат нарезать, ошпарить кипятком, сбрызнуть лимонным соком. Маринованный красный перец нарезать полосками. Подготовленные продукты перемешать и выложить в салатник.

161 Салат «Капри»

300 г куриного филе, 200 г макарон, 100 г маринованных грибов, 100 г корня сельдерея или петрушки, 1–2 помидора, 3 сваренных вкрутую яйца; майонез, соль, перец, зелень петрушки по вкусу.

Куриное филе отварить, охладить и нарезать лапшой. Макароны отварить, промыть холодной водой, откинуть на дуршлаг, нарезать кусочками длиной 4–5 см. Маринованные грибы нарезать ломтиками. Корень сельдерея или петрушки очистить, промыть, нарезать соломкой или натереть на крупной терке. Помидоры вымыть, нарезать мелкими дольками. Сваренные вкрутую яйца мелко порубить. Затем подготовленные продукты сложить в миску, добавить майонез, мелко нарубленную зелень сельдерея или петрушки, соль, перец, все перемешать и выложить в салатник. Сверху салат полить майонезом, украсить кружочками помидоров, дольками яиц, листиками петрушки.

162 Сациви из курицы или индейки

1 курица или ¹/₂ индейки; соль, сливочное масло по вкусу.
Для соуса сациви:
2–3 луковицы, 2 стакана куриного бульона, 1 ст. ложка муки, 1 стакан очищенных грецких орехов, 5 зубчиков чеснока, 3 ст. ложки винного уксуса; сливочное масло, соль, красный молотый перец, корица, гвоздика, шафран, хмели-сунели по вкусу.

Потрошеную курицу или индейку положить в небольшую кастрюлю, залить водой так, чтобы она только покрыла тушку птицы, посолить и отварить до полуготовности. Вынуть птицу из бульона, обжарить с маслом в духовке или на сковороде и нарезать на куски. Куски птицы положить в глубокие тарелки, залить горячим соусом сациви и охладить.

Соус сациви. Лук мелко нарезать, слегка обжарить на жире, снятом с бульона, в котором варилась птица, или на сливочном масле, добавить муку, развести куриным бульоном и варить 15 мин. Затем добавить пропущенные через мясорубку орехи, толченый чеснок, соль, перец, корицу, гвоздику, шафран, хмели-сунели, винный уксус и варить еще 10 мин.

163 Курица под маринадом

1 курица; соль, перец, растительное масло, зелень петрушки по вкусу.
Для маринада: *2 моркови, 2 луковицы, 1 стакан воды, 2 ч. ложки сахара, 2 ст. ложки столового уксуса, 2 зубчика чеснока; соль, перец, лавровый лист, гвоздика по вкусу.*

Курицу нарезать на небольшие куски, посолить, посыпать перцем и обжарить на сковороде с маслом до готовности. Затем залить курицу горячим маринадом и охладить. При подаче посыпать мелко нарезанной зеленью петрушки.

Маринад. Морковь натереть на крупной терке, лук мелко нарезать. Сложить овощи в небольшую кастрюлю, добавить воду, соль, сахар, перец, лавровый лист, гвоздику, поставить на огонь и потушить под крышкой 15 мин. За 5 мин до окончания тушения добавить мелко рубленный чеснок, столовый уксус.

Если холодная закуска готовится заранее, ее лучше покрыть тонким слоем жидкого желатина, который застынет в холодильнике и сохранит аппетитный вид закуски.

Заливное можно приготовить за 1—2 дня до праздника и затем хранить его в холодильнике.

Винегрет приобретет пикантный вкус, если перед подачей на стол в него положить лимонную корочку.

Копченую колбасу будет легче чистить, если предварительно подержать ее в холодной воде.

164   Рулет куриный

1 курица; соль, перец, мускатный орех по вкусу.
Для омлета:
4 яйца, 3 ст. ложки молока или воды, 1 ст. ложка сливочного масла; соль по вкусу.

С тушки курицы снять целиком кожу, оставляя на ней 1,5—2 см мякоти. Оставшееся мясо отделить от костей, слегка отбить, посолить, поперчить. На разложенную кожу с мякотью положить куриное мясо, посыпать тертым мускатным орехом, сверху положить омлет, все свернуть рулетом. Рулет перевязать толстой ниткой, слегка натереть солью, перцем и запечь в духовке до готовности. Готовый рулет охладить, освободить от ниток, нарезать тонкими ломтиками и уложить на блюдо. Украсить рулет листьями салата, овощами и ягодами.

Омлет. К яйцам добавить соль, молоко или воду. Смесь взбить вилкой или венчиком, вылить на сковороду с растопленным маслом и обжарить на плите, пока смесь не загустеет. После чего поставить омлет в горячую духовку на 4—5 мин.

165   Цыпленок по-артистически

1 цыпленок, 4 ст. ложки оливкового или другого растительного масла, 2 ст. ложки изюма, сок 1 апельсина, 2 ст. ложки тертых кедровых или грецких орехов, 1 ст. ложка винного уксуса; соль, перец, листья салата по вкусу.

Подготовленного цыпленка нарезать на куски, пожарить на сковороде с оливковым или другим растительным маслом до готовности. Промытый изюм залить апельсиновым соком, довести до кипения и снять с огня. Кедровые или грецкие орехи обжарить на сковороде без масла и растереть. Куски цыпленка на сковороде посыпать орехами, добавить апельсиновый сок с изюмом, уксус, соль, перец, все хорошо перемешать, дать остыть, переложить на блюдо и украсить листьями салата.

166 Закуска в желе «Садко»

300 г куриного филе, 4 соленых
помидора; соль, морковь,
коренья, зелень и зеленый
горошек по вкусу.
Для желе:
2 ст. ложки желатина,
1 стакан воды,
2 стакана куриного бульона.

Куриное филе без кожи отварить в подсоленной воде с морковью и кореньями, вынуть из бульона, охладить и нарезать мелкими кубиками. Бульон процедить. В формы разложить соленые помидоры, налить немного желе и дать застыть. Затем разложить куриное филе, залить желе и дать застыть. Блюдо украсить листьями сельдерея или петрушки. Формы с желе опустить на 1–2 сек в горячую воду, слегка встряхнуть и выложить желе на блюдо. Украсить зеленым горошком или вареной морковью.

Желе. Желатин замочить в кипяченой холодной воде и оставить на 1 $^1/_2$ часа для набухания. Куриный бульон нагреть до кипения, снять с огня, добавить соль, замоченный желатин и размешать до полного растворения желатина.

167 Куриный студень

1 курица с потрохами,
1 луковица, 1 морковь,
2 сваренных вкрутую яйца,
4 зубчика чеснока, 2 ст. ложки
желатина; соль, листья
петрушки по вкусу.

Курицу, куриные потроха положить в кастрюлю, залить водой, добавить лук, морковь, соль и отварить до готовности. Курицу, потроха и морковь вынуть из бульона. Мясо отделить от костей, остатки курицы положить в бульон и варить еще 1 час. Затем бульон процедить и приготовить желе (рецепт 166). В форму положить мелко нарезанные куриное мясо и потроха, ломтики яиц, кружочки вареной моркови, измельченный чеснок, листики петрушки и залить форму на одну треть желе. Дать желе застыть, затем вылить остальное желе и дать студню застыть.

Чтобы салат приобрел пикантный запах, в него можно положить корочку ржаного хлеба, натертую чесноком. Перед подачей салата ее нужно вынуть.

Если нужно сварить треснутое яйцо, добавьте в воду лимонный сок или уксус.

Горчицу из порошка можно приготовить без долгого выдерживания. Для этого нужно горчичный порошок развести рассолом квашеной капусты, закрыть крышкой и поставить в теплое место на 10–15 минут. Затем добавить по вкусу соль, сахар, растительное масло.

168 Горячая закуска «Дворецкая»

300 г отварного куриного мяса, 1 луковица; соль, сливочное масло, сыр, соус сметанный по вкусу.

Отварное куриное мясо нарезать мелкими кубиками и разложить в керамические горшочки. Добавить мелко нарезанный и слегка обжаренный на масле лук, соль, залить сметанным соусом (рецепт 67), посыпать тертым сыром и запечь в духовке. Подать в горшочках или выложить закуску на тарелку.

169 Горячая закуска «Вернисаж»

200 г отварного куриного мяса, 3 ст. ложки сливочного масла, 4 яйца; соль, перец, томатный соус или кетчуп, зелень петрушки по вкусу.

Отварное куриное мясо пропустить через мясорубку. В полученный фарш добавить сливочное масло, соль, перец и все тщательно перемешать. В кокотницы или керамические горшочки выложить куриный фарш, сверху выпустить по 1 яйцу, посыпать солью и перцем и запечь в духовке. При подаче полить томатным соусом или кетчупом и посыпать рубленой зеленью.

170 Горячая закуска из печени с грибами

400 г печени, 200 г свежих грибов, 1 луковица; соль, сливочное масло, сметанный соус, сметана, сыр по вкусу.

Подготовленную печень (рецепт 171) нарезать соломкой. Грибы перебрать, промыть, отварить, откинуть на дуршлаг и нарезать соломкой. Лук очистить, мелко нарезать и слегка обжарить на масле. Печень и грибы обжарить, добавить лук, заправить сметанным соусом (рецепт 67), разложить в кокотницы, залить сметаной, посыпать тертым сыром и запечь в духовке.

171 Салат из печени по-одесски

*300 г печени,
1 ст. ложка муки, 2 луковицы,
1 сладкий зеленый перец,
1–2 соленых помидора
или огурца; соль, перец,
растительное масло,
майонез, зелень по вкусу.*

Говяжью, телячью, баранью или свиную печень очистить от пленки и желчных протоков. Свиную печень предварительно опустить на 1–2 мин в крутой кипяток. Подготовленную печень нарезать ломтями, посолить, поперчить, обвалять в муке, обжарить на масле до готовности. Готовую печень нарезать соломкой. Репчатый лук нарезать полукольцами и обжарить на масле. Сладкий перец очистить от семенной части, мелко нарезать и слегка обжарить на масле. Соленые помидоры или огурцы тонко нарезать. Подготовленные продукты сложить в миску, добавить соль, перец, все тщательно перемешать и выложить горкой в салатник. Салат украсить майонезом, «цветками» из помидоров, ягодами, зеленью сельдерея или петрушки.

172 Салат из печени «Пассажирский»

*300 г печени, 3 луковицы,
1 соленый огурец, 150 г свежих
или 30 г сушеных грибов;
мука, соль, перец, растительное
масло, майонез, сваренные
вкрутую яйца, огурцы, ягоды,
зелень по вкусу.*

Подготовленную печень (рецепт 171) нарезать крупными кусками, обвалять в муке, обжарить на сковороде с маслом до полуготовности. Затем нарезать печень тонкой соломкой, положить на сковороду, на которой она жарилась, и обжарить до готовности. Подготовленные грибы (рецепт 67) нарезать соломкой и обжарить на масле. Лук нарезать кольцами и обжарить на масле. Подготовленные продукты сложить в миску, добавить соль, перец, перемешать, выложить в салатник горкой, полить майонезом, украсить яйцами, огурцами, ягодами, зеленью.

173 Паштет из печени

500 г говяжьей, телячьей или свиной печени, 100 г сливочного масла, 1 морковь, 1 луковица, 2 ст. ложки кукурузного масла; соль по вкусу.

Печень обмыть, очистить от пленок и желчных протоков, нарезать тонкими ломтиками. Сковороду с маслом сильно разогреть и быстро обжарить печень с двух сторон, чтобы в середине оставалась кровь. Морковь и лук тонко нарезать и отдельно обжарить на кукурузном масле. Вместо кукурузного масла можно использовать подсолнечное, но при этом вкус паштета будет иным. Печень, морковь и лук промолоть на мясорубке. Постепенно добавляя сливочное масло, выбить паштет лопаточкой. Приготовленный паштет переложить в стеклянную или фарфоровую посуду с крышкой и охладить. Паштет использовать для бутербродов, а также как закуску, нафаршировав им вареные яйца.

174 Закуска из печени

1 кг печени, 2–3 луковицы, 1 лимон, 1 маринованный или соленый огурец; сливочное масло, зелень по вкусу.

Подготовленную печень (рецепт 171) отварить. Лук нарезать полукольцами и обжарить на масле. Все пропустить 2 раза через мясорубку, добавить соль и перемешать. Полученную массу выложить в форме батона на смазанную маслом фольгу. Сверху положить нарезанное тонкими кусочками сливочное масло. Плотно завернуть фольгу и запечь печень в духовке в течение 30 мин. Готовую печень нарезать ломтиками, выложить на блюдо, украсить зеленью, дольками лимона, ломтиками огурца.

175 Вырезка копченая по-ильински

600 г говяжьей вырезки, 1 ст. ложка соли; перец, овощи, моченые или маринованные яблоки, зелень по вкусу.

Говяжью вырезку натереть солью и перцем, положить в эмалированную посуду, придавить легким гнетом и поставить в холодильник на 2–3 дня. Затем коптить вырезку при температуре 80–100° в течение 2 часов. При подаче нарезать вырезку тонкими ломтиками, выложить на блюдо, украсить овощами, мочеными или маринованными яблоками и зеленью.

176 Мясо копченое по-болгарски

1 кг мяса, ¹/₂ ч. ложки сахара, 1 ст. ложка соли; чеснок, лавровый лист, зелень, моченые или маринованные яблоки по вкусу.

Говяжью или свиную вырезку, филейную часть натереть небольшим количеством сахара, затем — обильно солью. Подготовленное мясо плотно уложить в эмалированную посуду, добавляя зубчики чеснока и лавровый лист. Придавить мясо гнетом и поставить в холодильник на 1–2 дня. Затем мясо коптить при температуре 25–35° в течение 1–2 суток. При подаче нарезать мясо тонкими ломтиками, выложить на блюдо, украсить зеленью и мочеными или маринованными яблоками.

177 Сало соленое по-домашнему

Свежее свиное сало, соль, молотый черный или красный перец, чеснок.

Свежее сало с кожей нарезать кусками шириной 10 см, обильно натереть со всех сторон солью. На дно посуды насыпать тонкий слой соли и уложить куски сала рядами кожей вниз. Каждый ряд пересыпать солью так, чтобы сало было полностью покрыто солью. Сверху покрыть сало пергаментной бумагой и закрыть крышкой. Через 20 дней сало готово. Перед употреблением поверхность сала тщательно зачистить от соли и натереть черным перцем или смесью красного перца и толченого чеснока.

Если готовите блюдо по рецепту, не надейтесь на глазомер. Даже опытные хозяйки нередко ошибаются, отмеривая продукты «на глазок». Пользуйтесь мерными ложками, стаканами, весами.

Говяжье мясо легче уваривается и становится более мягким, если его перед варкой натереть на некоторое время горчицей в порошке, а затем промыть водой.

Вареное мясо для салатов и заливного получится более нежным, если после того, как оно будет готово, подержать его в бульоне 10–15 минут.

178 Шпик закусочный по-суздальски

300 г шпика; чеснок, соль, перец по вкусу.

Шпик нарезать тонкими длинными ломтиками. Затем ломтики слегка отбить и натереть солью. Положить на ломтики шпика мелко рубленный чеснок, посыпать перцем, свернуть шпик рулетиками и поставить на сутки в холодильник. Перед подачей рулетики нарезать поперек наискось тонкими ломтиками и выложить на блюдо.

179 Горячая закуска «Гетманская»

8 картофелин, 100 г сырокопченой свинины, 50 г сыра; соль, зелень по вкусу.

Сырокопченые корейку, грудинку без шкуры и костей нарезать тонкими ломтиками и слегка отбить. Небольшие картофелины отварить в кожуре, очистить, посолить, обернуть ломтиками сырокопченой свинины и запечь в духовке. Перед подачей посыпать тертым сыром и рубленой зеленью.

180 Горячая закуска с ветчиной

400 г ветчины, 2 луковицы, 2 помидора; столовая горчица, свиное сало, растительное масло, соль, зелень по вкусу.

Ветчину нарезать ломтиками, смазать столовой горчицей и обжарить на сковороде со свиным салом. Репчатый лук нарезать кольцами, посолить и отдельно обжарить на растительном масле. Помидоры нарезать ломтиками, посолить и также обжарить. Помидоры и лук положить на ветчину и посыпать мелко рубленной зеленью. Подать закуску на сковороде.

181 Мясной рулет со шпиком

400 г мякоти говядины, 100 г шпика; соль, перец, мясной бульон по вкусу.

Мясо нарезать тонкими ломтями, отбить, посыпать солью, перцем и выложить на ткань в виде прямоугольного пласта. Шпик нарезать брусочками, разложить на мясной пласт. Мясо с салом свернуть рулетом, перевязать толстой ниткой, положить в глубокую посуду, залить мясным бульоном (рецепт 184) и отварить. Готовый рулет охладить в бульоне, снять нитки и ткань. Рулет нарезать тонкими ломтями и выложить на блюдо.

182 Мясной хлеб по-ужгородски

$^1/_2$ кг мякоти говядины, 1 кг мякоти свинины, 250 г свиного сала, 2 $^1/_2$ ч. ложки соли, $^1/_2$ ч. ложки сахара; перец, тмин, чеснок по вкусу.

Мясо пропустить через мясорубку, добавить нарезанное кубиками сало, соль, сахар, перец, тмин, мелко рубленный чеснок, все перемешать и поставить в холодильник на 1 сутки. Затем выложить фарш в подходящую посуду и запечь в духовке в течение 1–1 $^1/_2$ часов. Подать мясной хлеб горячим или охлажденным.

183 Мясной хлеб «Муромский»

700 г мякоти свинины, 300 г мякоти говядины, 1 яйцо, 2 ч. ложки соли; перец, тмин, тертый мускатный орех по вкусу.

Мясо нарезать кусочками, посолить, положить в эмалированную посуду, придавить легким гнетом, поставить в холодильник на 12–24 часа. Затем мясо пропустить 2 раза через мясорубку, добавить яйцо и пряности, перемешать, сформировать в виде хлеба, выложить в подходящую посуду и запечь в духовке.

Первые блюда

Мировая домашняя кухня богата всевозможными супами. Хотя после салатов и закусок супы — это вторая подача, названием «Первые блюда» кулинарная традиция закрепила тот факт, что в глубине веков не было еще предварительной подачи на стол салатов и закусок.

Первые блюда делятся на бульоны и заправочные супы. Мясные, рыбные, овощные бульоны варят в качестве самостоятельных блюд и подают их с хлебом, гренками или пирожками. Бульоны используют также как основу для разнообразных супов. Мировая кулинария богата супами из мяса и птицы, рыбы и морепродуктов, супами из овощей, грибов и круп. Варят молочные и ягодные супы. Большинство супов подают горячими. В особую группу входят холодные супы. В жаркое время года холодные супы становятся особенно желанными на домашнем столе.

При приготовлении супов нужно придерживаться сроков варки продуктов, так как при длительной их варке теряется значительная часть содержащихся в них витаминов, снижаются вкусовые качества супов. Продукты кладут в суп с таким расчетом, чтобы все они были готовы к моменту подачи супа на стол. Последовательность их закладки указана в рецептуре супов.

Свежую капусту, картофель закладывают в супы в сыром виде. Коренья, морковь, лук предварительно слегка обжаривают на жире.

94

Выделяющиеся ароматические вещества поглощаются жиром, благодаря чему суп приобретает лучший аромат и дольше его сохраняет. Обжаренная морковь придает супу красивый оранжевый оттенок. Во многие супы кладут томатное пюре, свежие или мороженые помидоры. Если их предварительно обжарить с маслом, то окраска супа будет более яркой. Квашеную капусту для щей лучше предварительно потушить, что улучшит ее вкусовые качества.

Очищенную свеклу для борща предварительно следует потушить в малом количестве бульона или воды с добавлением уксуса почти до готовности. Можно свеклу предварительно испечь или отварить в кожуре. Затем очистить, нарезать или натереть на терке и опустить в борщ за 3—5 мин до готовности. При этом борщ сохранит вкус и яркий свекольный цвет. Лавровый лист закладывают в суп за 5—10 минут до окончания варки.

Горох, фасоль, бобы перед варкой следует предварительно замочить на 4—6 часов.

При варке супов, в которые входят соленые огурцы, уксус или щавель, в первую очередь закладывают картофель, так как картофель под действием кислоты плохо разваривается.

При закладке каждого вида продукта бульон нужно быстро довести до кипения, затем уменьшить огонь и варить суп при слабом кипении, иначе при бурном кипении разрушаются витамины, вместе с паром улетучиваются ароматические вещества и, кроме того, овощи сильно развариваются, меняя свою форму.

Если для заправки супов используют пшеничную муку, ее необходимо просеять, обжарить без жира до светло-желтого цвета, охладить, развести небольшим количеством холодного бульона или овощного отвара. Добавлять мучную заправку в суп необходимо за 5—10 мин до окончания варки.

Нецелесообразно варить суп на несколько дней. Можно сварить бульон на 2—3 дня, на котором затем ежедневно готовить свежий суп. Это обеспечит наилучший вкус супа, сохранение в нем витаминов и позволит разнообразить меню.

Супы из мяса и птицы

184 Мясной бульон

500–600 г мяса или костей, 2 л воды, 1 луковица, 1 морковь; корень петрушки или сельдерея, соль, перец, лавровый лист, зелень по вкусу.

Мясо или разрубленные кости положить в холодную воду, довести до кипения, снять пену, добавить коренья, лук, морковь, соль и варить при слабом кипении 2–3 часа, снимая пену и жир. Для лучшего вкуса и цвета бульона разрубленные кости, морковь и лук перед варкой можно подпечь в духовке. В конце варки положить в бульон перец и лавровый лист. Перед подачей бульон процедить, разлить в тарелки или чашки, посыпать мелко нарубленной зеленью. Подать с пирожками или хлебом.

185 Борщ украинский

1 ¹/₂ л мясного бульона или воды, 1–2 свеклы, 1 ст. ложка столового уксуса, 2 ст. ложки томатной пасты, 2 ч. ложки сахара, 1 луковица, 1 морковь, 1 корень петрушки, 80 г шпика, 4 картофелины, 200 г капусты, 1 сладкий перец, 2 ч. ложки муки, 2 зубчика чеснока, 150 г вареного мяса; сметана, перец, лавровый лист, зелень по вкусу.

Свеклу промыть, нарезать соломкой, сбрызнуть уксусом, добавить небольшое количество бульона (рецепт 184), томатную пасту, сахар и тушить до полуготовности. Очищенные лук, морковь и корень петрушки нарезать соломкой и слегка обжарить на сале. Картофель очистить, нарезать дольками, положить в процеженный бульон или воду, довести до кипения, добавить нарезанные соломкой капусту, сладкий перец и варить 15 мин. После этого добавить подготовленные овощи, разведенную бульоном слегка поджаренную муку и варить еще не более 5–7 мин, чтобы картофель и капуста не разварились. В конце варки добавить соль, перец, лавровый лист, толченный с кусочками шпика чеснок. Довести борщ до кипения, снять с огня и дать настояться в течение 10–15 мин. При подаче в тарелки с борщом положить вареное мясо, сметану, посыпать зеленью петрушки и укропа. Отдельно можно подать пампушки с чесноком.

186 Борщ полтавский с галушками

1 кг птицы, 1 свекла, 2 луковицы, 1 морковь, 1 корень петрушки, 3 ст. ложки масла, 4 ст. ложки томатной пасты, 4 картофелины, 300 г капусты, 1 ст. ложка столового уксуса; соль, перец, лавровый лист, шпик, сало, чеснок, сметана, зелень по вкусу.
Для галушек:
¹/₂ стакана муки, 1 яйцо; соль по вкусу.

Свеклу, лук, морковь, корень петрушки подготовить как в рецепте 185. Из гуся, утки или курицы сварить бульон, добавить нарезанные картофель, капусту и варить в течение 10 мин. Затем добавить подготовленные овощи, толченый шпик и варить борщ до готовности. За 5 мин до окончания варки добавить галушки, соль, перец, лавровый лист, уксус, толченый чеснок. Дать борщу настояться 15– 20 мин. Подавать борщ со сметаной и зеленью.
Галушки. Пшеничную или гречневую муку развести кипятком до консистенции густой сметаны, добавляя понемногу воду. В конце замеса добавить яйцо и соль. Тесто набирать чайной ложкой и опускать в кипящую подсоленную воду. Когда галушки всплывут, вынуть их шумовкой.

187 Борщ «Ильинский»

500 г говядины, 300 г квашеной капусты, 1–2 свеклы, 1–2 моркови, 1–2 луковицы, 2 ст. ложки растительного масла, 150 г чернослива, 2 ч. ложки сахара, 2 ст. ложки столового уксуса, 1 ст. ложка томатной пасты, 4 зубчика чеснока; соль, корень петрушки, зелень, сметана по вкусу.

Сварить мясной бульон (рецепт 184). Свеклу очистить, промыть, нарезать соломкой, добавить небольшое количество бульона, томатную пасту, уксус, сахар и потушить. Отдельно потушить квашеную капусту. Морковь и лук очистить, морковь нарезать соломкой, лук — полукольцами, все слегка обжарить на масле. Чернослив промыть, отварить до готовности, вынуть косточки. Подготовленные продукты опустить в кипящий бульон, влить отвар чернослива, добавить соль, корень петрушки и довести до готовности. Перед подачей на стол посыпать борщ зеленью и толченым чесноком. Отдельно подать сметану.

188 Солянка по-казански

100 г говядины, 100 г баранины, 100 г конины, 100 г почек, 2–3 луковицы, 4 соленых огурца, 4 ст. ложки масла, 100 г чернослива, 2–3 ст. ложки томатной пасты, 1,2 л мясного бульона; соль, перец, зелень, сметана или катык (простокваша) по вкусу.

Отварные мясные продукты нарезать соломкой. Репчатый лук очистить, нарезать кольцами и слегка обжарить на масле. Соленые огурцы нарезать мелкими длинными полосками. Огурцы с толстой кожицей и крупными семенами предварительно очистить от кожи и семян. Подготовленные огурцы отварить в небольшом количестве воды. Томатную пасту обжарить на масле. Чернослив промыть, замочить в горячей воде, косточки вынуть. Подготовленные продукты положить в мясной бульон (рецепт 184), добавить соль, перец, довести до кипения и варить на слабом огне в течение 10–15 мин. Подавать со сметаной или катыком и мелко нарезанной зеленью.

Чтобы получить крепкий бульон, нужно залить мясо холодной водой и поставить варить. Питательные и экстрактивные вещества из мяса перейдут в бульон. Чтобы получить вкусное отварное мясо, нужно опустить мясо в кипящую воду.

В рассольник или другой суп вместо полагающихся перловки или риса можно положить любой сухой суп-концентрат, в котором есть крупа. Это сократит время варки.

Если рассольник получился недостаточно насыщенного вкуса, нужно добавить прокипяченный огуречный рассол.

189 Суп краснодарский

600 г мяса, 2 луковицы, 1 морковь, 2 ст. ложки риса, 2 помидора, 1 сладкий перец, 2 зубчика чеснока; соль, перец, лавровый лист, зелень по вкусу.

Из говядины, баранины или свинины сварить бульон (рецепт 184). В кипящий процеженный бульон добавить промытый рис, мелко нарезанные помидоры и сладкий перец, слегка обжаренный лук и варить суп до готовности. За 1 мин до окончания варки добавить измельченный чеснок и мелко рубленную зелень. При подаче в тарелки с супом положить нарезанный тонкими кольцами репчатый лук.

190 Рассольник домашний

1 л мясного бульона, 400 г отварной говядины и почек, 4 ст. ложки перловой крупы, 2 моркови, 200 г корня петрушки, 100 г корня сельдерея, 2 головки репчатого лука, 150 г лука-порея, 3 соленых огурца, 300 г капусты, 3 картофелины; огуречный рассол, соль, перец, лавровый лист, сметана, зелень по вкусу.

Перловую крупу отварить до готовности. Морковь, корни петрушки и сельдерея нарезать соломкой. Репчатый лук и лук-порей нарезать кольцами. Подготовленные овощи обжарить на масле. Соленые огурцы нарезать ломтиками и слегка отварить в небольшом количестве воды. Капусту нарезать соломкой, опустить в кипящий мясной бульон (рецепт 184), довести до кипения, добавить нарезанный дольками картофель, перловую крупу и варить с момента закипания 10 мин. Затем положить обжаренные овощи. Когда картофель будет почти готов, добавить соленые огурцы. За 5 мин до конца варки добавить прокипяченный огуречный рассол, соль, перец, лавровый лист. Рассольник довести до кипения, снять с огня и оставить на 10 мин, чтобы он настоялся. При подаче в тарелки с рассольником положить отваренные мясные продукты, сметану и мелко нарезанную зелень.

Если суп пересолен, прокипятите в нем несколько очищенных сырых картофелин или завяжите в марлю промытый рис и проварите его в супе. Отваренные рис и картофель можно использовать на гарнир.

Чтобы смягчить капустный запах при варке супа, нужно добавить в воду лавровый лист.

Не оставляйте в готовом супе лавровый лист. Он используется при варке, а потом лишь портит вкус.

191 Суп закарпатский со свежей капустой

400 г мяса, 500 г капусты, 2 луковицы, 1—2 помидора; шпик, соль, перец, лавровый лист, чеснок, сметана, зелень по вкусу.

Мясо свинины или говядины промыть, нарезать мелкими кусочками, слегка обжарить на шпике, добавив нарезанный полукольцами лук и дольки помидор, переложить в кастрюлю, залить горячей водой и варить до полуготовности. Затем добавить нашинкованную свежую капусту, посолить и варить суп до готовности. За 4—5 мин до окончания варки положить перец горошком, лавровый лист, толченый чеснок. При подаче положить в тарелки с супом сметану и мелко нарезанную зелень.

192 Суп с квашеной капустой по-польски

300 г копченой грудинки или других копченостей, 50 г сушеных грибов, 300 г квашеной капусты, 1 луковица, 50 г шпика, 1 ст. ложка муки; соль, зелень по вкусу.

Сушеные грибы залить водой на 15 мин и промыть несколько раз, меняя воду. Промытые грибы залить холодной водой и оставить для набухания на 3—4 часа. Затем грибы вынуть шумовкой, нарезать соломкой, положить в ту же воду, добавить нарезанное кусочками мясо и варить до готовности. Квашеную капусту мелко порубить, залить небольшим количеством мясного бульона и потушить до готовности. Если квашеная капуста слишком кислая, то ее нужно промыть в холодной воде. Лук мелко порезать, слегка обжарить с нарезанным кубиками шпиком, добавить муку, перемешать, влить немного бульона и довести до кипения. Подготовленные капусту и лук, мелко нарезанную зелень добавить в суп и проварить в течение 3—5 мин. Снять суп с огня и дать настояться 15—20 мин.

193 Щи «Тверские»

*1 ¹/₄ л мясного бульона,
200 г вареной говядины
или свинины, 50 г шпика,
600 г капусты, 1 луковица,
1 морковь, 250 г свежих или
50 г сушеных грибов; соль, перец,
лавровый лист по вкусу.*

Свежую капусту нарезать квадратиками. Лук и морковь очистить, нарезать соломкой, слегка обжарить на шпике, добавить немного бульона и потушить до полуготовности. Подготовленные свежие или сухие грибы (рецепт 194) отварить, нарезать кубиками. Капусту, лук и морковь залить отваром от грибов, добавить мясной бульон, соль и варить до готовности. За 5 мин до окончания варки положить перец и лавровый лист. В конце варки положить нарезанные грибы, рубленый чеснок, кусочки вареного мяса, довести до кипения. Перед подачей в тарелки со щами положить сметану.

194 Щи «Сельские»

*1 ¹/₂ л куриного бульона,
300 г свежих или 50 г сушеных
грибов, 600 г капусты,
1 морковь, 1 луковица,
2 помидора; топленое или
сливочное масло,
соль, зелень по вкусу.*

Сварить куриный бульон (рецепт 224). Свежие грибы тщательно промыть, мелко нарезать. Сушеные грибы залить водой на 15 мин и промыть несколько раз, меняя воду. Промытые грибы залить холодной водой и оставить для набухания на 3–4 часа, затем нарезать соломкой. Подготовленные грибы положить в бульон и варить 10 мин. Свежую капусту нарезать соломкой, опустить в бульон и варить до полуготовности. Мелко нарезанные морковь, лук, помидоры слегка обжарить на топленом или сливочном масле, добавить в щи, все посолить и варить при слабом кипении до готовности. При подаче можно положить в щи сметану и рубленую зелень.

195 Кислые щи со свежей капустой

600 г говядины, 2 луковицы, 2–3 кислых яблока, 600 г капусты, ¹/₂ ст. ложки сливочного масла, 1 ст. ложка муки; соль, перец, лавровый лист, сметана, зелень по вкусу.

Сварить мясной бульон (рецепт 184). Капусту мелко нашинковать, перетереть с солью, положить в процеженный мясной бульон и варить до полуготовности. Кислые яблоки вымыть, нарезать дольками, залить небольшим количеством воды и варить, пока яблоки не разварятся. Яблочный отвар процедить, яблоки протереть сквозь сито. Лук мелко порезать, обжарить на масле, всыпать муку, все перемешать. Лук, яблочный отвар и пюре добавить в щи и варить до готовности при слабом кипении. Подавать щи с кусочками мяса, сметаной и рубленой зеленью.

196 Запорожский капустняк

400 г свинины, 600 г квашеной капусты, 1–2 моркови, 1 луковица, 50 г растительного масла, 50 г сала, 1 ст. ложка пшена, 2 картофелины; соль, перец, лавровый лист, петрушка с корешками, сметана по вкусу.

Свинину отварить с солью, бульон процедить. Квашеную капусту отжать и потушить на сковороде с маслом до полуготовности, периодически подливая мясной бульон. Морковь и корень петрушки очистить, нарезать соломкой и слегка обжарить с маслом. Сало пропустить через мясорубку и растереть в ступке с предварительно перебранным пшеном, мелко рубленными луком и зеленью петрушки. Картофель очистить, нарезать кубиками, положить в кипящий бульон и варить 15–20 мин. Затем добавить тушеную капусту, обжаренные морковь и петрушку, смесь лука, петрушки и пшена, специи и варить капустняк до готовности. При подаче положить в тарелки с супом сметану и мелко рубленную зелень петрушки.

Если пена от бульона опустилась на дно, нужно влить в бульон немного холодной воды. Пена поднимется, и ее легко будет снять.

Чтобы дольше сохранить крепким вилок капусты, его надо не разрезать, а «раздевать», снимая поочередно верхние листья.

Чтобы уберечь от плесени оставшуюся в банке томатную пасту, нужно посыпать ее мелкой солью и залить растительным маслом.

Отрезанная половинка репчатого лука останется свежей, если на срезе смазать ее сливочным маслом и положить на блюдце срезом вниз.

197 Элеш по-башкирски

400 г говядины без костей, 1 л воды, 4 картофелины, 300 г капусты, 1 луковица, 2 моркови, корень петрушки или сельдерея; соль, зелень по вкусу.

Жирную говядину промыть, положить в кастрюлю, залить холодной водой и сварить бульон. За 30 мин до окончания варки добавить корень петрушки или сельдерея и соль. Вареное мясо вынуть из бульона, нарезать крупными кусками. Бульон процедить и отварить в нем сначала картофель целиком или нарезанный крупными кусками, крупно нарезанные капусту и морковь. При подаче на стол в тарелки положить мясо, овощи, нарезанный кольцами сырой лук, зелень, после чего налить бульон.

198 Щи «Уральские»

500 г курицы, или утки, или гуся, 600 г капусты, 3 ст. ложки крупы, 2 луковицы, 4 картофелины, 2 моркови; соль, перец, зелень, сметана по вкусу.

Перловую, овсяную крупу, пшено или рис перебрать, промыть, несколько раз сменяя воду, и замочить в воде. Подготовленную тушку домашней птицы залить холодной водой, положить нарезанные дольками луковицу и одну морковь, довести до кипения, снять пену, посолить и варить до готовности. Сваренную птицу вынуть, бульон процедить и вновь поставить на огонь. В кипящий бульон положить подготовленную крупу. Через 15—20 мин положить нарезанную квадратиками капусту, нарезанные мелкими кубиками картофель, морковь, мелко нарубленный лук и варить щи до готовности. За 5—10 мин до окончания варки добавить соль и перец. Перед подачей отваренную птицу нарезать на куски. В тарелки положить куски птицы, залить щами, посыпать рубленой зеленью, положить сметану.

Толченый чеснок следует добавлять в суп в самом конце варки, иначе он утратит свой приятный вкус.

Чеснок можно сохранить, если очищенные зубчики нарезать, переложить в стеклянную банку, налить сверху растительное масло и поставить в холодильник.

Репчатый лук нельзя хранить в полиэтиленовом пакете и в холодильнике — лук становится влажным и плесневеет. Лучше хранить его в сетке или корзине в сухом проветриваемом помещении.

199 Чорба по-текински

*1 кг баранины, 1 стакан маша, **или** фасоли, **или** гороха, 1 стакан риса, 2 моркови, 2 луковицы, 2 помидора, 2 ст. ложки топленого жира; соль, зелень по вкусу.*

Баранину с костями залить холодной водой, поставить на огонь, довести до кипения. Добавить промытый маш (сорт фасоли), фасоль или горох и варить при слабом кипении 40—50 мин. Затем добавить промытый рис, нарезанную кубиками морковь, соль и варить суп до готовности. Лук и помидоры мелко нарезать, обжарить на топленом жире и добавить в суп за 10—15 мин до окончания варки. При подаче посыпать рубленой зеленью.

200 Пити по-азербайджански

*800 г баранины, 100 г гороха нут, 4 картофелины, 1 луковица, 100 г курдючного сала, 100 г свежей или 60 г сушеной алычи, **или** 2 помидора, **или** 2 ст. ложки томатной пасты, 1/2 г шафрана; соль, перец, сушеная мята или другая зелень по вкусу.*

Баранину нарезать кусочками, разложить в керамические горшочки, добавить предварительно замоченный горох нут или другой сорт гороха, залить холодной водой, поставить в духовку и варить под крышкой до готовности. За 30 мин до окончания варки добавить нарезанные четвертушками картофель и лук, рубленое курдючное сало, свежую или сушеную алычу, соль, перец, шафран. Вместо алычи можно использовать помидоры или томатную пасту. Подать пити в горшочках, посыпав мелко рубленной сушеной мятой или другой зеленью. Рядом поставить большую пиалу-кясе или тарелку. Отдельно подать очищенные головки репчатого лука или зеленый лук. Традиционно сначала едят бульон, которым заливают покрошенный в пиалу хлеб. Затем густую часть супа перекладывают в пиалу. Мясо отделяют от костей, все раздавливают вилкой и едят с хлебом.

201 Харчо по-грузински

500 г говяжьей или бараньей грудинки, 3/4 стакана риса, 1 луковица, 1 сладкий перец, 2 помидора или 1 ст. ложка томатной пасты, 3–4 зубчика чеснока; соль, перец, лавровый лист, хмели-сунели, соус ткемали, зелень по вкусу.

Мясо нарезать кусками, залить холодной водой и варить 30–40 мин. Затем добавить предварительно замоченный рис, мелко нарезанные и слегка обжаренные вместе с помидорами или томатной пастой лук, сладкий перец и варить суп до готовности. За 5 мин до окончания варки добавить соль, молотый перец, лавровый лист, толченый чеснок, хмели-сунели, соус ткемали, мелко нарезанную зелень кинзы, сельдерея или петрушки.

202 Суп с рисом по-венгерски

400 г говядины, 4 ст. ложки риса, 200 г сметаны, 2 яичных желтка, 1 ст. ложка муки, 5 ст. ложек сливочного масла; соль по вкусу.

Приготовить мясной бульон (рецепт 184). Бульон процедить, мясо нарезать кусочками. Рис обжарить на масле и отварить в бульоне до готовности. Добавить мясо, смешанную с мукой сметану, соль, довести бульон до кипения, снять с огня и добавить растертые с 3 ст. ложками сливочного масла сырые яичные желтки.

203 Суп яблочно-рисовый по-индийски

1 л мясного бульона, 4 яблока, 2 ст. ложки муки, 1 луковица; соль, специи карри, сливки, сливочное масло, отварной рис по вкусу.

Яблоки запечь, протереть через сито. Муку слегка обжарить, развести частью бульона, добавить соль, карри, мелко нарезанный и слегка обжаренный лук, прокипятить, влить в оставшийся бульон, добавить протертые яблоки и проварить 5 мин. При подаче добавить вскипяченные сливки, масло, отварной рис.

Бобовые (фасоль, чечевица, горох) не пригорят при варке, если на дно кастрюли положить ломтик хлеба. По окончании варки нужно вынуть.

Поскольку бобовые варятся долго, их нужно заранее замочить в холодной воде, так как в теплой воде они могут закиснуть.

Фасоль, горох, бобы и чечевицу нужно варить без соли, а солить незадолго перед окончанием варки.

Красные почковидные и черные бобы перед приготовлением нужно прокипятить 10–15 минут, а отвар слить.

204 Суп с фасолью по-балкарски

300 г говядины или баранины, 1 стакан фасоли, 4–5 картофелин, 1 луковица, 1–2 помидора; соль, перец, лавровый лист по вкусу.

Сварить мясной бульон (рецепт 184). Мясо вынуть, нарезать кусочками. Положить в бульон предварительно замоченную фасоль и варить 20–30 мин. Затем добавить нарезанный кубиками картофель, слегка поджаренные, мелко нарезанные лук и помидоры, соль, перец, лавровый лист и варить суп до готовности. Положить в суп нарезанное мясо и нагреть суп до кипения.

205 Суп с фасолью по-венгерски

300 г свиных копченостей, 2/3 стакана фасоли, 1 морковь, 1 корень петрушки, 1–2 сладких перца, 1 помидор, 300 г копченой колбасы, 1 ст. ложка муки, 1 луковица, 150 г сметаны; соль, лавровый лист, красный молотый перец, чеснок, лапша по вкусу.

Промытую фасоль залить 1 л холодной воды и оставить на 10–12 часов. Свиные копчености отварить в 1 л воды до готовности, вынуть из бульона, бульон охладить. Морковь и корень петрушки очистить, нарезать кружочками, положить в глубокую посуду, слегка поджарить на жире, снятом с мясного бульона. Затем добавить замоченную фасоль с водой, мясной бульон, соль, лавровый лист, чеснок, мелко нарезанные сладкие перец и помидор и варить до тех пор, пока фасоль не станет мягкой. Копченую колбасу обжарить на сковороде и нарезать тонкими кружочками. Муку обжарить на жире от колбасы, добавить немного воды или бульона, размешать, добавить мелко нарезанный лук, красный молотый перец, сахар, уксус, сметану, все прокипятить и влить в суп. Затем положить в суп предварительно сваренную лапшу, колбасу и дать супу прокипеть 2–3 мин. При подаче в тарелки с супом положить мелко нарезанные копчености.

206 Суп гороховый по-узбекски

500 г баранины или говядины,
1 стакан гороха нут,
3 ст. ложки растительного
масла, 3 луковицы, 1 морковь,
2 помидора, 2 картофелины;
соль, перец, лавровый лист,
зелень по вкусу.

Горох нут (нохут) замочить в холодной воде на 5–6 часов. Вместо гороха нут можно использовать другие сорта гороха. Мясо нарезать кусочками, сложить в толстостенную глубокую посуду, добавить масло и обжарить до образования поджаристой корочки. Затем добавить нарезанный полукольцами репчатый лук, нарезанные морковь, помидоры и обжаривать еще 5–7 мин. Мясо и овощи залить водой, добавить предварительно замоченный горох и варить 20–25 мин. После чего добавить нарезанный кубиками картофель, соль, перец, лавровый лист и варить суп до готовности. Подать суп с зеленью.

207 Суп-гуляш по-закарпатски

600 г говядины без костей,
4 луковицы, 4–5 картофелин,
1 помидор, 1 сладкий перец;
свиной жир, соль, красный
молотый перец, тмин,
чеснок, лапша по вкусу.

Лук очистить, мелко нарезать, поджарить на жире до золотистого цвета, добавить красный молотый перец, нарезанное мелкими кубиками мясо, посолить и тушить под крышкой. Когда жидкость выкипит, добавить смешанный с тмином толченый чеснок, подлить немного воды и, изредка помешивая, продолжать тушить на слабом огне 20–25 мин, периодически добавляя понемногу воду, чтобы мясо не варилось, а тушилось. Затем добавить к мясу нарезанный мелкими кубиками картофель и тушить еще 15–20 мин. После чего добавить мясной бульон (рецепт 184), мелко нарезанные помидоры, сладкий перец, готовую или домашнюю лапшу (рецепт 214) и дать лапше свариться.

208 Суп гороховый по-южнорусски

*1 1/2 л мясного бульона,
2/3 стакана гороха,
4 картофелины, 1 луковица,
1 помидор или 2 ст. ложки
томатной пасты, 100 г вермишели;
соль, масло, чеснок, зелень по вкусу.*

В мясной бульон (рецепт 184) положить предварительно замоченный горох и варить до полуготовности. Затем добавить нарезанный ломтиками картофель и варить 15 мин. После чего добавить вермишель, обжаренный с помидорами или томатной пастой лук, соль и варить до готовности. При подаче добавить толченый чеснок и рубленую зелень.

209 Суп-лагман

*400 г мякоти говядины
или баранины, тесто
для лапши из 2 стаканов муки,
1 луковица, 1 редька,
2 помидора или 2–3 ст. ложки
томатной пасты,
2 1/2 стакана воды
или бульона, 6 зубчиков чеснока;
растительное масло, соль,
молотый красный перец,
зелень по вкусу.*

Замесить тесто для лапши (рецепт 214) и оставить на 2 часа. Затем нарезать тесто на куски, раскатать в жгуты, смазать маслом, оставить для расстойки на 10 мин. Затем жгуты теста растянуть руками, сложить пополам и растягивать еще до получения тонких тестяных нитей. Полученную длинную лапшу-лагман отварить в кипящей подсоленной воде до готовности, промыть и смазать растительным маслом. Мясо без костей нарезать небольшими кубиками, обжарить на масле до появления поджаристой корочки, добавить нашинкованный репчатый лук, нарезанную соломкой редьку, свежие помидоры или томатную пасту, соль и продолжать обжаривать, периодически помешивая, 10–15 мин. После чего залить водой или мясным бульоном и варить до готовности. В конце варки добавить рубленый чеснок, перец, зелень. Перед подачей положить в суп лапшу и разогреть. При подаче посыпать зеленью. Вместо лапши-лагман можно использовать готовые длинные лапшу, вермишель или макароны.

210 Суюк-ош по-узбекски

*400 г мякоти говядины,
1 луковица, 1 морковь,
3 ст. ложки кукурузного масла,
2 картофелины; соль, перец,
домашняя лапша по вкусу.*

Мясо промолоть на мясорубке, посолить, положить в глубокую посуду с раскаленным жиром и обжарить. Добавить нарезанные соломкой лук, морковь и жарить, помешивая, еще 8–10 мин. Затем влить бульон, добавить нарезанный дольками картофель, соль, перец и варить при слабом кипении до готовности. За 10–15 мин до окончания варки добавить домашнюю лапшу (рецепт 214). При подаче в суп можно добавить кислое молоко.

211 Суп мясной с клецками

*400 г говядины, 2 картофелины,
2 луковицы, 1 морковь; соль,
сметана, зелень по вкусу.*
Для мучных клецек:
*1 стакан муки, 1 стакан воды
или бульона, 1 ст. ложка
сливочного масла, 1 яйцо;
соль по вкусу.*
Для манных клецек:
*1/2 стакана манной крупы,
1 1/2 стакана воды, 1 яйцо,
1 ст. ложка сливочного масла;
соль по вкусу.*

Сварить мясной бульон (рецепт 184). Картофель очистить, нарезать кубиками. Лук очистить, нарезать полукольцами, слегка обжарить на масле. Морковь очистить, нарезать кубиками и также обжарить. Подготовленные овощи положить в кипящий бульон и варить до готовности. За 5–7 мин до окончания варки добавить клецки. Подавать со сметаной и рубленой зеленью.

Мучные клецки. В воду или бульон добавить масло, соль, довести до кипения, помешивая, всыпать муку и заварить тесто. Продолжая помешивать, прогреть тесто 5–10 мин. Затем тесто охладить до 60–70°, добавить яйцо, тщательно перемешать, раскатать в виде жгута и нарезать на небольшие кусочки.

Манные клецки. В кипящую воду тонкой струйкой всыпать крупу и, непрерывно помешивая, варить на слабом огне 10–15 мин до загустения. Затем посолить и размешать. Остывшую до 60–70° кашу перемешать с яйцом и растопленным маслом. Полученную массу с помощью двух ложек разделать на клецки.

Если мясо сбрызнуть столовым уксусом или смазать оливковым маслом, его можно хранить в холодильнике не замораживая 1—2 дня.

Сырые овощи лучше сохранятся, если завернуть их во влажное полотенце и положить в холодильник.

Бульонные кубики уже содержат соль и специи. Поэтому супы, приготовленные с добавлением кубиков, досаливать необязательно.

212 Чорба с лепешкой по-туркменски

1 кг мяса и субпродуктов, 3—4 головки репчатого лука, 2 помидора; соль, специи, зелень по вкусу.
Для лепешки:
3 стакана муки, около 1 стакана воды, 10 г сухих дрожжей, 1 неполная ч. ложка соли.

Говядину или баранину и субпродукты (сердце, печень, почки, легкие) сварить на медленном огне с добавлением нарезанного полукольцами репчатого лука. За 15 мин до окончания варки добавить нарезанные помидоры, соль, специи. Перед подачей вареные мясные продукты и лепешку (чорек) нарезать мелкими кусочками, положить в суповые чашки, добавить мелко нарезанный лук и залить горячим бульоном.

Лепешка. В просеянную муку добавить разведенные в теплой воде дрожжи и соль, замесить тесто и оставить на 2—3 часа в теплом месте для брожения. За это время тесто 2—3 раза обмять. Готовое тесто скатать в шар, накрыть полотенцем, дать расстояться в течение 30 мин. Придать тесту овальную форму, наколоть поверхность теста вилкой и выпечь чорек в тамдыре или духовке.

213 Суп-жюльен по-французски

Мясной бульон из 600 г говядины, 200 г ржаного хлеба, 2 моркови, 1 кольраби или молодая репа, 1 корень сельдерея, 200 г шпината, 4 ст. ложки зеленого горошка, 1 ст. ложка сливочного масла; соль по вкусу.

Сварить мясной бульон (рецепт 184) и процедить. Ржаной хлеб подсушить в духовке докрасна, как для кваса. Затем залить частью бульона так, чтобы он полностью покрыл хлеб, накрыть крышкой, дать постоять 1 $1/_2$ часа, бульон слить и процедить. В оставшийся бульон добавить нарезанные соломкой морковь, кольраби или молодую репу, корень сельдерея, шпинат и варить до готовности. За 5—7 мин до окончания варки добавить зеленый горошек, сливочное масло, хлебный бульон, соль.

214 Суп-лапша по-татарски

*500 г говядины или баранины,
2 л воды, 1 луковица, 1 морковь;
соль, перец по вкусу.*
Для лапши:
*1 стакан муки, 1 яйцо,
около $^1/_4$ стакана воды
или остуженного бульона;
соль по вкусу.*

Сварить мясной бульон (рецепт 184). В кипящий бульон положить нарезанный кольцами лук, нарезанную кружочками морковь. Через 15 мин добавить лапшу, перемешать и варить, пока лапша не всплывет. Перед подачей мясо нарезать поперек волокон, положить в тарелки и залить горячим супом-лапшой.

Лапша. Муку просеять, высыпать горкой на доску, сделать в муке углубление, отбить яйцо, посолить и, понемногу добавляя воду или бульон, замесить крутое тесто и выдержать 30—40 мин. Затем тесто раскатать в пласт толщиной 1—1,5 мм и дать тесту подсохнуть 10—15 мин. Сложить тесто пополам, затем в ту же сторону сложить еще 1—2 раза и нарезать тесто тонкой соломкой. Готовую лапшу разложить на доске. Лапшу можно также нарезать квадратиками, ромбиками, треугольниками.

215 Чорба по-молдавски

*400 г говядины или телятины,
100 г сушеных грибов, 1 морковь,
1 корень петрушки, 1 луковица,
2 стакана молдавского кваса;
соль, перец, лавровый лист,
чабрец (тимьян), сметана,
зелень петрушки по вкусу.*

Сварить мясной бульон (рецепт 184). Сушеные грибы отварить (рецепт 184) и нарезать соломкой. Морковь, лук, корень петрушки нарезать соломкой и слегка обжарить. Из муки, воды, яиц и соли замесить домашнюю лапшу (рецепт 214). В мясной бульон положить подготовленные грибы, овощи, лапшу и варить 10—15 мин. За 5 мин до готовности добавить прокипяченный молдавский квас (рецепт 681), соль, перец, лавровый лист, зелень чабреца. Подать суп со сметаной и рубленой зеленью.

Чтобы скорее приготовить мясной суп, мясо нарезают поперек волокон полосками или готовят из него фрикадельки.

Нужно учесть, что во время варки бульона испаряется примерно 1/3 воды. Доливать воду в суп в процессе варки не рекомендуется, поскольку это ухудшает его вкус. Если воды испарилось слишком много, в крайнем случае, можно влить в бульон немного крутого кипятка.

Чтобы бульон при подогревании сохранил прозрачность, его следует разогревать на маленьком огне и снять, как только жидкость начнет закипать.

216 Суп с фрикадельками

1 ¹/₂ л мясного бульона, 4–5 картофелин, 1 луковица, соль, зелень по вкусу.
Для фрикаделек:
200 г мяса, 1 яйцо, 1 луковица; соль, перец по вкусу.

Сварить мясной бульон (рецепт 184), процедить, добавить нарезанный кубиками или дольками картофель, мелко нарезанный лук, фрикадельки и варить до готовности. При подаче посыпать суп мелко нарезанными зеленым луком или укропом.
Фрикадельки. Мякоть говядины, свинины или баранины пропустить вместе с луком через мясорубку, добавить яйцо, перец, соль и все тщательно перемешать. Из полученного фарша сделать фрикадельки в виде небольших шариков. Можно фрикадельки сделать из равного количества разных видов мяса.

217 Консоме по-немецки

1 л крепкого мясного бульона, 300 г краснокочанной капусты, 2 сосиски, 100 г корня хрена; соль по вкусу.

Приготовить крепкий мясной бульон (рецепт 184), взяв удвоенное количество мясных продуктов. Краснокочанную капусту нарезать соломкой, отварить в подсоленной воде. Хрен очистить, натереть на терке. В кипящий мясной бульон положить нарезанные кусочками сосиски, подготовленные капусту и хрен и варить 4–5 мин.

218 Франкфуртский суп

1,2 л мясного бульона, 1 луковица, 50 г свиного сала, 2 ст. ложки муки, 2 сосиски, ¹/₂ стакана молока.

Сварить мясной бульон (рецепт 184). Репчатый лук очистить, мелко нарезать и обжарить на сале до золотистого цвета. Муку обжарить на сухой сковороде до слегка кремового цвета, развести бульоном и прокипятить. Сосиски нарезать тонкими кружочками и обжарить на сале. Подготовленные продукты положить в кипящий бульон, добавить молоко и варить 5–7 мин.

219 Кюфта-бозбаш

*500 г мякоти баранины,
1 л мясного бульона,
2 луковицы, 100 г свежей или
50 г сушеной алычи или
2 помидора, 4 ст. ложки
топленого масла; соль, перец,
шафран, зелень, сушеная мята
по вкусу.*

Мякоть баранины, одну луковицу пропустить через мясорубку. Добавить мелко нарезанную алычу, соль, перец, все хорошо перемешать. Алычу можно заменить помидорами. Из полученного фарша сделать шарики, обжарить их на сковороде с маслом, положить в мясной бульон (рецепт 184), добавить мелко нарезанную луковицу и варить до готовности. За 10—15 мин до готовности добавить соль, перец и настой шафрана. При подаче посыпать мелко рубленной зеленью и сушеной мятой.

220 Бозбаш ереванский

*400 г бараньей грудинки, 5 ст.
ложек гороха, 4 картофелины,
1 луковица, 8 шт. чернослива,
1—2 яблока, 1 ст. ложка
томатной пасты; соль, специи,
масло топленое по вкусу.*

Куски мяса отварить со специями, бульон процедить. В бульон положить горох и варить до готовности. Затем добавить мясо, нарезанный дольками картофель, обжаренный с маслом и томатной пастой нарезанный лук, чернослив, нарезанные и очищенные от сердцевины яблоки, соль, перец и варить еще 15 мин.

221 Суп летний по-японски

*1 л мясного бульона, 2 огурца,
4 ст. ложки зеленого горошка,
4 яйца, 2 ч. ложки соевого соуса;
соль, зелень по вкусу.*

Сварить крепкий мясной бульон (рецепт 184). В кипящий бульон добавить нарезанные ломтиками огурцы, зеленый горошек, соль, соевый соус и варить 5 мин. При подаче в тарелки с супом положить сваренные «в мешочек» яйца и рубленую зелень.

Если суп очень жирный, нужно поставить посуду с супом в холодное место и, когда он остынет, снять жир.

Сваренные заправочные супы нужно оставлять для настаивания на 10—15 минут.

Специй желательно добавлять столько, чтобы они дополняли и улучшали вкусовые качества кушанья.

Хранить бульон в холодильнике можно только процеженным и перелитым в эмалированную посуду.

222 Похлебка «Сторожка»

1 $^1/_2$ л мясного бульона,
$^3/_4$ стакана гречневой крупы,
1 морковь, 1 луковица,
2 ст. ложки сливочного масла,
200 г мясных фрикаделек
или отварного мяса; соль,
перец, зелень по вкусу.

Этот суп можно готовить с фрикадельками или отварным мясом. В кипящий мясной бульон (рецепт 184) положить перебранную и промытую крупу и варить до готовности. За 10—15 мин до окончания варки добавить соль, перец, слегка обжаренные с маслом мелко нарезанные морковь и лук, сырые фрикадельки (рецепт 216). При подаче в тарелки положить вареные фрикадельки или кусочки вареного мяса, залить супом, посыпать мелко нарезанной зеленью укропа или петрушки.

223 Суп-пюре с кнелями по-парижски

1 л мясного бульона,
$^1/_2$ стакана перловой крупы,
200 г шампиньонов, 2 яичных
желтка, $^1/_2$ стакана сливок;
соль, сливочное масло по вкусу.
Для кнелей:
200 г говядины или телятины,
$^1/_2$ луковицы, 1 яйцо,
1—2 ломтика белого хлеба,
1 ст. ложка сливочного масла;
перец, мускатный орех по вкусу.

Сварить мясной бульон (рецепт 184) и процедить. Промытую перловую крупу отварить в бульоне, протереть сквозь сито. Грибы промыть, пропустить через мясорубку, потушить 20—30 мин со сливочным маслом, протереть сквозь сито. Положить в бульон кнели, отварить до готовности, добавить подготовленные крупу и грибы, довести бульон до кипения, снять с плиты, влить растертые со сливками яичные желтки и перемешать.

Кнели. Лук мелко нарезать, слегка обжарить на масле. Мякоть говядины или телятины пропустить вместе с луком 2 раза через мясорубку, добавить соль, яйцо, предварительно замоченный в воде и отжатый белый хлеб, молотый перец, тертый мускатный орех, все тщательно вымесить до получения однородной массы. Из полученного фарша сделать небольшие шарики-кнели.

116

224 Куриный бульон с кнелями

*1 курица, 1 морковь,
1 луковица, 1 корень петрушки;
соль, зелень по вкусу.*
Для кнелей:
*400 г куриного мяса без костей,
$^1/_2$ стакана молока, 1 яйцо,
$^1/_2$ ложки соли.*

У подготовленной потрошеной курицы отделить мясо от костей. Кости положить в кастрюлю, залить холодной водой, нагреть на небольшом огне до кипения и варить, снимая пену, 2 часа. За 30 мин до окончания варки добавить соль, морковь, корень петрушки. Готовый бульон процедить. В кипящий бульон опустить куриные кнели, сварить до готовности. При подаче положить кнели в бульонные чашки или тарелки, залить бульоном, посыпать мелко рубленной зеленью.

Кнели. Куриное мясо разрезать на кусочки, пропустить через мясорубку, добавить яйцо, соль и тщательно взбить, постепенно вливая охлажденное молоко. Из полученного фарша сделать небольшие шарики-кнели.

225 Суп-лапша из курицы с помидорами

*1 курица, 2 л воды,
100 г топленого масла,
2 луковицы, 4 моркови,
4 помидора, 4 дольки чеснока,
100 г домашней лапши;
соль, перец, лавровый
лист по вкусу.*

В чугунном казане или другой глубокой толстостенной посуде нагреть топленое масло и обжарить на нем мелко нарезанные куски курицы. Затем добавить нарезанный полукольцами репчатый лук, натертую на крупной терке или нашинкованную соломкой морковь, нарезанные дольками помидоры, тертый чеснок, соль, перец, лавровый лист и обжаривать 10–15 мин. После чего залить горячей водой, довести до кипения, положить подсушенную домашнюю лапшу (рецепт 214), плотно закрыть посуду крышкой и варить суп на слабом огне 20 мин.

226 Шорба с курицей по-болгарски

1 курица, 1/2 стакана риса, 1 луковица, 100 г алычи или 1 помидор, 1/2 стакана гороха нут; масло, соль, укроп по вкусу.

Сварить куриный бульон (рецеп 231). Бульон процедить, курицу разрезать на куски. Отварить в бульоне рис, добавить обжаренный лук, сваренный отдельно горох, алычу или помидор, соль и варить 10 мин. Добавить куски курицы, укроп и прогреть.

227 Солянка по-петербургски

1 1/2 л бульона, 800 г гуся или утки, 3 соленых огурца, 3 луковицы, 2 ст. ложки сливочного масла, 2 ст. ложки томатной пасты, 2 ст. ложки каперсов, 2 ст. ложки маслин или оливок без косточек, 1 корень сельдерея; соль, перец, лавровый лист, лимон, сметана, зелень петрушки или укропа по вкусу.

Из гуся или утки сварить бульон. Птицу вынуть, нарезать на куски, бульон процедить. Соленые огурцы нарезать ломтиками. Огурцы с грубой кожицей и зрелыми семенами предварительно очистить от кожицы и семян. Подготовленные огурцы отварить с небольшим количеством воды в течение 3—5 мин. Репчатый лук тонко нашинковать и слегка обжарить на сливочном масле. В конце обжаривания добавить томатную пасту. Лимон очистить от кожицы и нарезать дольками. Припущенные огурцы, пассерованный лук положить в кипящий бульон из птицы и варить 7—10 мин, затем добавить куски вареной птицы, каперсы, соль, перец, лавровый лист и довести суп до кипения. При подаче в тарелки положить ломтики птицы, маслины или оливки без косточек, налить солянку, положить дольки лимона, сметану и мелко нарезанную зелень.

228 Консоме «Гарибальди»

1,2 л крепкого куриного бульона, 1 морковь, 100 г корня сельдерея, 1 помидор, 100 г макарон; соль, зеленый салат по вкусу.

Макароны отварить в подсоленной воде, откинуть на дуршлаг и мелко нарезать. В кипящий куриный бульон (рецепт 231) положить нарезанные соломкой морковь и корень сельдерея, нарезанные ломтиками помидоры, проварить 10—15 мин, добавить макароны, прогреть и добавить нарезанный зеленый салат.

229 Брюссельский суп с шампиньонами

1 л куриного бульона, 500 г шампиньонов, 1 луковица, 1 ст. ложка муки, 1 стакан сливок, 2 сваренных вкрутую яйца; соль, зелень по вкусу.

Очищенные шампиньоны и лук промолоть на мясорубке, выложить в глубокую посуду с маслом и потушить 10 мин. Добавить муку, перемешать, влить куриный бульон (рецепт 231), проварить в течение 15 мин, снять с огня и добавить горячие сливки. При подаче в тарелки с супом положить рубленые яйца и зелень.

230 Чихиртма из курицы

1 курица, 2 луковицы, 1 корень петрушки, 2 ч. ложки муки, 3 яичных желтка; сливочное масло, соль, черный или душистый перец горошком, черный молотый перец, шафран, винный уксус, зелень кинзы или петрушки по вкусу.

Подготовленную курицу положить в кастрюлю, добавить 1 луковицу, корень петрушки, соль и варить под крышкой до готовности. За 10—15 мин до окончания варки добавить черный или душистый перец горошком. Затем курицу вынуть из бульона и нарезать на куски вместе с костями. Готовый бульон процедить. Оставшийся лук мелко нашинковать, слегка поджарить на масле и положить в куриный бульон. Муку слегка поджарить с маслом, влить небольшое количество бульона, добавить черный молотый перец, дать вскипеть, снять с огня, добавить взбитые яичные желтки, рубленую зелень, шафран, винный уксус, все хорошо размешать и, непрерывно помешивая, влить эту массу в горячий бульон. Суп подогреть, не доводя до кипения, чтобы желтки не свернулись. При подаче положить в тарелки куски отварной курицы, залить супом и посыпать зеленью.

Продукты для супов и других блюд нужно подбирать соответственно сезону.

Если бульон варят из старой курицы, количество воды нужно увеличить: мясо старой курицы варится дольше и вследствие этого испаряется воды больше.

Чтобы куриный бульон выглядел красиво, можно за 10 минут до окончания варки положить в него кусочек свеклы.

Готовить супы целесообразно перед самым употреблением, чтобы они не теряли своих питательных качеств.

231 Суп куриный с ягодами

1 курица, 4 картофелины, 1 луковица, 2 ст. ложки брусники или клюквы, 3 ч. ложки муки; соль по вкусу.

Подготовленную курицу положить в кастрюлю, залить холодной водой, довести до кипения, снять пену, посолить и варить до готовности при слабом кипении. За 20–25 мин до окончания варки положить в бульон нарезанный брусочками картофель, нарезанный полукольцами лук и посолить. За 2–3 мин до окончания варки добавить обжаренную до слегка кремового цвета и разведенную в небольшом количестве бульона муку, промытую бруснику или клюкву.

232 Суп деревенский с куриными потрохами

500 г куриных потрохов, лапок, шеек, крылышек, голов, 6 картофелин, 2 луковицы, 1 морковь, 2 ст. ложки масла; соль, перец горошком, лавровый лист, зелень по вкусу.

Куриные желудочки разрезать, с внутренней части снять оболочки. С печенок осторожно срезать желчные пузыри и те части печени, на которые попала желчь. Куриные лапки опустить в горячую воду или опалить, затем снять кожу и отрезать когти. Желудочки, печенки, сердечки, лапки, крылышки, шейки, головы промыть, залить холодной водой, довести до кипения, снять пену и варить при слабом кипении. За 20 мин до готовности положить нарезанный дольками картофель, посолить. Лук и морковь мелко нарезать, обжарить на масле и добавить в суп. За 5–7 мин до окончания варки положить перец горошком, лавровый лист. При подаче посыпать мелко нарезанной зеленью.

233   Суп из курицы по-грузински

1 курица, 2 л воды, 4 луковицы, 1–2 ст. ложки пшеничной или кукурузной муки, ¹/₂ стакана протертых ткемали или 4–5 помидоров, 1 ¹/₂ стакана очищенных грецких орехов, 3 дольки чеснока, 1 ч. ложка хмели-сунели, 1 ч. ложка толченых семян кинзы; соль, стручковый, душистый, черный перец, лавровый лист, корица, гвоздика, шафран, зелень кинзы по вкусу.

Подготовленную курицу нарезать небольшими кусочками, положить в кастрюлю, залить холодной водой, накрыть крышкой и варить до полуготовности. Лук мелко нарезать, положить в глубокую посуду, слегка обжарить на снятом с бульона жире, добавить вынутые из бульона куски курицы и, помешивая, обжарить в течение 10–15 мин. Затем добавить муку и продолжать обжаривать еще 5 мин, после чего влить куриный бульон и варить 10–15 мин. Затем положить предварительно сваренные и протертые ткемали или помидоры, а через 5 мин добавить разведенные в небольшом количестве бульона толченые грецкие орехи, чеснок, стручковый, черный и душистый перец, лавровый лист, корицу, гвоздику, шафран, хмели-сунели, семена кинзы, мелко нарезанную зелень кинзы и варить суп еще 10 мин.

234   Суп с печенью по-зальцбургски

400 г говяжьей печени, 1–2 луковицы, 4–5 картофелин, 3 моркови, 1 ст. ложка муки; сливочное масло, соль, перец, зелень петрушки по вкусу.

Лук мелко нарезать, слегка обжарить на масле в глубокой посуде, добавить нарезанные кружочками картофель и морковь, нарезанную кубиками подготовленную печень (рецепт 171), соль, перец, залить кипятком и варить до готовности под крышкой. Муку слегка поджарить на сухой сковороде, размешать с небольшим количеством суповой жидкости, добавить в суп, размешать и довести до кипения. При подаче положить в тарелки с супом по кусочку сливочного масла и посыпать зеленью петрушки.

Супы из рыбы и морепродуктов

235　Рыбный бульон с фрикадельками

600 г рыбы, 1 луковица, 1 корень петрушки; соль, перец горошком, лавровый лист, сливочное масло, зелень петрушки или укропа по вкусу.
Для рыбных фрикаделек:
1 яйцо, 2 ст. ложки муки; соль, молотый перец по вкусу.

Треску, навагу, минтай, судака, щуку, сома или другую рыбу очистить от чешуи, начиная с хвоста, и отрезать плавники. Разрезать брюшко, вынуть внутренности и жабры и промыть рыбу в холодной воде. Рыбу разрезать вдоль по позвоночнику до ребер и отделить филе сначала с одной стороны, затем с другой. Снять с филе кожу и удалить мелкие кости. Рыбьи головы, кости, хвосты, кожу залить холодной водой, поставить на огонь, довести до кипения, снять пену, добавить лук, корень петрушки, перец горошком, лавровый лист, соль и варить при слабом кипении. Готовый бульон процедить, довести до кипения, положить в бульон рыбные фрикадельки и варить до готовности. При подаче положить в тарелки фрикадельки, кусочки сливочного масла, залить бульоном и посыпать мелко нарубленной зеленью.
Рыбные фрикадельки. Рыбное филе нарезать на куски и промолоть на мясорубке. Добавить яйцо, муку, соль, молотый перец, все тщательно перемешать и разделать на шарики.

236　Уха по-онежски

1 кг трески или другой рыбы, 1 ¹/₂ л воды, 1 ст. ложка муки, 200 г шпика, 3 луковицы, 3 картофелины, 1 стакан молока; соль, лавровый лист, перец по вкусу.

Разделать рыбу на филе без кожи. Филе нарезать на куски. Из остатков рыбы приготовить бульон (рецепт 235). Шпик без кожи нарезать мелкими кубиками, обжарить в глубокой посуде с мелко нарезанным луком. Муку слегка обжарить на сухой сковороде, добавить к луку, все перемешать, развести частью остуженного рыбного бульона, влить оставшийся бульон, добавить нарезанный кубиками картофель и варить 15 мин. Затем влить молоко, добавить рыбное филе, соль и варить уху до готовности.

237　Рыбный суп по-испански

500 г рыбного филе, 1 л воды, 2 сладких перца, 3 помидора, 3 луковицы, 2 зубчика чеснока, 4 ст. ложки оливкового масла, 4 ст. ложки риса, 1 ст. ложка лимонного сока; соль, зелень петрушки, зеленый лук по вкусу.

Сладкий перец вымыть, удалить семенную часть и нарезать тонкой соломкой. Помидоры надрезать крестообразно, опустить на несколько секунд в кипяток, очистить от кожицы и нарезать дольками. Лук и чеснок очистить, мелко порубить, слегка обжарить на оливковом масле, добавить промытый рис, подготовленные перец и помидоры. Все обжарить на сильном огне в течение 5 мин, залить горячей водой, добавить соль и варить суп 25—30 мин. Рыбное филе вымыть, нарезать на куски, сбрызнуть лимонным соком, положить в суп и варить до готовности при слабом кипении. В конце варки добавить тертый чеснок. При подаче посыпать суп мелко нарезанной зеленью.

Проверяя доброкачественность свежей рыбы, обращайте внимание на следующие признаки: жабры должны быть красного цвета, глаза прозрачные и выпуклые, чешуя держится крепко.

Рыбу, замороженную целиком, нужно размораживать в холодной воде.

При чистке скользкой рыбы опустите пальцы в соль — это облегчит очистку чешуи.

Рыбный суп при варке никогда не следует помешивать.

238 Уха с картофелем и крупой

600 г рыбы, 2–3 ст. ложки крупы, 6–8 картофелин, 1 луковица; соль, черный перец горошком, лавровый лист, зелень по вкусу.

Свежую речную рыбу очистить от чешуи, выпотрошить, промыть, положить в кастрюлю, залить холодной водой и поставить варить на слабый огонь. После закипания снять пену, всыпать промытую перловую, овсяную крупу или рис и варить 20–25 мин. Затем посолить, добавить нарезанный кубиками картофель и мелко нарубленный лук. За 5 мин до окончания варки положить перец горошком и лавровый лист. Подавать с мелко нарезанной зеленью укропа, петрушки или зеленым луком.

239 Двойная уха

400 г мелкой рыбы, 400 г крупной рыбы, 1–2 луковицы, 1 морковь; соль, перец горошком, лавровый лист, корень петрушки, стебли укропа, зелень петрушки или укропа по вкусу.

Любую мелкую речную рыбешку — ершей, пескарей, окуньков, плотву и т. п., не очищая от чешуи, выпотрошить, отрезать головы, промыть, положить в посуду с холодной водой, поставить на огонь и довести до кипения. Затем снять пену, добавить крупно нарезанные лук и морковь, соль, перец горошком, лавровый лист, стебли укропа, корень петрушки и варить на слабом огне, пока рыба основательно не выварится. После чего бульон процедить. Крупную рыбу — судака, леща, щуку и т. п. очистить от чешуи, выпотрошить, промыть, нарезать на куски, положить в кипящий рыбный бульон и сварить до готовности. При подаче куски рыбы положить в тарелки, залить бульоном, посыпать мелко нарезанной зеленью петрушки или укропа или бульон налить в тарелки, а рыбу вынуть из ухи и подать отдельно.

240 Уха черноморская

*1 кг рыбы, 5 картофелин,
1 морковь, 2 луковицы,
1 корень петрушки; соль, перец
горошком, лавровый лист,
зеленый лук по вкусу.*
Для чесночной заправки:
*4–5 зубчиков чеснока, соль,
рыбный бульон по вкусу.*

Рыбу подготовить для ухи (рецепт 242). На дно посуды положить крупно нарезанные картофель, морковь, репчатый лук, корень петрушки. Сверху уложить куски рыбы, залить холодной водой выше рыбы на 2–3 см, поставить на огонь, довести до кипения, снять пену, посолить и варить 20 мин. За 5 мин до окончания варки положить в уху перец горошком, лавровый лист. При подаче вареную рыбу разложить на тарелки, полить чесночной заправкой, разложить картофель и морковь из ухи, залить бульоном, посыпать мелко нарезанным зеленым луком.

Чесночная заправка. Чеснок мелко порезать, добавить соль, потолочь до получения кашицы и разбавить остуженной ухой.

241 Суп поволжский из сушеной рыбы

*600 г мелкой рыбы,
6 картофелин, 1 луковица,
1 редька; соль, перец, лавровый
лист, сваренные вкрутую яйца,
зелень укропа или
петрушки по вкусу.*

В Поволжье сушат рыбу не только для заготовки впрок, но и для придания блюдам из нее, в том числе и супам, особого вкуса. Свежую мелкую рыбу очистить от чешуи, выпотрошить и высушить в духовке. Сушеную рыбу положить в холодную воду, посолить и довести до кипения. Затем добавить соль, нарезанный дольками или кубиками картофель и варить до готовности. В конце варки добавить мелко нарезанный лук, натертую на терке редьку, перец горошком и лавровый лист. При подаче посыпать мелко нарезанной зеленью. Можно положить в тарелки с супом половинки сваренных вкрутую яиц.

242 Уха кубанская

1 кг рыбы, 1 1/2 л воды,
2 луковицы, 4 помидора; соль,
лавровый лист, корень
петрушки, стручковый
красный жгучий перец по вкусу.

Рыбу очистить от чешуи, выпотрошить, промыть, нарезать на куски, положить в кастрюлю, добавить лук, залить холодной водой, довести до кипения, снять пену, добавить соль, лавровый лист, корень петрушки и варить при слабом кипении до готовности. За 5–7 мин до окончания варки положить нарезанные помидоры, несколько кусочков красного жгучего перца. Вареные помидоры вынуть шумовкой, переложить в тарелку, раздавить вилкой, снова положить в уху и прогреть.

243 Рыбный суп «Балатон»

800 г рыбы, 1 1/2 л воды,
4 ст. ложки столового уксуса,
2 луковицы, 1 морковь,
100 г корня петрушки,
3 ст. ложки муки, 2 ст. ложки
растительного масла,
100 г сметаны; соль, перец
горошком, красный молотый
перец, лавровый лист, зелень
петрушки по вкусу.
Для гренок:
2 ломтика белого хлеба,
1 ст. ложка сливочного масла.

Карпа, щуку, судака или другую рыбу очистить от чешуи, выпотрошить, промыть, нарезать на куски, положить в кастрюлю, залить холодной водой, поставить на огонь, довести до кипения, снять пену, добавить лук, соль, перец горошком, лавровый лист, уксус и варить на слабом огне 20 мин. Затем бульон процедить, мясо рыбы отделить от костей. В бульон положить нарезанные кружочками морковь, корень петрушки и варить еще 15 мин. Муку обжарить в масле до кремового цвета, добавить молотый красный перец, влить, помешивая, часть бульона, размешать и влить в оставшийся бульон. Довести суп до кипения, добавить соль, рыбу, сметану и разогреть в супе. При подаче в тарелки с супом положить гренки и мелко нарезанную зелень петрушки.
Гренки. У белого хлеба срезать корку, нарезать его мелкими кубиками и поджарить до золотистого цвета на сливочном масле.

244 Рыбный суп с лапшой

500 г рыбы, 6 картофелин,
1–2 луковицы;
зелень, соль по вкусу.

Подготовленную рыбу (рецепт 242) промыть, нарезать на куски, положить в кастрюлю, залить холодной водой, довести до кипения, снять пену, посолить и варить до готовности. Затем рыбу вынуть, мясо рыбы отделить от костей. Лук нарезать кольцами и обжарить на масле. В рыбный бульон положить нарезанный дольками картофель, обжаренный лук и варить суп 15–20 мин. После чего положить готовую или домашнюю лапшу (рецепт 242), мясо рыбы и варить до готовности. При подаче суп посыпать мелко рубленной зеленью.

245 Рыбный суп по-чилийски

600 г морской рыбы, 1 ч ложка
лимонного сока, 1 луковица,
1 помидор, 4 ст. ложки риса,
200 г зеленого горошка,
2 ст. ложки оливкового
или кукурузного масла,
150 г очищенных креветок,
2 ломтика белого хлеба; соль,
перец, лавровый лист, зелень
петрушки по вкусу.

Морскую рыбу разделать на филе (рецепт 235). Филе нарезать маленькими кусочками, положить в миску, сбрызнуть лимонным соком и накрыть крышкой. Лук мелко нарезать и слегка обжарить на растительном масле. Помидоры надрезать крестообразно, опустить на несколько секунд в кипяток, очистить от кожицы и мелко нарезать. Из рыбных остатков сварить бульон (рецепт 235) и процедить. Положить в рыбный бульон рис и варить до готовности. За 10–15 мин до окончания варки добавить зеленый горошек, подготовленные лук и помидоры, очищенные креветки, соль, перец, дать супу закипеть, положить кусочки подготовленного рыбного филе. У белого хлеба срезать корку, нарезать его мелкими кубиками и поджарить до золотистого цвета на растительном масле. При подаче суп посыпать кубиками поджаренного хлеба и мелко рубленной зеленью петрушки.

246   Похлебка по-суворовски

*500 г осетрины, **или** белуги,*
***или** севрюги, **или** стерляди,*
1,2 л рыбного бульона,
2 соленых огурца, 2 луковицы,
1–2 помидора,
200 г шампиньонов,
2 картофелины, 1 морковь;
соль, чеснок, зелень, сливочное
масло, сметана, лимон,
маслины или оливки по вкусу.

Рыбу осетровых пород опустить на 2 мин в кипяток. Затем тщательно очистить ножом костные чешуйки с кожи, промыть рыбу в холодной воде, снять кожу, филе отделить от хрящей и нарезать на куски. Из хрящей, кожи и голов сварить рыбный бульон (рецепт 235) и процедить. Соленые огурцы очистить и нарезать соломкой. Репчатый лук нарезать кольцами. Помидоры нарезать небольшими дольками и обжарить вместе с луком на умеренном огне в достаточном количестве сливочного масла. Шампиньоны нарезать мелкими кусочками и отдельно обжарить на сливочном масле. В кипящий бульон положить нарезанные картофель, морковь и варить 10–15 мин. Затем положить подготовленные продукты, соль и варить похлебку до готовности еще 5–10 мин. При подаче в тарелки можно положить рубленый чеснок, зелень, сметану, лимон, маслины или оливки.

247   Суп из рыбных консервов с кабачками

1 банка рыбных консервов
в масле, 1 л воды, 1 небольшой
кабачок, 1 морковь, 1 луковица,
1 ст. ложка растительного
масла; соль, зелень по вкусу.

Репчатый лук и морковь нашинковать в виде соломки и обжарить на растительном масле. Кабачок очистить и нарезать на кубики. В кипящую подсоленную воду опустить нарезанный кабачок, обжаренные овощи и варить на слабом огне 3–5 мин, затем добавить консервированные сайру, минтай, сельдь, ставриду или другую рыбу и все довести до кипения. Готовый суп посыпать мелко порубленной петрушкой.

Для придания рыбному супу тонкого пикантного вкуса положите в него в конце варки кусочек яблока.

Мороженого кальмара с кожицей нужно размораживать в холодной воде, чтобы мясо кальмара не окрасилось от кожицы.

Мороженые креветки не рекомендуется полностью размораживать, т. к. ухудшается их внешний вид.

Слегка размороженные креветки варят в кипящей подсоленной воде со специями. Готовые креветки всплывают на поверхность.

248 Уха по-нивхски

500 г горбуши, кеты или лосося, 200–300 г черемши; соль, чеснок по вкусу.

У подготовленой горбуши, кеты, лосося (рецепт 235) отрезать голову и хвост. Рыбу рарезать вдоль хребта на две части, затем нарезать на куски. Головы и хвосты положить в кипящую воду. Когда вода закипит вновь, добавить куски рыбы, соль, черемшу и варить до готовности. Перед подачей добавить тертый чеснок.

249 Солянка по-дальневосточному

400 г кальмаров, 300 г капусты, 2 соленых огурца, 2 помидора, 2 луковицы, 3 ст. ложки растительного масла; рыбный бульон или вода, соль, перец по вкусу.

У кальмаров удалить внутренности и хитиновые пластинки. Опустить кальмары на 1–2 мин в горячую воду, затем удалить кожицу и промыть в воде. Капусту и соленые огурцы нарезать соломкой, помидоры — дольками. Лук нарезать кольцами и обжарить на масле. Подготовленные овощи залить рыбным бульоном или водой и варить до готовности. За 5 мин до окончания варки добавить нарезанные соломкой кальмары, соль, перец.

250 Суп из креветок по-тайски

300 г креветок, 1 кокосовый орех, 1 л молока, 2 луковицы, 1 зубчик чеснока, 1 ст. ложка соевого соуса, 1 ст. ложка сахара; соль, перец горошком, лимонная цедра по вкусу.

Мякоть кокосового ореха измельчить, залить молоком, посолить, вскипятить и оставить на 30 мин. Затем добавить очищенные креветки, мелко нарезанные лук и чеснок, черный перец горошком, сахар, соевый соус, тертую лимонную цедру, кокосовое молоко и варить 5–7 мин. Подать с гренками (рецепт 251).

251 Буйабес по-марсельски

1 кг крупной рыбы разных сортов, ¹/₂ кг рыбьей мелочи, 300 г кальмаров, 300 г креветок и мидий или других морских моллюсков, 2 ст. ложки лимонного сока, 1 ¹/₂ л воды, 1 луковица, 3 свежих или консервированных помидора, цедра ¹/₂ апельсина, ¹/₄ ч. ложки шафрана, ¹/₂ стакана сухого белого вина; соль, черный молотый перец, оливковое масло, лавровый лист, тимьян, петрушка, чеснок по вкусу.

Для соуса для гренок:
100 г майонеза, 5 ст. ложек оливкового масла; красный молотый перец-паприка, чеснок по вкусу.

Крупную рыбу разных сортов очистить от чешуи, выпотрошить, промыть, отрезать головы, хвосты, плавники, разделать на филе. Филе полить лимонным соком и оставить на 20 мин. Из мелкой рыбешки и остатков рыбы сварить бульон (рецепт 239) и процедить. Лук и чеснок мелко нарезать, положить в глубокую посуду с разогретым маслом и, помешивая, обжарить 2–3 мин. Свежие помидоры опустить на несколько секунд в кипяток, снять с них кожицу, помидоры мелко нарезать. Консервированные помидоры без кожицы размять вилкой. Подготовленные помидоры вместе с соком добавить к луку и чесноку. Затем влить рыбный бульон, добавить лавровый лист, тимьян (базилик), нарезанную петрушку, тертую апельсиновую цедру, шафран, довести до кипения и варить при слабом кипении 10 мин. Затем положить в бульон рыбное филе, посолить и варить на медленном огне 15 мин. Мидии тщательно промыть щеткой под струей воды и нагреть на сковороде, пока они не приоткроются и не дадут сок. За 5 мин до окончания варки влить вино, добавить очищенные, нарезанные колечками кальмары, очищенные креветки, подготовленные мидии. Подать суп в предварительно подогретых тарелках. Отдельно подать слегка поджаренные на масле ломтики белого хлеба — гренки. Традиционно гренки натирают чесноком, окунают в соус и едят с супом.

Соус для гренок. В майонез влить оливковое масло, добавить красный молотый перец-паприку, толченый чеснок, все тщательно перемешать до получения однородной массы.

Супы из овощей, грибов, круп и ягод

252 Борщ по-старопольски

4 свеклы, 1 морковь, 1 луковица, 1 лук-порей, 100 г корня петрушки или сельдерея, 500 г свежих или 100 г сушеных белых грибов, 100 г сухого красного вина или 3–4 ст. ложки лимонного сока, ¹/₂ л свекольного кваса; соль, черный и душистый перец горошком, лавровый лист по вкусу.
Для ушек:
1 стакан муки, 1 яйцо, около ¹/₄ стакана воды, отварные грибы из бульона, ¹/₂ луковицы; соль, масло по вкусу.

Свеклу очистить, промыть, нарезать тонкими ломтиками, положить в кастрюлю, добавить очищенные морковь, репчатый лук, лук-порей, корни петрушки и сельдерея, черный и душистый перец горошком, лавровый лист, залить 1 л холодной воды и варить 20–25 мин, после чего овощной бульон процедить. Отдельно в ¹/₂ л воды отварить белые свежие или сушеные грибы. Сушеные грибы предварительно замочить в воде. Грибной отвар процедить и влить в овощной бульон. После этого добавить свекольный квас (рецепт 680), соль, сахар, сухое красное вино или лимонный сок, довести до кипения, но не кипятить. Борщу можно придать более яркий цвет, добавив свекольный сок. За 1–2 мин до подачи положить толченый чеснок. Традиционно борщ подается с ушками. Ушки отварить в кипящей подсоленной воде, положить в тарелки и залить горячим борщом.
Ушки. Приготовить тесто как для лапши (рецепт 214), тонко раскатать и нарезать в форме ромбов размером 8×5 см. Края теста смочить яйцом, на середину положить мелко нарезанные грибы с обжаренным на масле луком, края теста соединить.

253 Суп из капусты по-корейски

600 г капусты, 1 стакан риса, 3 ст. ложки соевого соуса, 50 г зеленого лука, 4 зубчика чеснока; красный молотый перец, растительное масло по вкусу.

Капусту ошпарить кипятком, ополоснуть холодной водой, обсушить, тонко нарезать и потушить на растительном масле в глубокой толстостенной посуде до готовности. Рис отварить в воде без соли. Рисовый отвар влить в посуду с капустой. Когда суп закипит, добавить соевый соус, нашинкованный лук, измельченный чеснок, красный молотый перец. Отваренный рис подать отдельно или положить в тарелки с супом.

254 Щи из зелени

400 г щавеля, шпината, крапивы, сныти, 5–6 картофелин, 2 луковицы, 2 яйца, 1 ст. ложка муки, 1 ст. ложка масла; соль, столовый или винный уксус, сметана по вкусу.

Зелень для щей можно смешивать в любой пропорции или варить щи из одного вида зелени. Листья зелени перебрать, промыть, нарезать и опустить в кипящую подсоленную воду или бульон. Затем добавить нарезанный кубиками картофель, мелко нарезанный лук, обжаренную на масле до слегка кремового цвета муку и варить щи до готовности. Если щи варятся без щавеля, то нужно добавить немного столового или винного уксуса. В конце варки можно влить в щи, помешивая, взбитые яйца. Можно яйца сварить вкрутую, разрезать на половинки и положить их в тарелки со щами. Подавать щи со сметаной.

Морковь, корень петрушки и сельдерея для супов брать небольшие, поскольку они лучше на вкус.

Чищеные овощи не следует долго держать в воде, так как они теряют питательные вещества, минеральные соли и витамины.

Нарезать овощи нужно только перед добавлением в суп.

Овощи и крупы при варке супа следует закладывать в горячую воду. Необходимо, чтобы после закладки каждого вида продукта бульон снова быстро закипал.

255 Овощной суп «Минестроне»

150 г белой или красной фасоли, 1,5 л воды, 2 моркови, 100 г зеленой стручковой фасоли, 2 зубчика чеснока, 2 помидора, 250 г зеленого горошка; оливковое масло, соль, черный молотый перец, зелень, твердый сыр по вкусу.

Фасоль промыть, замочить в холодной воде на 5—8 часов и отварить в той же воде без соли под крышкой до размягчения. Промытую и очищенную морковь нарезать ломтиками, стручки молодой фасоли нарезать кусочками. Чеснок очистить, вымыть, раздавить в чесночнице или натереть на мелкой терке. Чеснок, морковь и стручковую фасоль потушить с маслом. Помидоры вымыть, нарезать мелкими кубиками. Подготовленные овощи положить в фасолевый бульон, добавить зеленый горошек, соль, перец и варить под крышкой до готовности. За 5 мин до окончания варки добавить мелко нарезанную зелень петрушки или шпината. При подаче посыпать суп тертым сыром.

256 Суп-харчо с орехами

2 луковицы, 50 г сливочного масла, 3—5 помидоров, 100 г очищенных грецких орехов, $^1/_2$ стакана риса; соль, острый стручковый перец, чеснок, зелень по вкусу.

Репчатый лук очистить, нарезать полукольцами, положить в глубокую посуду, добавить масло и тушить под крышкой в течение 5 мин, время от времени помешивая, чтобы лук не пригорел. Помидоры мелко нарезать, положить в посуду с луком и потушить еще 5 мин. Очищенные грецкие орехи растолочь, смешать с тертым чесноком и перцем, влить воду, размешать, добавить в посуду с луком и помидорами и довести до кипения. Затем всыпать рис, посолить и варить до готовности. За 1—2 мин до окончания варки положить в суп мелко нарезанную зелень кинзы или петрушки.

257 Летний овощной суп

400 г капусты или свекольной ботвы, 4 картофелины, 2 моркови, 2 луковицы, ¹/₂ стакана свежего или консервированного горошка; зелень, соль, перец горошком, лавровый лист по вкусу.

Капусту или свекольную ботву нарезать соломкой, положить в кипящую воду и посолить. Затем положить нарезанный дольками картофель, свежий или консервированный горошек и варить суп до готовности. За 10 мин до окончания варки добавить в суп мелко нарезанные и слегка обжаренные на масле морковь и лук, перец горошком, лавровый лист. При подаче посыпать суп мелко нарезанной зеленью. Можно подать суп со сметаной.

258 Овощная окрошка

2 картофелины, 2 огурца, 1 пучок редиски, 100 г зеленого лука, 2 сваренных вкрутую яйца, 1 ч. ложка столовой горчицы; квас, сметана, соль, сахар, укроп по вкусу.

Отварной картофель, огурцы, редиску нарезать кубиками. Мелко нарезанный зеленый лук перетереть с солью. Яичные белки мелко нарезать. Желтки растереть с частью сметаны, солью, сахаром, горчицей и развести квасом. В тарелки разложить смешанные с овощами яичные белки и мелко нарезанный укроп, залить квасной смесью и положить оставшуюся сметану.

259 Окрошка «Новая»

4 стакана ягодного отвара, 2 стакана кефира, 2 картофелины, 2 огурца, 1 пучок редиски, 3 сваренных вкрутую яйца; соль, сахар, зелень по вкусу.

Приготовить овощи (рецепт 258), смешать с мелко нарезанными яйцами и укропом. Ягоды залить водой, дать прокипеть 5 мин, охладить, процедить, добавить сахар, кефир и размешать. Положить овощи в тарелки, залить фруктово-кефирной смесью.

При варке молочных супов необходимо тщательно следить за тем, чтобы молоко не пригорело. Для этого следует пользоваться посудой с толстым дном и варить суп на слабом огне.

Макаронные изделия и крупы из целых зерен (рис, пшено, перловая крупа) плохо развариваются в молоке, поэтому их предварительно проваривают в воде 5–10 минут.

Кипятить и хранить молоко, а также варить молочный суп в алюминиевой посуде не рекомендуется.

260 Суп молочный с капустой

1 ¹/₂ л молока, 800 г капусты, 4 картофелины, 1 яйцо, 1 морковь; сливочное масло, соль по вкусу.

Свежую белокочанную капусту нарезать небольшими квадратиками, картофель — кубиками, опустить их в кипящее молоко. Добавить нарезанную мелкими кубиками морковь, соль и варить до готовности. В конце варки влить, помешивая, взбитое яйцо. При подаче в тарелки с супом положить сливочное масло.

261 Суп молочный по-чувашски

1 ¹/₂ л молока, 4 яйца; сливочное масло, соль, сахар по вкусу.

Яйца разбить в миску и размешать. В кипящее молоко всыпать соль, сахар и, помешивая, постепенно влить яйца, чтобы они свернулись в виде хлопьев или нитей. При подаче в тарелки с супом положить сливочное масло. В этот суп можно положить отдельно сваренные готовые или домашние вареники с творогом.

262 Суп с творожными шариками

1 ¹/₂ л молока, 600 г творога, 80 г меда.

Свежее молоко влить в эмалированную посуду, накрыть крышкой, поставить в духовку, выдержать при температуре 120° в течение 1 ¹/₂–2 часов и охладить до температуры 25–30°. Творог тщательно растереть с медом до однородной массы, раскатать в жгутики, нарезать их поперек небольшими кусочками и скатать в форме шариков. Положить творожные шарики в топленое молоко и оставить на 4–5 часов. Подать суп холодным.

263   Суп овощной с плавленым сыром

1 морковь, 1 луковица, 3 картофелины, 200 г цветной капусты, 1 корень петрушки, 150 г плавленого сыра; соль, перец горошком, лавровый лист по вкусу.

Мелко нашинкованные морковь и лук слегка обжарить на масле. В кипящую воду положить нарезанный дольками картофель и варить 10 мин. Затем добавить обжаренные лук и морковь, цветную капусту, соль, перец горошком, лавровый лист, корень петрушки и варить до готовности. За 5 мин до окончания варки положить натертый на терке плавленый сыр. При подаче посыпать суп мелко нарубленной зеленью укропа или петрушки.

264   Суп с макаронами и сыром

1 луковица, 1 морковь, 1 помидор, 200 г макарон, 2 яичных желтка, 200 г сливок, 100 г сыра; сливочное масло, соль по вкусу.

Лук, морковь, помидор мелко нарезать, слегка обжарить на масле, залить водой, посолить и варить 10–15 мин. Макароны отварить в подсоленной воде, нарезать небольшими кусочками, слегка обжарить на масле, добавить в кипящий овощной бульон и довести до кипения. Затем добавить в суп яичные желтки, растертые со сливками. При подаче посыпать тертым сыром.

265   Суп овсяный с молоком и яйцом

1 стакан овсяной крупы или овсяных хлопьев, 1 1/2 л молока, 2 яйца, 1 ст. ложка сахара; сливочное масло, соль по вкусу.

В кипящее молоко засыпать промытую овсяную крупу или овсяные хлопья и варить до готовности. Затем добавить сахар, соль, довести до кипения. При подаче положить в тарелки половинки сваренных вкрутую яиц и сливочное масло.

266 Суп томатный «Мшалуаш»

4 помидора или 2 ст. ложки томатной пасты, 50 г растительного масла, 4 дольки чеснока, 1 ст. ложка молотого тмина, 1 ч. ложка измельченной сушеной мяты, 4 яйца, 2 ломтика белого хлеба; соль по вкусу.

Мелко нарезанные помидоры или томатную пасту залить небольшим количеством воды, добавить растительное масло, толченый чеснок, тмин, мяту, соль и тушить на умеренном огне 10—15 мин. Затем добавить воду, довести до кипения, влить свежие яйца и дать им свариться. Хлеб нарезать крупной соломкой, уложить в тарелки. На хлеб выложить яйца и залить бульоном.

267 Суп томатный с вермишелью

4 помидора или 2 ст. ложки томатной пасты, 1 стакан вермишели, 100 г масла, 4 зубчика чеснока, 1 ст. ложка тмина, 1/2 лимона, 2 ст. ложки каперсов или 1 соленый огурец; соль, перец по вкусу.

В разогретое масло положить мелко нарезанные помидоры или томатную пасту, толченые чеснок и тмин, молотый красный перец, влить немного воды и тушить на слабом огне 5—7 мин. Затем добавить каперсы или нарезанные соленые огурцы, мелко нарезанный лимон, соль, влить горячую воду и нагреть до кипения. После чего всыпать вермишель и варить до готовности.

268 Суп-лапша с грибами

80 г сушеных грибов, 1—2 луковицы, 1 морковь, 2 ст. ложки масла, 200 г лапши; соль, перец по вкусу.

Сварить грибной бульон (рецепт 278) и процедить. Грибы нарезать соломкой и обжарить на масле. Грибной бульон довести до кипения, положить в него грибы, нарезанную соломкой обжаренную на масле морковь, обжаренный на масле нарезанный полукольцами лук, соль, перец и варить 5—8 мин. После чего всыпать готовую или домашнюю лапшу (рецепт 214) и варить до готовности. При подаче в тарелки с супом можно положить сметану или простоквашу и мелко нарезанную зелень.

269 Суп из шампиньонов по-савойски

1/2 стакана перловой крупы, 600 г шампиньонов, 1 1/2 л воды, 1—2 моркови, 2 ст. ложки оливкового масла, 1 корень сельдерея, 2 луковицы, 2 ст. ложки томатной пасты, 4 ст. ложки белого сухого вина, 2 сваренных вкрутую яйца, 2—3 кусочка белого хлеба; сметана, зелень по вкусу.

Промытую крупу положить в кастрюлю, залить холодной водой и варить под крышкой 30 мин, отвар отцедить в отдельную посуду. Шампиньоны нарезать крупными кусочками. В глубокой посуде нагреть оливковое масло, положить в него нарезанные сельдерей и лук и обжарить на небольшом огне, изредка помешивая, в течение 8—10 мин. Увеличить огонь, добавить грибы и поджаривать, помешивая, 10—12 мин, пока жидкость не выпарится и грибы не подрумянятся. Уменьшить огонь, добавить томатную пасту и тушить, помешивая, 2 мин. Затем добавить нарезанную полукружочками морковь, отваренную крупу, влить крупяной отвар, белое сухое вино. Довести до кипения на большом огне, уменьшить огонь, закрыть посуду крышкой и варить до готовности. При подаче в тарелки с супом положить гренки (рецепт 271), сметану, рубленые крутые яйца и зелень.

270 Суп овощной с грибами

300 г свежих или 50 г сушеных грибов, 300 г свежей капусты, 2 картофелины, 2 луковицы, 1 морковь, 1 ст. ложка томатной пасты, 2 ст. ложки масла; соль, перец, сметана, зелень по вкусу.

Из свежих или предварительно замоченных сушеных грибов сварить грибной бульон (рецепт 278). Грибы вынуть, дать им остыть, нарезать полосками в виде лапши и поджарить на масле. В кипящий грибной бульон положить нарезанные соломкой картофель и капусту и варить 10 мин. Затем добавить нарезанные соломкой и обжаренные на масле морковь, лук, подготовленные грибы, томатную пасту, соль, перец и варить до готовности. Подавать со сметаной и мелко нарубленной зеленью.

Гренки к супу можно пожарить на сливочном масле. Затем посолить их и смешать с мелко нарубленным чесноком.

Суп с перловкой не будет иметь неприятного оттенка, если крупу отварить отдельно до готовности и лишь тогда положить в суп.

Суп из овощей сохранит витамины, если овощи положить в кипящую подсоленную воду и варить на умеренном огне, не переваривая.

271 Суп «Парментье»

6–8 картофелин, 1–2 луковицы, 4 зубчика чеснока, 1 ст. ложка томатной пасты, 100 г сливочного масла; сливки или молоко, соль, зелень петрушки по вкусу.
Для гренок:
2 ломтика белого хлеба, 2 ст. ложки молока, 1 ст. ложка сливочного масла.

Лук и чеснок мелко нарезать и слегка обжарить на масле. Картофель очистить, нарезать кубиками, положить в кастрюлю, добавить подготовленные лук и чеснок, томатную пасту, залить водой и сварить под крышкой до готовности. Сваренные картофель и овощи протереть через сито вместе с отваром. После этого добавить в суп горячие сливки или молоко, соль, сливочное масло и размешать до образования однородной массы. В суповые чашки с супом положить ошпаренные листики петрушки. Отдельно подать гренки.
Гренки. У ломтиков черствого белого хлеба срезать корки, нарезать хлеб небольшими кубиками. Залить хлебные кубики небольшим количеством молока и обжарить на масле.

272 Сливочный суп с овощами

4 картофелины, 2 моркови, 1 луковица, 2 зубчика чеснока, 200 г сливок, 2 ст. ложки изюма, 1 банка консервированной кукурузы, 1 ст. ложка кунжута, 2 сваренных вкрутую яйца; соль, черный молотый перец, сливочное масло по вкусу.

Картофель очистить и нарезать не очень крупными кубиками. Морковь вымыть, очистить и нарезать соломкой. Лук и чеснок очистить и мелко нарезать. Картофель и морковь положить в глубокую посуду, добавить масло, немного воды и тушить под крышкой 7–8 мин. Затем добавить подготовленные лук и чеснок, соль, перец, влить сливки, воду и варить 15 мин. Добавить изюм, кукурузу и варить до готовности. Кунжут поджарить на сухой сковороде до золотистого цвета. В тарелки с супом положить половинки яиц и посыпать суп кунжутом.

273 Луковый суп по-лионски

1 л картофельного отвара, 4–5 луковиц, 100 г сливочного масла, 1 ч. ложка сахара, 1 ст. ложка муки, 2 ст. ложки хереса, 8 ломтиков белого хлеба, 100 г твердого сыра; соль, молотый черный перец по вкусу.

Очищенный картофель отварить в подсоленной воде, отвар слить в отдельную посуду. Лук нарезать полукольцами, положить в толстостенную глубокую кастрюлю со сливочным маслом, добавить сахар и обжарить на слабом огне до тех пор, пока лук не приобретет золотисто-коричневый цвет. Затем добавить, размешивая, муку и обжаривать еще 2 мин. После чего влить картофельный отвар, херес, положить перец и варить под крышкой на слабом огне 25–30 мин. Тонкие ломтики белого хлеба слегка поджарить с двух сторон. Суп разлить в суповые чашки, положить в чашки по ломтику поджаренного хлеба, посыпать тертым сыром и поставить чашки с супом в горячую духовку на несколько минут, чтобы сыр расплавился.

274 Суп перловый сырный

²/₃ стакана перловой крупы, 1 морковь, 1 луковица, 1 ст. ложка томатной пасты, 100 г плавленого сыра; соль, перец, сливочное масло, зелень по вкусу.

В кипящую воду положить промытую перловую крупу и варить на слабом огне в течение 2–3 часов. Морковь натереть на терке. Лук мелко нарезать и слегка обжарить на масле вместе с томатной пастой. Подготовленные морковь и лук добавить в бульон с перловой крупой и варить суп до готовности. Сваренный суп вместе с отваром протереть скозь сито, довести до кипения, добавить натертый плавленый сыр, соль, перец и проварить в течение 2–3 мин. При подаче в тарелки с супом можно положить сливочное масло и мелко нарезанную зелень.

Солить горох и фасоль нужно в самом конце варки: в соленой воде они развариваются очень медленно.

Никогда не употребляйте в пищу грибы, съедобность которых вызывает какое бы то ни было сомнение.

Если нет возможности приготовить грибы в тот же день, их можно сохранить в холодильнике до следующего дня, только не следует их мыть и разрезать.

Грибные блюда будут вкуснее, если грибы в них мелко нарезаны.

275 Суп гороховый с картофелем

1 стакан лущеного гороха, 3 ст. ложки овсяной крупы, 4 картофелины, 2 луковицы; соль, перец, масло, сметана по вкусу.

Горох промыть, залить холодной водой на 3–4 часа, затем кастрюлю с горохом поставить на огонь, добавить овсяную крупу, нарезанный кубиками картофель, слегка обжаренный на масле рубленый репчатый лук, соль, перец и варить до готовности. Подавать со сметаной или маслом и рубленой зеленью. Можно гороховый суп варить без добавления овсяной крупы. Вместо крупы следует положить немного больше картофеля.

276 Фасолевый рассольник

1 стакан белой фасоли, 1 луковица, 1 ст. ложка томатной пасты, 2 соленых огурца; соль, масло, чеснок по вкусу.

Фасоль промыть, замочить на 8 часов, отварить в той же воде до размягчения. За 15 мин до окончания варки положить слегка обжаренный лук, томатную пасту, мелко нарезанные соленые огурцы. Перед подачей добавить растертый с солью чеснок.

277 Суп с омлетом

²/₃ стакана риса, 3 картофелины, 1 морковь, 1 луковица, 2 ст. ложки масла.
Для омлета:
4 яйца, 3 ст. ложки молока; соль, масло по вкусу.

Промытый рис положить в кипящую подсоленную воду. Через 10 мин добавить нарезанные картофель, морковь, лук и варить суп при слабом кипении 20 мин. Перед подачей в тарелки положить масло и нарезанный на кусочки омлет.
Омлет. Яйца взбить с молоком и солью, вылить на разогретую с маслом сковороду и запечь под крышкой на слабом огне.

144

278 Суп грибной по-деревенски

600 г свежих или 100 г сушеных грибов, 5–6 картофелин, 2 луковицы, 2 ст. ложки масла, 4 ст. ложки сметаны; соль, зелень по вкусу.

Свежие грибы промыть, нарезать ломтиками, опустить в кипящую воду и варить до готовности. Сушеные грибы замочить в холодной воде на 2 часа, промыть, нарезать так же, как и свежие грибы, положить в процеженный грибной настой и варить до готовности. За 20 мин до окончания варки добавить нарезанный кубиками картофель, обжаренный на масле рубленый лук, соль. Подавать со сметаной и мелко нарезанной зеленью.

279 Суп с грибами по-николаевски

500 г свежих или 80 г сушеных грибов, 1 луковица, 4 ст. ложки растительного масла, 1 ст. ложка муки, 4 картофелины, 100 г чернослива, 100 г изюма; соль, лимон, зелень по вкусу.

Грибы отварить, мелко нарезать и положить в процеженный грибной отвар (рецепт 278). Лук мелко нарезать, слегка обжарить на масле, добавить муку, обжаривать еще 5 мин и положить в грибной отвар. Довести суп до кипения, добавить нарезанный ломтиками картофель, чернослив, изюм, соль и варить суп до готовности. Подать с ломтиками лимона и зеленью.

280 Суп с чечевицей по-армянски

200 г чечевицы, 3 картофелины, 50 г ядер грецких орехов, 1 луковица, 100 г чернослива или кураги, 4 ст. ложки топленого сала; соль, перец по вкусу.

Чечевицу промыть, замочить в воде и отварить. Затем добавить нарезанный кубиками картофель, слегка обжаренный на сале мелко нарезанный лук, чернослив без косточек или курагу, протертые жареные орехи, соль, перец и варить суп до готовности.

281 Свекольник холодный

1–2 свеклы, 1 морковь, 3 стакана хлебного кваса, 100 г зеленого лука, 1–2 свежих огурца, 2 сваренных вкрутую яйца; соль, сахар, уксус по вкусу.

Свеклу очистить, вымыть, нарезать кубиками и отварить с уксусом в небольшом количестве воды. Ботву молодой свеклы нарезать кусочками и отварить отдельно. Морковь очистить, нарезать кубиками и отварить. Охлажденные огурцы, зеленый лук, яйца мелко нарезать, добавить охлажденные свеклу и морковь, соль, сахар, залить хлебным квасом. Подать со сметаной.

282 Борщ ставропольский холодный

100 г фасоли, 3 свеклы, 3 ст. ложки томатной пасты, 1 морковь, 1 луковица, 1 ст. ложка муки, 1 сладкий перец, 2–3 картофелины, 200 г капусты; растительное масло, уксус, соль, сахар, молотый перец по вкусу.

Свеклу очистить, нарезать соломкой и потушить 5–7 мин на сковороде с разогретым маслом, добавив томатную пасту и уксус. Очищенные морковь и лук нашинковать, обжарить на масле, добавить к свекле, посыпать мукой, перемешать и слегка потушить. Сладкий перец нарезать соломкой. Промытую, предварительно замоченную фасоль отварить до мягкости, добавить крупно нарезанные картофель, капусту и варить еще 15 мин, после чего добавить подготовленные овощи и варить борщ до готовности. За 5 мин до окончания варки добавить соль, сахар, молотый перец. Подать борщ холодным со сметаной.

283 Таратор по-болгарски

¹/₂ л кефира, 1 ¹/₃ стакана кипяченой воды, 4 свежих огурца, 2–3 ст. ложки растительного масла, 4 зубчика чеснока, 1–2 ст. ложки столового уксуса, 2 сваренных вкрутую яйца; соль, черный молотый перец, зелень по вкусу.

Огурцы очистить от кожицы и крупных зерен, нарезать мелкими кубиками. Кефир или простоквашу развести холодной кипяченой водой и слегка взбить венчиком. Добавить огурцы, масло, соль, перец, укроп, все перемешать. Можно добавить растертый чеснок и столовый уксус. Яйца мелко нарезать, смешать с мелко нарезанными укропом и зеленью петрушки. При подаче таратор налить в тарелки и посыпать смесью яиц с зеленью.

284 Огуречный суп со льдом

600 г огурцов, 1 луковица, 1 зубчик чеснока, 250 г сметаны, 2 ст. ложки растительного масла, 2 ст. ложки винного уксуса, 6 ст. ложек белого виноградного вина; соль, молотый черный перец, сахар, кубики льда, кефир по вкусу.

Огурцы очистить от кожицы и крупных зерен, нарезать соломкой. Луковицу очистить, нарезать тонкими полукольцами, выложить в глубокую сковороду с разогретым маслом и слегка обжарить. Добавить измельченный чеснок, соль, перец, сахар, белое вино, винный уксус, подготовленные огурцы и варить на слабом огне до тех пор, пока огурцы не станут прозрачными. Затем все протереть через сито, остудить и поставить в холодильник. Перед подачей в огуречную массу добавить сметану, размешать, разлить в бульонные чашки, положить кусочки льда. Если сметана слишком густая и жирная, можно добавить кефир.

285 Тюрингский холодный суп

100 г риса, 2 ст. ложки оливкового масла, 1, 2 л томатного сока, 2 картофелины, 300 г сладкого перца, 1 ст. ложка соевого соуса, 4 помидора, 1 зубчик чеснока, 4 ст ложки лимонного сока, 4 сваренных вкрутую яйца; соль, перец, зеленый лук, сметана по вкусу.

Рис промыть, положить в глубокую посуду с разогретым маслом и слегка обжарить. Затем добавить томатный сок, нарезанный дольками картофель, нарезанный соломкой перец, соевый соус и варить на среднем огне 20 мин. После чего добавить нарезанные дольками помидоры, измельченный чеснок и продолжать варить еще 20 мин. В готовый суп влить лимонный сок и охладить. Сваренные вкрутую яйца очистить и нарезать дольками. Холодный суп разлить в тарелки, добавить дольки яиц, мелко нарезанный зеленый лук и сметану.

286   Ягодный суп

400 г свежей или 1 стакан сушеной калины или других ягод, 100 г меда или сахара, 4 ч. ложки крахмала, 2 л воды.

Калину, бруснику, чернику, ежевику, морошку или другие ягоды перебрать, промыть, влить воду и проварить в течение 10 мин. Сушеные ягоды промыть, замочить в холодной воде на 2–3 часа и варить в той же воде. После чего процедить сквозь сито. Оставшиеся на сите ягоды протереть, а кожуру и косточки выбросить. Отвар с протертыми ягодами довести до кипения, добавить мед или сахар, размешать, влить, помешивая, разведенный в небольшом количестве холодной воды крахмал. Вновь довести до кипения и сразу же снять с плиты. Этот суп можно подавать как горячим, так и холодным со сливками, сметаной, варениками, ватрушками или сладкими пирогами.

287   Суп из цитрусовых

*500 г апельсинов, **или** мандаринов, **или** лимонов, ¹/₂ стакана сахарного песка, 4 ч. ложки крахмала, 2–3 ст. ложки риса; сметана или сливки по вкусу.*

Апельсины, мандарины или лимоны вымыть и тонко срезать цедру без белого слоя. Цедру залить кипятком и дать настояться в течение 10 мин. Настой процедить, добавить половину нормы сахара, выжатый из части цитрусовых сок, вскипятить, влить, помешивая, разведенный в небольшом количестве холодной воды крахмал и довести до кипения. Оставшиеся цитрусовые тщательно очистить от белого мягкого слоя, нарезать тонкими кружочками и засыпать сахарным песком. При подаче в тарелки положить отдельно отваренный рис, кружочки цитрусовых, залить охлажденным супом, положить сметану или сливки.

Вторые блюда

Ассортимент вторых блюд включает в свой состав разнообразнейшие блюда из мяса, птицы, рыбы, морепродуктов, картофеля, овощей, яиц и творога. Они отличаются не только набором продуктов, но и способами приготовления — это и варка, и припускание (отваривание в небольшом количестве воды), и тушение, и запекание, и жарение без жира на вертеле или барбекю, и жарение в небольшом количестве жира, и жарение во фритюре, то есть в большом количестве жира.

Несмотря на разнообразные тенденции в кулинарии и диетологии, мясо домашних животных остается одним из важнейших продуктов питания. В различных сочетаниях с овощами и хлебом мясо входит во все кулинарии разных стран мира.

Перед приготовлением мясо необходимо промыть и зачистить от пленок и сухожилий. Нарезать мясо следует поперек волокон. При приготовлении вторых блюд нарезанные куски мяса надо слегка отбить. Мороженое мясо следует обмыть, положить в кастрюлю, накрыть крышкой и оставить, чтобы оно постепенно оттаяло.

При варке и жарении вес мяса уменьшается за счет выделяемой воды, жира и части экстрактивных веществ. В среднем из 1 кг свежего мяса получается 600 г вареного и 650 г жареного мяса.

Жарить мясо можно крупными кусками массой 1—2 кг или порционными мелкими. Порционные куски мяса можно жарить в натуральном виде или обвалять их в муке или сухарях.

Готовность мяса нужно определить поварской иглой. В прожаренное мясо игла входит легко, а в месте прокола выделяется бесцветный сок. Из молотого мяса можно приготовить натуральные рубленые бифштексы, шницели, котлеты без добавления хлеба и котлеты, биточки, зразы, тефтели и др. с добавлением хлеба и других продуктов.

Рыбу, как и мясо, можно приготовить разными способами. Для варки и припускания пригодны все виды рыб. Однако хек, сельдь, карась, омуль, навага и лещ в вареном виде менее вкусны, чем в жареном. При варке форели и лососевых для сохранения их окраски в воду нужно добавить столовый уксус из расчета 1 ч. ложка уксуса на 1 л воды. Морскую рыбу, имеющую специфический запах и привкус, нужно варить с добавлением огуречного рассола, укропа или лаврового листа. Для жаренья можно использовать рыбу всех видов.

Из картофеля, овощей и грибов можно приготовить большое количество разнообразных блюд. Перед приготовлением овощи надо тщательно промыть. Очищать овощи рекомендуется незадолго до приготовления блюда. При варке овощи следует опускать в кипящую воду и варить в закрытой посуде при слабом кипении. Мороженые овощи нужно варить, не размораживая.

Из яиц можно приготовить разнообразные яичницы, омлеты. Яйца можно сварить всмятку, «в мешочек» или вкрутую. При варке яйца нужно опустить в кипящую подсоленную воду и варить: всмятку — 3 мин с момента закипания, «в мешочек» — 4–5 мин, вкрутую — 10 мин. Чтобы легче очистить скорлупу, яйца после варки нужно положить в холодную воду. Из творога можно приготовить холодные и горячие блюда. К холодным блюдам относятся следующие: творожная масса с различными наполнителями: изюмом, орехами, какао-порошком и др., с добавлением вкусовых и ароматических веществ — ванилина, тмина и др., творог с молоком, сметаной, сахаром, творожный крем. К горячим творожным блюдам относятся вареники, сырники, запеканки, пудинги. Их можно подавать с маслом, сметаной, сахаром или сладкими соусами и с различными фруктами и ягодами.

Блюда из мяса

288 Мясо, запеченное целым куском в тесте

1 кг мяса, ¹/₂ кг теста из ржаной или пшеничной муки, 3 ст. ложки масла, 5–6 зубчиков чеснока; соль, перец по вкусу.

Кусок мяса посолить, поперчить, обжарить со всех сторон на горячей сковороде с маслом до образования румяной корочки, слегка охладить, натереть толченым чесноком, завернуть в тесто, раскатанное слоем в 1 см, выложить на смазанный маслом противень и поставить в нагретую духовку. Выпекать на слабом жару в течение 3–3 ¹/₂ часов. Если тесто начнет подгорать, накрыть его влажной бумагой. Готовое мясо освободить от теста, нарезать поперек волокон толщиной 5–6 мм и уложить на блюдо. Подавать с отварным или жареным картофелем, свежими или солеными овощами и зеленью.

289 Мясо по-башкирски

600 г мяса, 600 г картофеля; соль, перец, лавровый лист по вкусу.
Для овощного соуса:
2 луковицы, 1–2 моркови, 2 ст. ложки топленого масла, ¹/₂ стакана бульона; соль, перец по вкусу.

Мясо говядины, баранины или конины залить водой, добавить соль, лавровый лист, перец и отварить до готовности. Вареное мясо вынуть, слегка остудить и нарезать небольшими кусочками. Очищенные клубни картофеля разрезать на половинки и отдельно отварить в подсоленной воде. В глубокую посуду положить подготовленные картофель и мясо, залить овощным соусом и потушить под крышкой 8–10 мин.
Овощной соус. Морковь нарезать тонкими кружочками, лук — кольцами, все положить в кастрюлю, залить мясным бульоном, добавить соль, перец и варить до готовности. За 5 мин до окончания варки добавить лавровый лист и масло.

290 Говядина, тушенная в маринаде

1 кг говядины, 1–2 ст. ложки муки, 1 луковица, 2 ст. ложки растительного масла; соль, черный молотый перец по вкусу.
Для маринада:
³/₄ стакана яблочного уксуса, ¹/₄ стакана сухого красного вина, 2 луковицы, 1 ст. ложка сахара, 1 ч. ложка соли; перец горошком, лавровый лист, гвоздика по вкусу.

Кусок говядины очистить от пленок и сухожилий, положить в маринад, накрыть крышкой и поставить в холодильник на 2 дня, периодически переворачивая мясо в маринаде. Затем вынуть мясо из маринада, обсушить салфетками и обвалять в муке, смешанной с солью и перцем. Обжарить мясо со всех сторон на сильно разогретой сковороде с маслом до появления поджаристой корочки. После чего влить процеженный маринад, накрыть крышкой и тушить при слабом кипении 2–3 часа, пока мясо не станет мягким. Перед подачей мясо нарезать ломтиками и полить образовавшейся подливой.
Маринад. Уксус и вино влить в кастрюлю, всыпать сахар, соль и размешать. Добавить мелко нарезанный лук и специи.

291 Жареная говядина под соусом «Гурман»

*800 г говядины без костей,
2 зубчика чеснока,
100 г оливкового или другого
растительного масла; соль,
молотый черный перец по вкусу.*
Для соуса «Гурман»:
*100 г корня хрена,
100 г майонеза, 1–2 ч. ложки сахара, перец по вкусу.*

Кусок говядины обмыть, срезать весь жир, обсушить мясо бумажными салфетками и нарезать поперек волокон ломтями толщиной 2–3 см. Чеснок очистить, мелко натереть, добавить соль, перец, все перемешать и натереть полученной смесью ломти мяса. Подготовленное мясо выложить на смазанный маслом противень и запечь в духовке при температуре 170° до готовности, периодически поливая мясо выделившимся соком. При подаче разложить мясо на тарелки, полить соусом «Гурман». На гарнир подать вареную цветную капусту, тушенный с маслом шпинат или другие овощи.
Соус «Гурман». Корень хрена очистить, вымыть, натереть на мелкой терке, добавить майонез, сахар, перец, все перемешать.

292 Телятина, шпигованная вишнями

*600 г телятины, 1 стакан
вишни, 100 г сливочного масла,
1 ст. ложка муки, $^1/_2$ стакана
вишневого сока;
соль, пряности по вкусу.*

Кусок телятины без костей обмыть, обсушить и нашпиговать свежими, морожеными или консервированными вишнями без косточек. Телятину натереть со всех сторон солью, положить в глубокую посуду с разогретым маслом, поставить в разогретую духовку и запечь до полуготовности, периодически поливая образовавшимся соком. Муку слегка обжарить на сухой сковороде, развести вишневым соком, полить полученным соусом телятину и тушить телятину под крышкой до готовности. При подаче телятину нарезать ломтями и полить соусом от тушения.

293 Телятина в сухарях с грибами и сыром

*600 г телятины,
200 г шампиньонов, 100 г сыра,
1 яйцо; сливочное масло, соль,
перец, сухари, кетчуп или
томатный соус по вкусу.*

Мякоть телятины нарезать кусочками толщиной 4–5 мм и обсушить салфеткой. Кусочки мяса смочить взбитым с солью и перцем яйцом, обвалять в тертых сухарях и обжарить на разогретой с маслом сковороде по 1–2 мин с каждой стороны. Шампиньоны отварить в подсоленной воде, нарезать ломтиками. На сковороду или блюдо выложить обжаренную телятину, сверху уложить грибы, полить кетчупом или томатным соусом, положить ломтики сыра и запечь в духовке или микроволновой печи до готовности.

294 Жаркое «Кия»

*600 г говядины,
4–5 картофелин, 4 дольки
чеснока, 400 г свежих грибов,
$^1/_2$ стакана белого столового
вина, 6 ст. ложек сливочного
масла; соль, перец, овощи, сливы,
чеснок по вкусу.*

Говядину нарезать на кусочки, посолить, поперчить и обжарить на масле. Картофель очистить, нарезать крупными дольками и также слегка обжарить. Грибы промыть, крупные грибы разрезать на части, мелкие оставить целиком. Подготовленные продукты разложить в керамические горшочки, залить горячим мясным бульоном или водой, добавить соль, перец, белое столовое вино. Горшочки плотно закрыть сверху лепешками из теста, поставить в духовку и тушить до готовности. Перед подачей снять с горшочков лепешки, выложить жаркое на тарелки, добавить на гарнир свежие или консервированные овощи, сливы, украсить зеленью. Жаркое можно полить соусом от тушения жаркого, смешанным с измельченным чесноком.

Чтобы получить вкусное отварное мясо, его нужно положить в кипящую воду и варить при слабом кипении.

Соль и специи кладут за 15—20 минут до готовности, а лавровый лист — за 5 минут.

Готовность мяса определяют поварской иглой — в сварившееся мясо она входит легко, при этом выделяется прозрачный сок.

Для того чтобы отварные кусочки оставались сочными, их следует хранить в отваре, закрыв посуду крышкой.

295 Жаркое по-грибановски

300 г мякоти говядины, 300 г говяжьей печени, 400 г свежих грибов, 3 луковицы, 6—7 картофелин, 50 г сливочного масла; соль, перец, сметана по вкусу.

Мясо нарезать кусочками, посолить, поперчить, обвалять в муке и обжарить на разогретой с маслом сковороде. Подготовленную печень (рецепт 171) посолить, обвалять в муке и слегка обжарить на сковороде с маслом. Обжаренные мясо и печень разложить в горшочки или другую глубокую посуду, добавить мелко нарезанные лук и грибы, нарезанный дольками картофель. Все посолить, залить сметаной и тушить в духовке до готовности.

296 Баранина с черносливом

400 г мякоти баранины, 300 г чернослива, 1 луковица, 2 ст. ложки томатной пасты, 2 ч. ложки муки; бараний жир, бульон, уксус, сахар, корица, гвоздика по вкусу.

Баранину, нарезанную на мелкие кусочки, обжарить на жире, сложить в глубокую посуду, добавить слегка обжаренный, нарезанный кольцами лук, томатную пасту, залить небольшим количеством бульона и тушить 20—30 мин. Затем положить промытый чернослив, слегка поджаренную муку, уксус, сахар, корицу, гвоздику и тушить до готовности.

297 Говядина, тушенная в хлебном квасе

500 г говядины, 4 ст. ложки томатной пасты, 2 луковицы, 2 моркови, 1 корень петрушки, 2 стакана хлебного кваса, соль, перец по вкусу.

Крупные куски говядины обжарить со всех сторон с маслом, добавить соль, перец, томатную пасту, мелко нарезанные лук, морковь, корень петрушки, влить квас и тушить до готовности. При подаче мясо нарезать на куски, полить соусом от тушения.

298   Жаркое «Русская изба»

*800 г говяжьей вырезки,
5–6 картофелин, 1 луковица,
1 морковь, 20 г сушеных грибов,
4 ст. ложки сливочного масла,
4 зубчика чеснока; соль, перец,
сметана, зелень по вкусу.*
***Для соуса сметанного
с томатом:***
*1 ст. ложка муки, 2 ст. ложки
сливочного масла, 2 ст. ложки
томатной пасты, 4 ст. ложки
сметаны; соль, перец по вкусу.*

Картофель нарезать крупными дольками и обжарить на масле. Грибы замочить, отварить, нарезать соломкой, обжарить на сливочном масле. Морковь, репчатый лук мелко нашинковать, слегка обжарить на масле. Мясо нарезать ломтями и слегка обжарить с двух сторон на сильном огне. Мясо, грибы, морковь и лук разложить в горшочки, сверху положить картофель, рубленый чеснок, залить соусом сметанным с томатом и тушить до готовности. Подать в горшочках, посыпав толченым чесноком, рубленой зеленью и полив сметаной.

Соус сметанный с томатом. Муку слегка поджарить на масле, добавить томатную пасту, соль, перец и продолжать обжаривать 5–7 мин. Затем добавить сметану, тщательно размешать и нагреть до кипения.

299   Гуляш из говядины или свинины

*500 г мякоти говядины
или свинины, 1 ст. ложка муки,
1 помидор или 1 ст. ложка
томатной пасты, 1 луковица,
3 ст. ложки белого сухого вина;
масло, бульон или вода, соль, перец, лавровый лист по вкусу.*

Мякоть говядины или свинины нарезать небольшими кусками, посолить, обжарить с маслом, посыпать слегка обжаренной на сухой сковороде мукой и, помешивая, продолжать жарить еще в течение 5–6 мин. После этого добавить бульон или воду, помидоры или томатную пасту, мелко нарезанный и обжаренный на масле лук, белое сухое вино, соль, перец, лавровый лист и тушить до тех пор, пока мясо не станет мягким, но не переварится. При подаче гуляш полить соусом от тушения, посыпать зеленью.

300 Барбекю из говядины с овощами

800 г говядины, 2 помидора, 2 луковицы, 2 небольших кабачка, 1–2 сладких перца, 3 ст. ложки оливкового масла.
Для маринада:
100 г соуса чили, 2 ст. ложки столового уксуса, 2 зубчика чеснока; соль по вкусу.

Говядину (толстый или тонкий край) нарезать большими ломтями толщиной 2 см, положить в миску, залить маринадом и оставить на 20–30 мин. Затем положить мясо на решетку нагретого барбекю или мангала. Сверху мясо смазать маринадом и жарить 10–15 мин. После чего ломти мяса перевернуть, смазать маринадом и жарить до готовности. Готовое мясо выложить на подогретое блюдо. Нарезанные крупными кусками овощи смазать маслом, положить на решетку барбекю или мангала и жарить, изредка переворачивая, 5–10 мин. Готовые овощи выложить на блюдо с мясом.

Маринад. К острому соусу чили добавить уксус, соль, тертый чеснок, все тщательно перемешать.

301 Мясо «Юбилейное»

1 кг говядины, 4–5 луковиц, 1 головка чеснока, 1 ст. ложка сухой зелени петрушки и укропа, 2 стакана сухого красного вина, сок 1 лимона, 200 г растительного масла; соль, перец горошком, лавровый лист по вкусу.

Кусок мяса положить в эмалированную посуду, добавить соль, перец, нарезанные лук, чеснок, зелень, растительное масло, сок лимона, все перемешать и поставить в холодильник на 12 часов. За это время мясо нужно несколько раз перевернуть. Затем посуду с мясом поставить на огонь, влить вино, закрыть крышкой и тушить на слабом огне до готовности примерно 2 часа. Перед подачей мясо нарезать ломтями, выложить на подогретое блюдо, полить соком, в котором оно тушилось. На гарнир подать отварной или жареный картофель, свежие или соленые овощи.

302 Жаркое «Каролина-Бугаз»

600 г говядины, 4 луковицы, 2–3 моркови, 2 сладких перца, 1 стакан зеленого горошка, 200 г сметаны; сливочное масло, соль, перец по вкусу.

Мясо говядины (толстый и тонкий края) обмыть, обсушить салфеткой, нарезать на кусочки толщиной около 1 см, отбить, посолить, поперчить и обжарить с двух сторон на масле до образования корочки. Репчатый лук, морковь, сладкий перец нарезать крупными кубиками и обжарить до полуготовности. Уложить обжаренные овощи и мясо слоями в глубокую посуду, добавить зеленый горошек, соль, перец, сливочное масло, залить сметаной, закрыть крышкой, поставить в духовку и тушить до готовности. Подавать со свежими огурцами, помидорами и зеленью.

303 Гуляш с фасолью по-техасски

400 г говядины без костей, 400 г фасоли, 3–4 помидора, 2 луковицы, 2 сладких перца, 1 стакан красного столового вина; соль, черный и красный молотый перец, кукурузное масло по вкусу.

Красную или белую фасоль промыть, замочить в холодной воде на 6–8 часов, отварить в той же воде до готовности и откинуть на дуршлаг. Мясо обмыть, обсушить, порезать кубиками и слегка обжарить на кукурузном масле. Репчатый лук очистить, нарезать полукольцами, добавить к мясу и продолжать обжаривать еще 5 мин. Помидоры надрезать крестообразно, опустить на несколько секунд в кипяток, очистить от кожицы и порезать дольками. Сладкий перец очистить от семян и нарезать соломкой. Подготовленные помидоры и перец добавить к мясу и тушить 5–7 мин. Затем добавить отваренную фасоль, красное столовое вино, черный и красный молотый перец, соль, все перемешать и варить несколько минут под крышкой.

304 Жаркое по-калужски

600 г говядины, 4 луковицы, 1 морковь, 5–6 картофелин, 4 дольки чеснока, 6 ст. ложек масла, 2 ст. ложки муки, соль по вкусу.

Говядину нарезать по 2–3 кусочка на порцию, слегка отбить, посолить, поперчить, обвалять в муке и обжарить с двух сторон на масле. Лук нарезать полукольцами, морковь — соломкой, картофель — брусочками, все слегка обжарить. В горшочки разложить мясо, лук, морковь, картофель, залить горячей водой или бульоном, поставить в духовку и тушить до готовности. Перед подачей чеснок измельчить, слегка развести водой и полученным соусом полить блюдо.

305 Говядина в грибном соусе

500 г говядины, 7–8 картофелин, 4 ст. ложки масла; соль, перец по вкусу.
Для грибного соуса:
30 г сушеных или 150 г свежих грибов, 1 луковица, 1 ст. ложка муки, 2 ст. ложки масла, 2 1/2 стакана грибного бульона; соль, перец по вкусу.

Говядину нарезать поперек волокон кусочками толщиной 1–1,5 см, слегка отбить, посолить, поперчить и обжарить на хорошо разогретой сковороде до полуготовности. Картофель нарезать кубиками и слегка обжарить. В глиняные горшочки положить мясо и картофель, полить грибным соусом, закрыть крышками и тушить в духовке до готовности.

Грибной соус. Сушеные грибы промыть, замочить в воде на 2–3 часа. Свежие грибы перебрать, очистить и промыть. Подготовленные грибы отварить без добавления соли, откинуть на дуршлаг, охладить и мелко нарезать. Оставшийся грибной бульон процедить. Лук мелко нарезать и обжарить с маслом. Муку обжарить до слегка кремового цвета, развести грибным бульоном, добавить грибы, лук, соль, перец и все прокипятить.

306 Картофлибже по-кабардински

400 г говядины, 1 луковица, 4 ст. ложки сливочного масла, 6–8 картофелин, 2 ст. ложки муки, 3 ст. ложки молока или воды; мясной бульон, соль, красный молотый перец, чеснок по вкусу.

Мясо говядины нарезать кубиками, сложить в кастрюлю, добавить нашинкованный репчатый лук, соль, залить горячим мясным бульоном так, чтобы только покрыть мясо, поставить на сильный огонь, довести до кипения, уменьшить огонь и варить до полуготовности. Снять кастрюлю с огня, бульон слить в отдельную посуду. Добавить к мясу с луком масло, перец, все обжарить до золотистого цвета. Картофель нарезать мелкими дольками, положить в кастрюлю с мясом, но не перемешивать. Залить все остывшим бульоном так, чтобы он покрыл картофель, и варить под крышкой, не размешивая, почти до готовности. Муку обжарить на сухой сковороде, остудить, развести молоком или водой, влить в кастрюлю с мясом и картофелем и варить на слабом огне, помешивая и следя за тем, чтобы картофель не разварился полностью. В конце варки добавить растертый с солью чеснок. Снять с плиты и дать настояться в теплом месте 20 мин.

307 Жаркое «Покровский трактир»

600 г говядины, 6–7 картофелин, 2 луковицы, 200 г сметаны, 1 стакан мясного бульона, 1 стакан огуречного рассола; сливочное масло, соль, перец, лавровый лист, зеленый лук, соленые огурцы по вкусу.

Мясо обмыть, нарезать кусочками. Картофель очистить, нарезать крупными кубиками. Репчатый лук очистить, тонко нарезать и обжарить на масле до золотистого цвета. Подготовленные продукты заложить в горшочки, добавить мясной бульон, огуречный рассол, соль, перец, лавровый лист. Поставить горшочки с жарким в духовку, довести до кипения, закрыть крышками и тушить в духовке в течение 20–25 мин. При подаче выложить жаркое в тарелки, полить сметаной, посыпать мелко нарезанным зеленым луком, добавить нарезанные ломтиками огурцы.

Приготовленные блюда получатся вкусными при соблюдении необходимой пропорции продуктов и порядка приготовления. Поэтому следуйте рецептуре и не отмеряйте продукты на глаз. Используйте для измерения стаканы, ложки, а когда необходимо — весы.

Перед жарением мяса на сковороде обсушите его салфетками или бумажными полотенцами, тогда оно лучше подрумянится.

Подаваемые блюда не должны быть ни очень холодными, ни слишком горячими. В одинаковой степени теряет свой вкус как холодное жареное мясо, так и слишком горячие котлеты.

308 Мясо по-рязански

600 г говядины или телятины, 2 луковицы, 2 помидора, 100 г свежих грибов, 6 яиц, 1/2 стакана молока; сливочное масло, соль, перец по вкусу.

Мясо нарезать мелкими кубиками. Грибы промыть, мелко нарезать, добавить к мясу, перемешать и обжарить на масле в течение 10–15 мин. Затем добавить мелко нарезанные лук и помидоры, соль, перец и обжарить до готовности. Мясо с грибами и овощами разложить в горшочки и залить взбитыми с молоком и солью яйцами. Горшочки с мясом поставить в горячую духовку и, как только омлет поднимется и запечется, подать мясо к столу.

309 Мясо по-самарски

600 г говядины или свинины, 4–5 луковиц, 2 соленых огурца; соль, масло, сметана по вкусу.

Мясо нарезать соломкой, репчатый лук — кольцами. Все выложить на сковороду с разогретым маслом и обжарить. Добавить нарезанные соломкой соленые огурцы, влить сметану, посолить, перемешать и тушить до готовности.

310 Солянка по-грузински

500 г говядины, 4 луковицы, 2 моркови, 2 помидора или 3 ст. ложки томатной пасты, 2 ч. ложки муки, 3 соленых огурца; соль, перец, уксус, бульон или вода, чеснок, зелень по вкусу.

Говядину нарезать мелкими кусочками, обжарить вместе с нашинкованным репчатым луком, добавить мелко нарезанные морковь, помидоры или томатную пасту, обжаренную на масле муку, нарезанные кубиками соленые огурцы, соль, перец, уксус, бульон или воду и тушить до готовности. За 5 мин до готовности добавить мелко нарезанные чеснок и зелень.

311   Азу по-татарски

600 г мяса, 2 соленых огурца,
5–6 картофелин, 2 луковицы,
2 ст. ложки топленого масла,
1 ¹/₂ ст. ложки томатной
пасты; соль, перец, чеснок,
зелень, морковь по вкусу.

Мякоть говядины, баранины или молодой конины нарезать брусочками, обжарить на масле, переложить в глубокую посуду, залить горячим бульоном или водой так, чтобы мясо было полностью покрыто жидкостью. Затем добавить обжаренные лук, томатную пасту или нарезанные на дольки помидоры, закрыть крышкой и тушить в течение 30–40 мин. Соленые огурцы очистить от кожуры и крупных зерен, нарезать кубиками, проварить в небольшом количестве воды. Картофель нарезать брусочками, обжарить на масле. После чего огурцы и картофель переложить в посуду с мясом и тушить до готовности на слабом огне. Перед подачей азу разложить в тарелки, посыпать мелко нарезанными зеленью и чесноком. При тушении в азу можно добавить нарезанную тонкими кружочками морковь.

312   Кебаб-хола по-магрибски

1 кг мяса без костей,
2–3 луковицы, 1–2 моркови,
2 картофелины, 6–8 зубчиков
чеснока, 2 помидора или
2 ст. ложки томатной пасты;
соль, лимонный сок, оливковое
или другое растительное
масло по вкусу.

Мясо нарезать кубиками, сложить в миску, добавить соль, перец, лимонный сок, залить маслом и поставить в холодильник на 1–2 часа. Подготовленное мясо вместе с маслом выложить в глиняный горшок или другую посуду, добавить нарезанный полукольцами лук, измельченный чеснок, нарезанные кубиками морковь и картофель, нарезанные дольками помидоры или томатную пасту. Посуду с мясом накрыть крышкой, поставить в духовку и тушить до готовности.

Отбивать мясо лучше всего на доске из пластика или на деревянной доске, смоченной холодной водой, поскольку сухое дерево впитывает в себя мясной сок.

Для улучшения вкуса тушеного мяса, кроме перца и лаврового листа, можно добавлять тмин, кориандр, а также сухое виноградное вино.

Пересол мяса можно сравнительно легко исправить, добавляя несоленый сметанный мучной какой либо другой соус, который моментально оттянет соль на себя.

313 Рагу по-турински

600 г говядины, 2 луковицы, 2 ст. ложки томатной пасты, 2–3 зубчика чеснока, 1 стакан мясного бульона, 2/3 стакана сухого красного вина, 1/4 ч. ложки тимьяна; растительное масло, соль, перец, лавровый лист, лапша, зелень по вкусу.

Мякоть говядины нарезать небольшими кусочками и обжарить на разогретой с маслом сковороде. Лук мелко нарезать, положить в глубокую посуду с маслом, добавить томатную пасту и обжарить, пока лук не зарумянится. Затем добавить к луку измельченный чеснок и, помешивая, обжарить в течение 1 мин. После чего мясо переложить в посуду с луком, добавить соль, перец, лавровый лист, тимьян, влить мясной бульон, вино, все перемешать и тушить под крышкой до готовности. Отваренную готовую или домашнюю лапшу (рецепт 214) выложить на подогретое блюдо, сверху положить рагу, вынув из него лавровый лист. Украсить зеленью петрушки.

314 Телятина под яблочным соусом

800 г телятины, 100 г сливочного масла, 2 ст. ложки муки, 1 луковица, 100 г сливок, 2 яблока; соль, порошок карри, мясной бульон по вкусу.

Мясо телятины нарезать на мелкие кусочки и обжарить на масле в глубокой сковороде. Мясо вынуть, а в сковороду, где жарилось мясо, положить нарезанный ломтиками и ошпаренный кипятком репчатый лук, добавить муку, порошок карри, сливки, немного бульона. Все хорошо размешать, добавить обжаренное мясо, соль, очищенные от кожицы и семян и нарезанные ломтиками сладкие яблоки и тушить до мягкости мяса. Затем мясо переложить шумовкой в другую кастрюлю. Соус, в котором тушилось мясо, протереть вместе с луком и яблоками и залить им мясо. Все довести до кипения и подавать с отварным рисом.

315 Скоблянка

600 г говяжьей вырезки или свиной корейки, 3 ст. ложки сливочного масла, 3 луковицы, 100 г шампиньонов, 1 помидор, $^1/_2$ стакана сухого белого вина; соль, перец, клюква, зелень, лимон, овощи для украшения, картофель по вкусу.

Для соуса:
100 г сметаны, 1 ч. ложка муки, 1 ст. ложка рубленых вареных грибов, 2–3 ст. ложки клюквенного сока.

Говяжью вырезку или свиную корейку нарезать очень тонкой соломкой, залить сухим белым вином и мариновать в течение 3 часов. Подготовленное мясо слегка обжарить на сливочном масле. Свежие грибы промыть, мелко нарезать. Лук и помидоры мелко нарезать и слегка обжарить на масле. Затем подготовленные грибы, лук и помидоры добавить к мясу, залить соусом, влить вино, все перемешать и тушить до готовности. При подаче выложить скоблянку горкой на тарелки, украсить клюквой, зеленью, ломтиками лимона, помидоров и огурцов. На гарнир подать вареный или жареный картофель.

Соус. В сметану, нагретую до кипения, добавить слегка обжаренную без масла муку, тщательно размешать, добавить соль, перец, мелко рубленные отварные грибы, клюквенный сок и довести до кипения.

316 Аргентинское карбонадо

700 г говядины, 1–2 луковицы, 1–2 помидора, 50 г сливочного масла, $^2/_3$ стакана мясного бульона, 2 картофелины, 1 груша, 2 ст. ложки изюма; соль, перец по вкусу.

Мясо нарезать кубиками, лук нарезать полукольцами, помидоры нарезать ломтиками. Подготовленные продукты обжарить на масле в течение 5 мин. Затем добавить бульон, соль, перец и тушить под крышкой около 1 часа. После чего добавить нарезанные ломтиками очищенный от кожуры картофель, очищенные от семенной части груши и тушить еще 15 мин. За 5 мин до готовности добавить промытый изюм без косточек.

317 Жаркое по-адыгейски — лилибж

800 г мяса, 2 луковицы, 150 г топленого масла; соль, перец, чеснок, зелень кинзы по вкусу.

Мякоть баранины или говядины промыть, нарезать небольшими кусочками. Репчатый лук очистить, нарезать полукольцами и обжарить на сковороде с маслом до золотистого цвета. Добавить к луку молотый красный перец, мелко нарезанную зелень кинзы и все перемешать.Затем на сковороду с луком положить подготовленное мясо, все перемешать и тушить на слабом огне под крышкой. Когда вода испарится, жаркое посолить смесью соли с тертым чесноком, подлить воды и тушить на слабом огне до готовности.

Лилибж можно приготовить с меньшим количеством воды, чтобы подливой служило масло.

318 Бифштекс, запеченный по-болгарски

800 г говяжьей мякоти 4—5 луковиц, 3/4 кг картофеля, 7 ст. ложек сливочного масла, 4—5 ст. ложек простокваши или кефира, 2 яйца; соль, черный молотый перец, мясной бульон, мука по вкусу.

Говяжью вырезку или мякоть задней ноги нарезать поперек волокон кусками толщиной 2—3 см, слегка отбить, посолить, обвалять в муке и обжарить в 2-х ст. ложках масла. Лук мелко порезать. Картофель нарезать кружками. Смазать сковороду или противень маслом и положить на дно половину подготовленного лука. Сверху уложить половину картофеля, затем — бифштексы, посыпать оставшимся луком, перцем. После чего уложить оставшийся картофель, все залить до половины горячим бульоном, полить оставшимся растопленным маслом, накрыть плотно крышкой и тушить в духовке. Готовое мясо залить простоквашей или кефиром, взбитыми яйцами и запечь в духовке.

319 Говяжьи рулетики с капустой

600 г мяса, 2 ст. ложки растительного масла; соль, перец по вкусу.
Для фарша:
2 ст. ложки квашеной капусты, 1 луковица, 1 сваренное вкрутую яйцо, масло по вкусу.

Мякоть говядины нарезать на куски поперек волокон, отбить, поперчить и посолить. На середину каждого куска положить капустный фарш и разровнять. Свернуть мясо с фаршем рулетиками и перевязать нитками. Подготовленные рулетики обжарить на сковороде с маслом равномерно со всех сторон. Затем влить немного воды или бульона и·тушить до готовности. Перед подачей нитки снять и подать рулетики с картофельным пюре, квашеной капустой и зеленью.

Капустный фарш. Квашеную капусту мелко нарезать, потушить в малом количестве воды с маслом, воду слить. Лук мелко нарезать и обжарить. Яйцо мелко накрошить. Все перемешать.

320 Свиные рулетики с грибами

600 г свинины, 2 ст. ложки масла; соль по вкусу.
Для грибного фарша:
80 г сушеных грибов, 40 г свиного сала, 2—3 зубчика чеснока.

Мякоть свинины без сала нарезать на тонкие куски, отбить, посолить. На куски мяса равномерно положить грибной фарш. Мясо с фаршем свернуть в виде рулетиков, обвязать нитками и обжарить со всех сторон на масле. Затем залить грибным отваром, добавить соль, перец, мелко нарезанный лук и тушить до готовности. Перед подачей нитки снять и подать рулетики с жареным картофелем, зеленым горошком и овощами.

Грибной фарш. Сушеные грибы размочить, отварить, отвар процедить и слить в отдельную посуду. Грибы и сало мелко нарезать, добавить измельченный чеснок, посолить и перемешать.

321 Завиванцы по-черниговски

1 кг телятины, баранины или свинины; соль, перец, масло, майонез по вкусу.
Для фарша:
1луковица, 200 г шпика, 3 зубчика чеснока, 40 г чернослива, соль по вкусу.

Мясо нарезать ломтями поперек волокон, отбить, посыпать солью, перцем. На середину каждого ломтя положить фарш, мясо свернуть в виде котлет, перевязать нитками, положить на сковороду с раскаленным маслом швом вниз, сверху смазать майонезом и запечь в духовке до готовности при температуре 240–250°. Перед подачей снять нитки. Подавать с отварным или жареным картофелем, овощами и зеленью.

Фарш. Репчатый лук мелко нарезать, обжарить на сковороде с мелко нарезанным шпиком, добавить мелко рубленный чеснок, соль, чернослив без косточек, все перемешать.

322 Зразы «Родри» по-барселонски

600 г говядины, 50 г ветчины, 1 сваренное вкрутую яйцо, 1 соленый огурец, 1 луковица, 50 г свиного сала, 50 г шпика, 2 ст. ложки муки; бульон, горчица, сахар по вкусу.

Мясо нарезать кусками толщиной около 0,5 см, тонко отбить и посолить. Одну сторону кусков смазать горчицей, положить на нее кусочек ветчины, четвертинку яйца, ломтики огурца, обжаренный на сале лук. Завернуть начинку мясом со всех сторон в виде зраз, перевязать нитками, обжарить вместе с мелко нарезанным шпиком в глубокой сковороде, добавить бульон и довести зразы до готовности под крышкой. Готовые зразы вынуть со сковороды, нитки снять. К оставшемуся соку добавить муку, горчицу, сахар, все перемешать и довести до кипения. При подаче зразы выложить на блюдо, полить соком. На гарнир подать жареный картофель, отварной рис, овощи и зелень.

Если запекаете мясо в духовом шкафу, обязательно поливайте его мясным соком или горячим бульоном.

Для того чтобы отварные куски мяса оставались сочными, их следует хранить в отваре, закрыв посуду крышкой.

Чтобы мясной фарш не прилипал к рукам при приготовлении котлет или тефтелей, можно смазать руки растительным маслом или макать их в миску с холодной водой.

Чтобы котлеты были пышными и сочными, обжаривать их нужно на очень горячем огне, а доводить до готовности в заранее разогретой духовке.

323 Зразы «Садко»

500 г говядины, 100 г свиного сала, 1 яйцо, 1–2 ст. ложки муки, 8 картофелин, 100 г сметаны или сливок; сливочное и растительное масло, соль, перец, молоко, зелень по вкусу.
Для начинки:
1–2 луковицы, 1 сваренное вкрутую яйцо, 50 г сыра, соль, перец, зелень по вкусу.

Говядину, свиное сало нарезать, промолоть на мясорубке, добавить яйцо, соль, перец, немного молока и тщательно вымесить. Приготовленный фарш разделать в форме кружков толщиной около 1 см. На середину положить начинку, соединить края, обвалять в муке и обжарить на сливочном масле. Картофель нарезать дольками и обжарить на растительном масле. Жареный картофель разложить на порционные сковороды, в середине положить зразы, полить сметаной или сливками и запечь в горячей духовке до готовности. При подаче посыпать зеленью.
Начинка. Лук мелко нарезать, слегка обжарить на масле, добавить рубленое яйцо, тертый сыр, соль, перец, мелко рубленную зелень укропа или петрушки, все тщательно перемешать.

324 Мясо «Гостиный двор»

600 г свинины, 1 луковица, 300 г свежих или 50 г сухих грибов; сливочное масло, соль, перец, сыр по вкусу.
Для омлета:
8 яиц, 1 стакан молока; соль по вкусу.

Мясо нарезать тонкими ломтями, отбить, посыпать солью, перцем и обжарить с двух сторон на масле. Лук и грибы тонко нарезать и обжарить на сковороде с маслом. На подготовленный омлет уложить обжаренные мясо, грибы, лук. Края омлета приподнять и завернуть в форме конверта. Сверху омлет посыпать тертым сыром, сбрызнуть маслом и запечь в духовке.
Омлет. Яйца и соль взбить с молоком, вылить на разогретую с маслом сковороду. Загустевшую смесь перевернуть на другую сковороду с маслом и обжарить до готовности.

325 Фрикадельки по-итальянски

600 г говядины или говяжьего фарша, 100 г панировочных сухарей, 1 яйцо, $^1/_4$ ч. ложки молотого черного перца; растительное масло, соль, макароны по вкусу.
Для соуса:
1 луковица, 1 морковь, 400 г помидоров, 60 мл сухого белого вина или мясного бульона; соль, перец, сушеный базилик по вкусу.

Мякоть говядины промолоть на мясорубке или взять готовый фарш. Добавить к фаршу панировочные сухари, яйцо, соль, перец и воду. Все перемешать, сделать небольшие шарики-фрикадельки и обжарить фрикадельки со всех сторон на разогретой с маслом сковороде, подлить немного мясного бульона или воды, закрыть крышкой и тушить до готовности. Отдельно отварить в подсоленной воде тонкие макароны-спагетти, промыть водой, откинуть на дуршлаг, дать стечь воде и сложить макароны в сковороду с маслом и прогреть. При подаче разложить макароны и фрикадельки на тарелки и залить соусом.
Соус. Лук и морковь мелко нарезать и, помешивая, обжарить на сковороде с маслом до тех пор, пока овощи не станут мягкими. Добавить мелко нарезанные свежие или консервированные помидоры без кожицы и продолжать тушить до готовности. В конце тушения добавить соль, перец, сушеный базилик, вино или бульон.

326 Зразы по-немецки

600 г говядины, 100 г белого хлеба, 100 г молока; соль, перец по вкусу.
Для начинки: *2 луковицы, 1 огурец, 100 г корейки, 1 ст. ложка сливочного масла, 4 ст. ложки тертых сухарей.*

Из мяса, хлеба, молока, соли, перца сделать фарш (рецепт 330). На лепешки из фарша уложить начинку, свернуть шариками, обвалять в муке, обжарить и довести до готовности в духовке.
Начинка. Мелко нарезанные лук и огурцы смешать с нарезанной кубиками корейкой, маслом и тертыми сухарями.

Парное или охлажденное мясо можно сохранить свежим 2–3 дня, для чего нужно завернуть его в полотняную салфетку, смоченную уксусом, и положить в прохладное место.

Промалывать жесткое мясо в мясорубке станет намного легче, если шнек мясорубки слегка смочить растительным маслом, а затем понемногу наливать масло прямо в мясорубку. На 1 кг мяса достаточно 2–3 ст. ложки масла.

Котлеты будут вкуснее, если нарезанный лук сначала обжарить, а затем провернуть с мясом через мясорубку.

327 Тефтели с грибами

100 г шампиньонов, 300 г говядины, 200 г свинины, 1 ст. ложка воды, 1–2 яйца; мука, масло, соль, перец, бульон или вода, томатная паста или кетчуп по вкусу.

Шампиньоны промыть и мелко нарезать. Мякоть свинины и говядины промолоть на мясорубке, добавить шампиньоны, воду, соль, перец, перемешать и разделать в форме шариков. Обвалять шарики в муке, смочить во взбитом яйце, еще раз обвалять в муке и обжарить на сковороде с маслом. Подлить мясной бульон или воду, добавить томатную пасту или кетчуп, соль, перец, накрыть крышкой и тушить до готовности. Подавать тефтели с жареным картофелем, овощами, полив образовавшейся подливой.

328 Мясная праздничная запеканка

400 г говядины или свинины, 2 луковицы, 1 ломтик белого хлеба, 2 моркови, 2 ст. ложки растительного масла, 1 л мясного бульона, 1 стакан зеленого горошка, 3 стакана отварного риса, 2 сваренных вкрутую яйца, $^1/_2$ стакана тертого сыра, 2 ст. ложки сметаны; соль, перец по вкусу.

Нарезанную на кусочки мякоть говядины или свинины, мелко нашинкованную и слегка обжаренную на масле луковицу, предварительно замоченный в молоке белый хлеб пропустить через мясорубку. Полученный фарш перемешать. Очищенные морковь и луковицу мелко нарезать, выложить в разогретую сковороду с маслом, обжарить в течение 5–7 мин, добавить мясной фарш и продолжать обжаривать, помешивая, еще 10–15 мин. Затем посолить, поперчить, влить бульон и тушить под крышкой 5 мин. После чего добавить зеленый горошек и тушить еще 1 мин. Отдельно смешать рис, яйца, тертый сыр и сметану. Тушеный мясной фарш положить в глубокую посуду, сверху выложить ровным слоем рисовую массу и запечь в духовке при температуре 200° до образования румяной корочки.

Если панированные куски мяса перед жареньем положить в холодильник, панировка будет держаться лучше.

Чтобы панировка лучше держалась, можно добавить в нее немного растительного масла.

Если нужно промолоть хрен или лук, на решетку мясорубки можно надеть полиэтиленовый мешок и плотно завязать его. Тогда не будет щипать глаза.

329 Котлеты по-абакански

*600 г говядины
или другого мяса,
2 ст. ложки молока или воды,
1 луковица; масло, соль, перец,
мука, зеленый лук по вкусу.*
Для начинки:
*2 картофелины,
2–3 зубчика чеснока,
50 г сливочного масла;
соль по вкусу.*

Мясо нарезать на куски, пропустить через мясорубку, добавить молоко или воду, соль, перец, слегка обжаренный на масле мелко нарезанный лук, все тщательно перемешать. Из полученного фарша сделать лепешки, на середину положить начинку, края фарша соединить и придать лепешкам форму котлет. Подготовленные котлеты обвалять в муке и обжарить со всех сторон на сковороде с маслом. Затем влить немного воды и тушить под крышкой до готовности. При подаче выложить котлеты на блюдо, залить соусом от тушения, украсить зеленым луком.
Начинка. Очищенный картофель натереть на терке, добавить измельченный чеснок, сливочное масло, соль, все перемешать.

330 Котлеты «Гнездышко»

*600 г мяса, 2 ломтика белого
хлеба, $1/_4$ стакана молока,
1 яйцо, 2 ст. ложки молока, жир
для фритюра; соль, перец,
панировочные сухари по вкусу.*
Для фарша:
*2 луковицы,
1–2 сваренных вкрутую яйца,
1 ст. ложка масла.*

Мякоть говядины или свинины нарезать кусочками, промолоть на мясорубке вместе с размоченным в молоке белым хлебом, посолить, поперчить и хорошо вымесить. Затем сделать круглые лепешки, положить на них фарш, края соединить, придать котлетам круглую форму, обвалять в панировочных сухарях. Обмакнуть котлеты в яйце, взбитом с молоком, вновь обвалять в сухарях и обжарить во фритюре (рецепт 344) до золотистого цвета. Поставить котлеты в духовку и довести до готовности.
Фарш. Репчатый лук мелко нарезать, слегка обжарить и смешать с мелко нарубленными, сваренными вкрутую яйцами.

331 Цепелинай по-литовски

8 картофелин, 100 г шпика;
соль по вкусу.
Для фарша:
300 г вареной говядины
или свинины, 1 луковица;
соль, перец по вкусу.

Половину картофеля очистить от кожуры, вымыть и натереть на крупной терке. Остальной картофель отварить в кожуре, очистить, протереть через сито, смешать с сырым тертым картофелем, посолить, еще раз тщательно перемешать и разделать в форме лепешек. На середину лепешек положить фарш, края лепешек защипать, придав им форму пирожков. Полученные цепелинай отварить в подсоленной воде, выложить на блюдо и облить растопленным салом со шкварками.

Фарш. Вареное мясо пропустить через мясорубку, добавить слегка обжаренный на свином сале, мелко нарезанный лук, соль, перец, все перемешать.

332 Картофельные зразы с мясом

800 г картофеля, 4 яйца,
100 г сливочного масла; соль,
зелень, тертые сухари или мука,
растительное масло по вкусу.
Для фарша:
400 г говядины или свинины,
1 луковица; соль, перец,
кукурузное или сливочное
масло по вкусу.

Картофель очистить от кожуры, вымыть, отварить, откинуть на дуршлаг, дать стечь воде, протереть сквозь сито или пропустить через мясорубку, добавить яйца, масло, соль, мелко рубленную зелень и хорошо вымесить. Из полученной массы сделать круглые лепешки, на середину лепешек положить фарш. Края лепешек завернуть в форме конверта, лепешки обвалять в тертых сухарях или в муке и поджарить на масле с двух сторон.

Фарш. Мясо нарезать на куски, пропустить через мясорубку, посолить, поперчить, обжарить на масле и смешать с мелко нарезанным и слегка обжаренным на масле репчатым луком.

Мясо не рекомендуется сохранять завернутым в бумаге, так как она впитывает в себя мясной сок. Мясо надо положить в фарфоровую или эмалированную посуду и прикрыть тарелкой или крышкой.

Блюдо, которое вы готовите на пару, быстрее сварится, если посолить воду, в которой стоит кастрюля.

Если у вас остался неиспользованный соус, распределите его на порции и заморозьте. Перед употреблением просто разогрейте его.

333 Котлеты паровые с рисом

400 г свинины, 2 ст. ложки риса, 1 яйцо, 1 луковица, 1 ст. ложка сливочного масла; соль, перец, зелень по вкусу.

Нежирную свинину нарезать кусочками. Репчатый лук очистить от шелухи, нарезать дольками. Подготовленные мясо и лук промолоть на мясорубке, добавить яйцо, отваренный в слегка подсоленной воде рис, посолить, поперчить, все хорошо перемешать. Из полученного фарша сделать небольшие котлеты удлиненной формы, положить их на сковороду с маслом, оставляя между котлетами промежуток в 1 см, подлить немного горячей воды, накрыть крышкой и тушить на пару в течение 12—15 мин до готовности. Подать паровые котлеты с отварным картофелем или картофельным пюре, овощами, полив соком от тушения и посыпав рубленой зеленью.

334 Котлеты «Волжские»

250 г свинины, 250 г куриного мяса, 1 яйцо, 2 ст. ложки воды или молока, 100 г белого хлеба, жир для жаренья; соль, перец, мука, панировочные сухари по вкусу.

Свиное и куриное мясо нарезать кусочками, промолоть на мясорубке, посолить, поперчить и хорошо вымесить. Из полученного фарша сделать котлеты продолговатой формы. Яйцо взбить с водой или молоком. Приготовить пшеничную панировку, для чего у батона или булки обрезать корочки, и нарезать хлебную мякоть мелкой тонкой соломкой. Подготовленные котлеты обвалять в муке, смочить во взбитом яйце, запанировать в пшеничной панировке и обжарить в большом количестве жира. Затем поставить котлеты в духовку и довести до готовности. Подавать с жареным картофелем и свежими овощами.

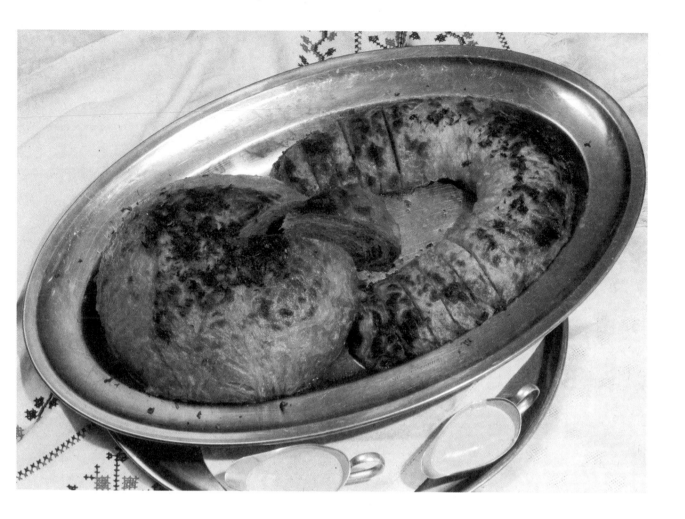

335 Кочан по-вологодски

1 кочан капусты; соль, масло, сметана или сметанный соус по вкусу.
Для фарша:
300 г говядины, 200 г свинины, 2 луковицы; соль, перец, масло, сметана или сметанный соус по вкусу.

Кочан с вырезанной кочерыжкой отварить в подсоленной воде и разобрать на листья. В дуршлаг положить мокрое полотно и уложить на него капустные листья в той же последовательности, как они были в кочане, прослаивая каждый слой фаршем. Углы полотна соединить и скрутить. Положить кочан в кастрюлю, влить капустный отвар и тушить до полуготовности. Снять с кочана полотно, выложить кочан на смазанную маслом сковороду, смазать маслом и запечь в духовке до готовности. Подать со сметаной или сметанным соусом (рецепт 67).

Фарш. Мясо пропустить через мясорубку, добавить обжаренный с маслом, мелко рубленный репчатый лук, соль, перец, все тщательно перемешать.

336 Голубцы из капустной рубки

600 г капусты, 1–2 яйца, 2 ст. ложки муки, 4 ст. ложки масла; соль по вкусу.
Для фарша:
400 г мяса, 2 ст. ложки риса, 1 луковица; соль, перец по вкусу.

Капусту порубить, отварить до полуготовности, откинуть на дуршлаг, промолоть на мясорубке, добавить соль, муку, яйца, все перемешать. Из полученной массы сделать лепешки, на середину лепешек положить фарш и завернуть их в форме голубцов. Обжарить голубцы с двух сторон на масле, залить сметанным соусом (рецепт 67) и запечь в духовке до готовности.

Фарш. Мясо промолоть на мясорубке, добавить отваренный до полуготовности рис, мелко нарезанный и обжаренный лук, соль, перец, все перемешать.

Чтобы сделать свиные отбивные сочнее, за 2–3 часа до приготовления смажьте их растительным маслом и сбрызните уксусом, а солите в самом конце готовки.

Свинину прожаривают до полной готовности.

Чтобы узнать, готово ли мясо, проткните его. Если сок красный — мясо еще сырое, если розовый — средней прожарки, а если прозрачный — мясо готово.

337 Корейка «Два поросенка»

500 г свинины, 1 яйцо, 1 ст. ложка молока, 2 ст. ложки масла; соль, перец, панировочные сухари по вкусу.

Мякоть свиной корейки нарезать кусками толщиной 1–1,5 см, слегка отбить, поперчить, посолить, обмакнуть с двух сторон во взбитое с молоком яйцо, обвалять в панировочных сухарях и пожарить с двух сторон на сковороде с маслом до готовности. Подать с жареным картофелем и свежими овощами.

338 Свинина «под шубой»

800 г мороженой свинины без костей, 3 луковицы, 6–8 картофелин; соль, перец, масло, майонез, аджика или острый кетчуп, помидоры, зелень петрушки по вкусу.

Мороженую свинину оттаять до такой степени, чтобы ее можно было резать ножом, а мясной сок еще не вытек. Размороженную таким образом свинину нарезать на тонкие куски, отбить, посолить, поперчить, смазать майонезом, смешанным с аджикой или с острым кетчупом. Подготовленную свинину сложить в кастрюлю и поставить в холодильник на сутки, чтобы мясо замариновалось. Картофель вымыть, отварить с кожурой, охладить, очистить и натереть на крупной терке. Достать мясо из холодильника и плотно уложить на смазанный маслом противень. На куски мяса положить нарезанный кольцами репчатый лук, на лук положить натертый отварной картофель. Все посолить, полить половиной смеси майонеза с аджикой, посыпать натертым на мелкой терке сыром и мелко нарезанной петрушкой. Сверху выложить кружочки помидоров и залить оставшейся смесью майонеза с аджикой. Поставить свинину в горячую духовку и запечь до готовности.

Во время жаренья мяса не надо его часто переворачивать, так как выделяется много сока, что мешает образованию корочки.

К блюдам из свинины подходят овощи и салаты с острым вкусом; квашеная капуста,свекла, соленые огурцы и т. д., а отварной картофель, картофельное пюре, жареный картофель — это наиболее универсальный гарнир для большинства блюд.

Суп-концентрат в форме кубиков из мяса, курицы или грибов можно использовать не только для приготовления супов, но и для приготовления соусов и подливок к мясу.

339 Эскалоп слоеный

600 г свинины, 1 яйцо, 1 ст. ложка молока, 2 ст. ложки масла; соль, перец по вкусу.
Для начинки: *1 яичный желток, 1 ст. ложка столовой горчицы, 1 ст. ложка тертого сыра, 1 ст. ложка майонеза.*

Мякоть свинины нарезать поперек волокон кусками толщиной 8—10 мм, слегка отбить, посолить и поперчить. Сделать в кусках мяса продольный разрез, положить в него начинку, обмакнуть во взбитое с молоком яйцо, обвалять в муке и пожарить на сковороде с маслом с двух сторон до готовности. Подать с отварным или жареным картофелем, овощами и зеленью.
Начинка. Яичный желток растереть со столовой горчицей, тертым сыром и майонезом до получения однородной массы.

340 Корейка по-силезски

400 г корейки, 400 г сухофруктов, $^1/_2$ л воды, $^1/_2$ лимона, 1 ст. ложка крахмала; корица по вкусу.

Сухофрукты вымыть и замочить в холодной воде на 12 часов. Корейку залить небольшим количеством воды, довести до кипения и варить под крышкой на небольшом огне около 25 мин. Лимон вымыть, срезать цедру и выжать сок. К сухофруктам с водой, в которой они были замочены, добавить лимонную цедру, корицу, все довести до кипения. Затем добавить вареную корейку с бульоном и все вместе варить под крышкой на слабом огне около 30 мин. Корейку вынуть из бульона, срезать кожу и нарезать ломтиками. Из кастрюли с бульоном с фруктами вынуть лимонную цедру, влить лимонный сок, предварительно разведенный в 3 ст. ложках воды крахмал, размешать и довести бульон с фруктами до кипения. При подаче фрукты и ломтики корейки разложить по тарелкам и залить бульоном.

341 Тушеное мясо с омлетом

400 г свинины, 100 г шпика, 2 луковицы, 50 г шампиньонов, 1 стакан бульона, 2 ст. ложки томатной пасты, 2 ст. ложки сливочного масла, 3 яйца, 200 г творога; соль, красный молотый перец, молоко по вкусу.

Мясо нарезать кубиками, посолить и поперчить. Лук нарезать мелкими кубиками и слегка обжарить на сковороде с растопленным, мелко нарезанным шпиком. Затем положить мясо и, помешивая, продолжать обжаривать. Через 15 мин добавить нарезанные шампиньоны, залить размешанной в горячем бульоне томатной пастой и тушить до готовности. Сливочное масло взбить со щепоткой соли, добавить яйца, творог, соль, немного молока, все перемешать. Залить полученной омлетной массой мясо и запечь в духовке до готовности в течение 40—50 мин.

342 Винный кебаб

800 г свинины, 4—5 луковиц, 1/2 стакана растопленного жира, 1 ст. ложка муки; 1/2 стакана вина, соль, молотый красный перец, черный перец горошком, лавровый лист по вкусу.

Свинину и лук нарезать мелкими кусочками, сложить в сковороду с разогретым жиром и тушить, пока лук не станет мягким. Затем добавить молотый красный перец, немного горячей воды и тушить мясо до мягкости. Муку развести в красном сухом вине, влить в мясо, положить лавровый лист, горошины черного перца, посолить и довести кебаб до готовности на среднем огне.

343 Свинина с черносливом по-датски

1 1/2 кг свинины целым куском, 150 г чернослива, 2 кислых яблока, 1—2 стакана мясного бульона, 1/2 ч. ложки молотого имбиря; соль, черный молотый перец, жир по вкусу.
Для подливы:
1/2 стакана сливок, 1 ст. ложка смородинного или клюквенного джема; соль, перец по вкусу.

Чернослив тщательно вымыть, залить холодной водой, довести до кипения и проварить до мягкости. Затем снять с огня, дать остыть и вынуть косточки. Яблоки вымыть, очистить от кожуры, разрезать на четвертинки, удалить сердцевину и нарезать дольками. Кусок мякоти свинины вымыть, осушить салфеткой или полотенцем, натереть солью, перцем, имбирем, нашпиговать яблоками и черносливом. Подготовленную свинину положить на разогретую с жиром глубокую сковороду и обжарить со всех сторон. Слить излишек жира, подлить 1/2 стакана бульона, поставить свинину в духовку и тушить 1—1 1/2 часа при температуре 180°, подливая, по мере выкипания, горячий бульон. Готовое мясо переложить в другую посуду и поставить в теплое место. При подаче свинину нарезать ломтиками, полить подливой.

Подлива. В сок от тушения свинины добавить сливки, соль, перец, смородиновый или клюквенный джем и проварить 5 мин.

344 Свинина в кляре

400 г свинины, 2 ст. ложки муки; соль, перец по вкусу.
Для кляра:
3—4 ложки муки, 2 яйца, 1/3 стакана молока, 1 ст. ложка сметаны.
Для фритюра:
200 г растительного масла, 200 г топленого, сливочного масла или жира.

Мякоть свинины нарезать ломтями поперек волокон, отбить, посолить, поперчить, посыпать тертым чесноком, свернуть в трубочки, обмакнуть в кляр и жарить во фритюре до готовности. Подать с жареным картофелем и овощами.

Кляр. Муку, яйца, молоко, сметану хорошо перемешать, чтобы получилось тесто как для блинов или оладий.

Фритюр. В качестве фритюра использовать смесь из любого растительного рафинированного масла и животного или кулинарного жира. Можно использовать одно растительное масло, лучше — кукурузное. Жир для фритюра нагреть до 170—190°, пока фритюр не будет доведен до состояния тихого кипения. Готовность фритюра можно определить, опустив в него с чайной ложки немного теста: в хорошо нагретом жире тесто не опускается вниз и быстро подрумянивается. После жарения фритюр следует процедить, и его можно использовать неоднократно.

Чтобы узнать, доброкачественное ли мясо, надавите на него пальцем. У свежего мяса образующаяся ямка быстро выравнивается.

Свинина легко впитывает в себя различные запахи, поэтому ее лучше всего хранить в закрытой эмалированной или в стеклянной посуде. В холодильнике свинина остается свежей от 3 до 5 дней.

Большие куски свинины следует мыть под струей холодной воды, а маленькие лучше всего поскоблить ножом, так как при мытье они теряют слишком много сока. Вымытое мясо нужно насухо вытереть, так как в мокром виде оно плохо зажаривается.

345 Свинина по-монреальски

*600 г свинины,
1–2 яблока; соль, перец, сахар,
кукурузное масло, овощи по вкусу.*
***Для яблочного пюре
с клюквой:***
*2 яблока, 1 стакан клюквы;
апельсиновая цедра,
сахар по вкусу.*

Свиную вырезку, корейку без кости или другую мякоть свинины удлиненной формы натереть солью и перцем. Сделать продольный разрез посередине. Раскрыть половинки мяса, положить внутрь мелко нарезанные яблоки, посыпать солью и сахаром, сложить половинки вместе и перевязать ниткой, чтобы разрез не раскрывался. Подготовленное мясо положить на смазанный кукурузным маслом противень и запечь в духовке до готовности, периодически поливая мясо выделившимся соком. Готовое мясо освободить от ниток, нарезать поперек тонкими ломтями и уложить на блюдо. На гарнир подать яблочное пюре с клюквой, отварную спаржу или другие овощи.

Яблочное пюре с клюквой. Яблоки промыть, нарезать дольками, залить небольшим количеством воды, отварить до мягкости и протереть через сито. Полученное пюре смешать с промытой клюквой, добавить тонко нарезанную цедру апельсина, сахар и проварить 3–4 мин.

346 Говядина под майонезом

*600 г говядины, 2 луковицы,
100 г майонеза, 2 ст. ложки
масла; соль, перец по вкусу.*

Мякоть говядины нарезать поперек волокон тонкими кусочками, отбить, посолить и поперчить. На смазанную маслом сковороду положить половину нарезанного полукольцами лука, на лук положить слой мяса, на мясо положить оставшийся лук, залить майонезом и поставить в духовку тушиться до готовности.

347 Мясо «Дорожное»

600 г мяса,
2 ст. ложки масла,
1 луковица, 100 г сыра,
2 ст. ложки майонеза;
соль, перец по вкусу.

Мякоть говядины, телятины или нежирной свинины вымыть холодной водой, обсушить салфеткой, нарезать поперек волокон на куски, отбить, посолить, поперчить и обжарить с маслом с двух сторон на хорошо разогретой сковороде до полуготовности. Снять сковороду с огня, положить на мясо поджаренный до золотистого цвета, нарезанный полукольцами лук, посыпать сверху натертым на терке сыром, смазать майонезом и поставить в духовку на 10–15 мин. Подавать с жареным картофелем, овощами и зеленью укропа или петрушки.

348 Корейка, фаршированная грибами

1 ¹/₂ кг свиной корейки, 1 яйцо,
2 стакана бульона.
Для фарша:
60 г сушеных или 300 г свежих
грибов, 1 луковица;
соль, перец, жир по вкусу.

Из свиной корейки удалить кости и разрезать ее вдоль в виде раскрытой книги. С внутренней стороны вырезать часть мякоти, оставляя стенки толщиной 1,5 см, с обеих сторон натереть солью, перцем и оставить на 15 мин в прохладном месте. Затем внутреннюю часть корейки смазать взбитым яичным белком, положить в нее фарш, плотно соединить обе части и зашить, поместить на противень и жарить около 1,5 ч в духовке, периодически поливая бульоном. При подаче разрезать на порции. Подать с отварным картофелем и маринованными грибами.
Фарш. Вырезанную из корейки мякоть пропустить через мясорубку, добавить мелко нарезанные отваренные грибы, обжаренный репчатый лук, специи, все хорошо перемешать.

Хранить мясо лучше ненарезанным, так как небольшие куски мяса портятся быстрее, чем крупные.

Чтобы запеченная свинина была вкусной и сочной, перед тем как поставить ее в горячую духовку, острием ножа сделайте несколько глубоких надрезов, а затем почаще поливайте образовавшимся соком.

Порционные куски свинины жарят непосредственно перед подачей к столу. Даже непродолжительное хранение ухудшает ее вкус и цвет.

349 Жаркое по-домашнему

400 г свинины или баранины, 8 картофелин, 2 луковицы, 1 морковь, 4 дольки чеснока; соль, лавровый лист, черный перец горошком по вкусу.

Мясо нарезать на небольшие кусочки. Очищенные картофель, лук, морковь нарезать кубиками. В глиняные горшочки или другую посуду положить на дно часть картофеля, затем мясо, лук, морковь, чеснок, лавровый лист, перец горошком и сверху — остальной картофель. Залить горячей подсоленной водой так, чтобы она полностью покрыла продукты, накрыть крышкой и тушить в духовке или печи до готовности.

350 Мясо, тушенное по-пермяцки

300 г мякоти свинины, говядины или баранины, 1/3 стакана перловой крупы, 1 стакан квашеной капусты, 4 ст. ложки масла, 2 ч. ложки сахара; соль по вкусу.

Мясо нарезать брусочками. Перловую крупу отварить до полуготовности. В посуду положить слой капусты, затем — мясо, крупу, добавить соль, сахар. Сверху положить капусту, добавить масло, немного воды и поставить в духовку тушиться до готовности.

351 Мясная запеканка

500 г мякоти говядины или свинины, 1 яйцо, 2 стакана отварного риса, 50 г сливочного масла, 1 ст. ложка тертого сыра, 1 ст. ложка жира; соль по вкусу.

Мясо нарезать на кусочки, промолоть на мясорубке, добавить яйцо, отварной рис, растопленное сливочное масло, посолить, перемешать и выложить полученную массу на смазанную жиром сковороду. Поверхность массы разровнять, посыпать тертым сыром и запечь запеканку в духовке до готовности. При подаче запеканку нарезать на куски и подать с овощами.

Не надо срезать весь жир с мяса: тонкий слой жира во время тепловой обработки удерживает влагу, от чего мясо будет более сочным.

Четвертинка лимона с кожурой может придать приятный вкус жареному мясу. Вначале ее нужно жарить с мясом, а затем растереть ложкой и удалить цедру.

Мясо лучше тушить в обильном количестве жира при плотно закрытой крышке. При тушении можно добавить воду или вино.

352 Каша с мясом по-сельски

400 г мякоти говядины или свинины, 2 стакана пшена, гречки или овсяной крупы, 2 луковицы, 4 стакана воды или бульона; соль по вкусу.

Мясо промыть и нарезать небольшими кусочками. Крупу перебрать и промыть. Лук очистить, нарезать полукольцами. Подготовленные продукты сложить в горшок или другую посуду, посолить, залить водой или бульоном, накрыть крышкой и тушить в печи или духовке до готовности.

353 Шашлык по-карачаевски

600 г бараньей корейки, 1 луковица, 2 помидора, 1 баклажан, 2 сладких перца; соль, черный молотый перец, уксус по вкусу.

Баранью корейку нарезать на куски вместе с ребрами, посыпать солью, перцем, рубленым луком, сбрызнуть уксусом и мариновать 6—8 часов. Затем куски баранины нанизать на шпажки и жарить над углями. Одновременно пожарить нанизанные на шампуры помидоры, баклажаны, сладкий перец. Готовые овощи нарезать, добавить чеснок и подать на гарнир к шашлыку.

354 Шашлык по-кавказски

800 г мякоти баранины, 4 луковицы; соль, черный молотый перец, винный уксус или лимонный сок по вкусу.

Куски баранины нарезать кубиками, сложить в миску, посолить, посыпать перцем, мелко нарезанными луком и зеленью петрушки, сбрызнуть уксусом или лимонным соком, перемешать и поставить в холодильник на 3—4 часа. Подготовленное мясо нанизать на шпажки, чередуя с ломтиками репчатого лука, и пожарить на углях. Подать шашлык с хлебом, овощами и зеленью.

355   Бастурма

*800 г мякоти говядины,
3 луковицы, 8 ст. ложек
столового уксуса; соль, лавровый
лист, черный и душистый
перец, лимонный сок, зелень
петрушки, овощи, ткемалевый
соус по вкусу.*

Говяжью вырезку, или толстый и тонкий края, или верхнюю и внутреннюю части задней ноги нарезать небольшими кусочками, добавить мелко нарезанный лук, соль, черный и душистый перец, уксус, лавровый лист, все перемешать и поставить на сутки на холод в эмалированной или фаянсовой посуде. Маринованное мясо нанизать на вертел и жарить над углями или в электрошашлычнице. При подаче на стол бастурму сбрызнуть соком лимона, украсить кольцами лука, зеленью петрушки, ломтиками огурцов и помидоров. Отдельно подать ткемалевый соус.

356   Шашлык «Алатау»

*800 г баранины, 2 луковицы,
100 г столового уксуса; свежие
или соленые помидоры,
растительное масло, черный
молотый перец, сахар,
зеленый лук по вкусу.*

Баранью корейку, мякоть задней ноги нарезать по 2 кусочка на порцию в виде широкой ленты, слегка отбить, посолить и посыпать перцем. Сложить мясо в эмалированную посуду, добавить нарезанный кольцами репчатый лук, сахар, залить уксусом и поставить в холодное место на 3—4 часа. На середину кусочков мяса уложить нарезанные дольками свежие или соленые помидоры и лук, с которым мясо мариновалось. Кусочки мяса с овощами свернуть трубочками в виде колбасок и нанизать на шампуры вперемежку с помидорами. Жарить шашлык в мангале над раскаленными углями, периодически поворачивая и смазывая маслом. Подать шашлык на шампурах, посыпав мелко нарезанным зеленым луком.

Шашлык и кебабы нанизывают на шампуры и жарят на углях раскаленных или электрическом гриле, постоянно поворачивая шампуры.

Мясо для шашлыка необходимо предварительно мариновать или натереть специями, травами и солью, а в процессе жарки — сбрызгивать сухим белым вином или маринадом.

Для приготовления кебабов лучше использовать плоские или треугольные вертелы (шампуры): на круглых — фарш будет соскальзывать. Чтобы готовые кебабы перед подачей на стол легче снимались, смажьте вертелы маслом.

При жарении на углях нельзя допускать жаренье над горящим пламенем.

357 Шашлык из корейки с печенью

400 г корейки, 200 г печени; соль, сладкий перец, винный уксус, сахар, вода, капуста или салат по вкусу.

Свиную корейку нарезать тонкими полосками. Подготовленную говяжью или свиную печень (рецепт 171) нарезать небольшими кусочками, посолить. Кусочки печени обернуть полосками корейки и нанизать на тонкие шампуры, добавив кусочки сладкого перца. Шашлык пожарить на мангале или в электрошашлычнице, периодически поворачивая и поливая винным уксусом, смешанным с водой и сахаром. Подать шашлык на блюде, выложенном листьями молодой капусты или салата.

358 Люля-кебаб

800 г баранины, 50 г курдючного сала, 1 луковица, 100 г зеленого лука, 1 лимон; соль, перец, барбарис, зелень по вкусу.

Мякоть баранины без сухожилий пропустить 2–3 раза через мясорубку вместе с курдючным салом, добавить сырой рубленый репчатый лук, соль, перец, лимонный сок или лимонную кислоту, растворенную в воде. Полученную массу хорошо размешать и поставить в холодильник для маринования на 2–3 часа. Затем сформовать из нее короткие колбаски в виде мясных сарделек по 2 штуки на порцию. Надеть колбаски на шпажки и поджарить на решетке над углями. При подаче снять люля-кебаб со шпажек, завернуть в тонкую лепешку из пшеничной муки (рецепт 359), положить на блюдо или тарелку с зеленым луком и дольками лимона, украсить блюдо веточками зелени петрушки или сельдерея. Отдельно подать свежий или молотый сушеный барбарис.

К шашлыкам и кебабам можно подать маринованный лук. Для этого лук нарезать кольцами, засыпать сахаром, залить горячей водой, добавить соль и уксус по вкусу, дать замариноваться в течение нескольких часов, охладить и перед подачей вынуть из маринада.

Хорошим добавлением к шашлыкам и кебабам может быть лук, обжаренный с чесноком. Для этого лук нарезать кольцами, чеснок мелко нарезать, все обжарить на растительном масле, посолить по вкусу. Можно добавить черный молотый перец и немного белого сухого вина.

359 Шашлык по-чабански

600 г баранины; соль, перец по вкусу.
Для фарша:
200 г курдючного или другого сала; соль, перец, лук, чеснок, зелень петрушки или укропа по вкусу.
Для лепешек:
2 стакана муки, около 2 ст. ложек воды, 1 ч. ложка соли, 1 ст. ложка сахара.

Мякоть баранины нарезать тонкими ломтиками, посыпать солью и перцем. На мясо уложить фарш, все свернуть рулетами, нанизать на шампуры и жарить, поворачивая, над углями. Готовый шашлык подать на шампурах с тонкими пресными лепешками.
Фарш. Курдючное сало нарезать мелкими кусочками, добавить соль, перец, мелко рубленные лук, чеснок, зелень и перемешать.
Лепешки. Из муки, воды, соли и сахара замесить крутое тесто, дать тесту расстояться 40–50 мин, разрезать на куски и скатать в шарики. На доске, подпыленной мукой, раскатать шарики в тонкие пласты и обжарить с двух сторон на сковороде без жира.

360 Шашлык по-карски

1 кг мякоти спинной и поясничной частей баранины, 4 бараньи почки, 4 помидора, 1 луковица для маринования, 1 лимон; соль, перец, сливочное масло или топленое курдючное сало, лук репчатый и зеленый для гарнира, зелень, соус ткемали, свежий или сушеный барбарис по вкусу.

Мясо разрезать поперек на куски по одному на порцию, посолить, посыпать перцем, мелко нарезанным луком и зеленью петрушки, залить винным уксусом или лимонным соком, перемешать, плотно уложить в эмалированную посуду и поставить на 4–6 часов в холодильник. Затем куски мяса надеть на шпажки вместе с зачищенными от пленки почками с одного конца и помидорами с другого. Мясо смазать маслом или салом. Жарить на решетке над углями или на вертеле. При подаче жареные мясо, почки и помидоры снять со шпажки, положить на блюдо с нарезанными лимоном, репчатым и зеленым луком и зеленью. Отдельно подать соус ткемали и свежий или сушеный барбарис.

361 Поджарка по-казахски

700 г легкого, 400 г печени, 300 г сердца, 300 г курдючного сала, 2 луковицы; соль, перец по вкусу.

Обработанные говяжьи или бараньи субпродукты — печень, сердце и легкое — нарезать мелкими кубиками, посолить, поперчить и обжарить с курдючным салом до образования корочки. Затем добавить шинкованный репчатый лук и продолжать жарить 10–15 мин. После чего добавить немного бульона и тушить до готовности. Подать с овощами и зеленью. Это блюдо можно приготовить и из конины.

362 Баранина молодая с бобами

500 г баранины, 100 г сливочного масла, 600 г бобов, 1 ст. ложка муки; соль, молотый красный перец, зеленый лук, зелень петрушки и укропа.

Куски молодой баранины сложить в кастрюлю, добавить масло, зеленый лук, молотый красный перец, соль, бобы, накрыть крышкой и потушить до мягкости бобов. Влить горячую воду и варить на слабом огне. Добавить обжаренную муку, зелень петрушки и укропа, перемешать и подать с кислым молоком.

363 Говядина для вечеринки

500 г говядины, 100 г оливкового масла, 1 ст. ложка томатной пасты, 4 сваренных вкрутую яйца; соль, перец, зелень петрушки, сыр по вкусу.

Мясо разрезать тонкими ломтиками, посолить, поперчить и обжарить на масле. Добавить томатную пасту, залить водой и тушить на слабом огне 1 час. Тушеное мясо уложить на противень, посыпать смесью мелко нарезанных яиц, зелени петрушки, тертого сыра и поставить на несколько минут в горячую духовку.

364 Яхния из баранины с кабачками

1 кг баранины, 1/2 стакана жира, 2 луковицы, 1 ст. ложка муки, 1 ч. ложка молотого сладкого красного перца, 2 помидора, 2 стакана воды, 3/4 кг кабачков; соль, зелень укропа или петрушки, лимонный сок, простокваша или кефир по вкусу.

Молодую баранину нарезать кусками и обжарить в жире. Выложить мясо на тарелку. В оставшемся жире поджарить мелко нарезанный репчатый лук и муку. Посыпать перцем, добавить мелко нарезанные, очищенные от кожицы помидоры, посолить, развести горячей водой, довести до кипения, положить мясо и тушить до полуготовности. Затем добавить нарезанные кружками очищенные кабачки и тушить до готовности на слабом огне. Перед подачей посыпать мелко нарезанной зеленью петрушки или укропа. Яхнию можно заправить лимонным соком, простоквашей или кефиром.

365 Мясо с баклажанами по-марокккански

800 г мяса, 2 луковицы, 500 г баклажанов, 2 яйца, 2 ст. ложки сливочного масла, 2 ст. ложки растительного масла, 1 головка чеснока, масло для фритюра; мука, соль, черный молотый перец, белый душистый перец, красный острый перец, молотый мускатный орех, имбирь, молотый шафран по вкусу.

Мясо нарезать кусками, обжарить с кружочками лука на смеси сливочного и растительного масла, посолить, добавить специи, накрыть крышкой и тушить на слабом огне. Через 10 мин влить немного теплой воды. Очищенные баклажаны нарезать ломтиками толщиной 1 см, посыпать черным молотым перцем, толченым чесноком и солью, обмакнуть во взбитые яйца, обвалять в муке и жарить с обеих сторон по 10 мин на слабом огне во фритюре (рецепт 344). Выложить жареные баклажаны шумовкой на сито или дуршлаг, дать стечь маслу и положить их в кастрюлю с мясом за 5 мин до окончания тушения.

366 Тава-кебаб по-азербайджански

800 г баранины, 4 луковицы, 3 яйца; сливочное масло, столовый уксус, сахар, соль, перец, зелень по вкусу.

Мякоть баранины, очищенный репчатый лук пропустить через мясорубку, добавить соль, перец и хорошо вымесить получившийся фарш. Из приготовленного фарша сделать биточки округлой формы и обжарить на масле до образования поджаристой, мягкой корочки. Отдельно обжарить до мягкости на умеренном огне в достаточном количестве масла мелко нашинкованный репчатый лук. Снять лук с огня, охладить, добавить уксус, сахар, соль, перец, взбитые яйца, мелко рубленную зелень, все перемешать. Залить биточки яично-луковой массой и довести в духовом шкафу до готовности. При подаче тава-кебаб посыпать зеленью.

367 Кебабчета по-болгарски

100 г говядины, 300 г баранины, 300 г свинины, 1 луковица, 1–2 ст. ложки воды, 2–3 ст. ложки растительного масла; соль, перец, тмин.

Мясо нарезать на кусочки, посолить, перемешать и поставить на 1 час в холодильник. Охлажденное мясо пропустить через мясорубку, добавить немного воды, тщательно вымесить, выложить получившийся фарш слоем толщиной 10–12 см, выровнять поверхность и снова поставить в холодильник на 10–15 часов. После этого добавить в фарш мелко нарезанный репчатый лук, черный молотый перец, тмин, все перемешать. Смачивая руки в холодной воде, фарш тщательно выбить. Из готового фарша сделать колбаски диаметром 2,5–3 см и длиной 6–7 см, нанизать колбаски на шпажки, смазать растительным маслом и обжарить над углями в мангале. Подать кебабчета со свежими или маринованными овощами.

368 Баранина «Айастан»

*1 кг бараньих ножек
или баранины с костями,
6—8 картофелин,
1—2 луковицы; топленое масло
или бараний жир, соль, перец,
помидоры, маринованный перец,
лимон по вкусу.*

Бараньи ножки или куски баранины с косточками положить в глубокую сковороду, добавить очищенные клубни картофеля, мелко нарезанный лук, соль, перец, залить небольшим количеством горячей воды и тушить под крышкой до полуготовности. Затем крышку снять и запечь баранину с картофелем в духовке до готовности, периодически поливая образовавшимся мясным соком. Если баранина недостаточно жирная, можно при запекании добавить топленое масло или бараний жир. После чего выложить баранину и картофель на блюдо, украсить помидорами, маринованным перцем, ломтиками лимона, зеленью кинзы.

369 Жаркое с лапшой «Куллама»

*600 г мякоти жирной говядины,
или баранины, **или** конины,
400 г домашней лапши,
отварные печень, сердце, почки;
соль, перец, лавровый
лист по вкусу.
Для соуса:
1 стакан мясного бульона,
2 луковицы, 1—2 моркови,
2 ст. ложки топленого масла;
соль, перец, лавровый
лист по вкусу.*

Мясо положить в кипящую подсоленную воду и варить до готовности. Мясо вынуть из бульона, остудить, нарезать небольшими кусочками поперек волокон. Сделать крупную лапшу (рецепт 214), отварить в подсоленной воде и откинуть на сито или дуршлаг. Положить нарезанное мясо и лапшу в глубокую сковороду или кастрюлю, добавить сливочное масло, все перемешать, залить соусом и тушить под крышкой в духовке 15 мин. К мясу можно добавить отваренные печень, сердце, почки.

Соус. В мясной бульон положить нарезанный кольцами лук, кружочки моркови, топленое масло, соль, перец, лавровый лист и варить 15—20 мин.

Некоторым людям не нравится вкус бараньего жира. Чем старше животные, тем толще слой жира и тем сильнее его специфический привкус. Чтобы уменьшить этот привкус, можно срезать жир с поверхности мяса или при приготовлении баранины использовать различные острые соусы, содержащие уксус.

Чтобы баранине придать особый вкус и аромат, ее можно натереть смесью из растолченного с крупной солью чеснока и мелко нарезанной зеленью петрушки. Накройте мясо крышкой и оставьте на 2–3 часа при комнатной температуре.

Баранина, нарезанная тонкими кусками, жарится быстро. Поэтому нужно следить за временем, чтобы мясо не пережарилось. Мясо готовят на сильном огне, пока оно не покроется коричневой корочкой.

370 Жареные ребрышки «Корона фермера»

1 кг бараньей или свиной грудинки с ребрышками, 5–6 картофелин; кукурузное или другое растительное масло, соль, перец, клюквенный соус или кетчуп, клюква, яблоки, виноград, зелень по вкусу:
Для клюквенного соуса:
1/2 стакана клюквы, 1/2 стакана мясного сока с водой, 1–2 ст. ложки сахара, 2 ст. ложки красного сухого вина, 1 ч. ложка крахмала.

Баранью или свиную грудинку нарезать на куски с ребрышками, натереть солью и перцем, разложить на противень с маслом, поставить в духовку и запечь до готовности, периодически поливая выделившимся соком. Очищенный картофель мелко нарезать, положить на сковороду с маслом, посолить, подлить немного воды и тушить под крышкой до готовности, периодически помешивая. Выложить картофель горкой на блюдо, обложить со всех сторон мясом ребрышками вверх, полить клюквенным соусом или кетчупом, украсить клюквой, дольками яблок, виноградом и зеленью.

Клюквенный соус. На противень с мясным соком влить немного горячей воды, перемешать, вылить в ковшик, добавить отжатый из клюквы сок, вино, сахар, разведенный в небольшом количестве холодной воды крахмал и довести до кипения.

371 Рагу из баранины

800 г баранины, 4 луковицы, 2 ст. ложки муки, 150 г чернослива; растительное масло, соль, молотый красный перец, корица, шафран по вкусу.

Мясо порубить на кусочки, обжарить на растительном масле, добавить мелко шинкованный лук, муку и продолжать обжаривать до тех пор, пока мясо не подрумянится. После чего полностью залить мясо горячей водой и тушить под крышкой на слабом огне до готовности. За 1/2 часа до окончания тушения положить замоченный в воде и очищенный от косточек чернослив. Через 15 мин добавить соль, перец, корицу, шафран.

372 Баранина «Легенда»

*800 г баранины, 1 морковь,
1 луковица; соль, перец,
масло по вкусу.*
***Для соуса:** 100 г изюма,
100 г очищенных орехов,
1 ст. ложка томатного соуса,
1 ст. ложка гранатового сока;
вода, соль, сахар по вкусу.*

Заднюю часть баранины нарезать на куски, посолить, поперчить, обжарить с двух сторон на масле и потушить в небольшом количестве воды или бульона, добавив нарезанные лук и морковь. Подавать с картофелем и овощами. Отдельно подать соус.
Соус. Орехи, изюм промолоть на мясорубке, добавить томатный соус, гранатовый сок, холодную кипяченую воду, перемешать, добавить соль и сахар, еще раз перемешать.

373 Баранина под грибным соусом

*600 г мякоти задней ноги,
спинной или поясничной части
баранины, 4–5 картофелин;
сливочное масло, тертый сыр,
тертые сухари, соль,
перец по вкусу.*
Для грибного соуса:
*50 г сушеных грибов,
2–3 луковицы, 4 ч. ложки муки,
100 г топленого
или растительного масла;
соль по вкусу.*

Мясо нарезать поперек волокон широкими кусками, отбить, посыпать солью, перцем и пожарить на сковороде с маслом до готовности. Картофель вымыть, очистить и отварить в подсоленной воде. На дно глубокой сковороды, смазанной маслом, налить тонкий слой соуса, уложить на него куски мяса, сверху положить ломтики вареного картофеля, залить соусом, посыпать тертым сыром, смешанным с сухарями, сбрызнуть маслом и запечь в духовке до образования на поверхности соуса корочки. Подать баранину в сковороде, полив маслом и посыпав зеленью.
Грибной соус. Грибы вымыть, замочить на 2–3 часа в воде, отварить, мелко нарезать. Лук мелко нашинковать, слегка обжарить на масле. Муку слегка обжарить на масле, добавить грибной бульон, размешать, посолить, проварить 8–10 мин, после чего добавить подготовленные грибы и лук.

374 Жаркое из баранины — Чекдырме по-ташаузски

800 г баранины, 2 ст. ложки топленого жира, 1 кг картофеля, 4–5 помидоров, 2 луковицы; соль, перец, вода, зелень по вкусу.

Баранину с косточками порубить на куски, посыпать солью, перцем, положить в глубокую посуду с жиром и обжарить до образования румяной корочки. Затем добавить мелко нарезанный репчатый лук, нарезанный крупными кубиками картофель и жарить еще 5–7 мин. После чего добавить мелко нарезанные помидоры и жарить, помешивая, еще 3–5 мин. Затем мясо с овощами залить горячей водой так, чтобы она только покрывала содержимое, и тушить до готовности под крышкой на медленном огне. Готовое жаркое выложить в глубокое блюдо или в кясе, залить соусом, в котором оно тушилось, украсить зеленью. По желанию жаркое можно приготовить с морковью, нарезанной кубиками, и болгарским перцем.

375 Баранья нога по-тунисски

1 задняя баранья нога, 100 г сливочного масла, 5–6 картофелин; соль, молотый черный перец, шафран по вкусу.

На мякоти бараньей ноги сделать глубокие надрезы. Развести в $^1/_2$ л воды соль, перец и немного шафрана и полить этой смесью мясо, стараясь, чтобы она проникла в надрезы. Очищенный картофель разрезать на четвертинки и также полить приготовленной смесью. Уложить мясо и картофель на противень, добавить нарезанное маленькими кусочками сливочное масло, поставить в сильно разогретую духовку и, периодически поливая водой, запечь до готовности. При подаче мясо с картофелем выложить на блюдо, полить соком от тушения, украсить зеленью.

Свежемороженое мясо следует размораживать медленно. При быстрой разморозке оно теряет много сока, а после приготовления становится сухим и жестким.

Чтобы жесткое мясо стало более нежным и ароматным, его можно замариновать.

Для маринования мяса можно использовать уксус, лимон, сырое вино, в качестве приправ — соль, черный и красный перец, лук, чеснок, морковь, зелень петрушки, укропа, кинзы и т. п.

Перед тем как залить мясо маринадом, его нужно проколоть в нескольких местах поварской иглой, чтобы оно быстрее промариновалось.

376 Жаркое по-фермерски

500 г говядины, баранины или свинины, 3—4 картофелины, 1—2 моркови, 200 г капусты, 1 луковица, 200 г спаржи, 3—4 зубчика чеснока; масло, соль, перец молотый, перец горошком, лавровый лист, мясной бульон, зелень петрушки или укропа по вкусу.

Мясо нарезать небольшими кусочками, посолить, поперчить и обжарить на масле до появления прижаристой корочки. Картофель вымыть и очистить от кожуры. Морковь очистить и нарезать соломкой. Белокочанную капусту разобрать на листья и нарезать крупными кусками. Репчатый лук очистить и мелко нарезать. Спаржу вымыть и нарезать кусочками. Подготовленные продукты сложить в глубокую посуду, добавить прокипяченный с небольшим количеством воды мясной сок от жарения мяса, соль, перец горошком, лавровый лист, залить мясным бульоном и тушить под крышкой до готовности. При подаче посыпать жаркое мелко рубленным чесноком и зеленью.

377 Мясо с макаронами по-корсикански

600 г говядины, 300 г свинины, 100 г корейки, 1/2 стакана оливкового масла, 3 помидора, 1 луковица, 3 зубчика чеснока, 1 стакан сухого белого вина, 250 г макарон, 100 г твердого сыра; соль, белый молотый перец, зелень петрушки по вкусу.

Говядину и свинину нарезать кубиками и обжарить на оливковом масле в глубокой посуде. Добавить к мясу нарезанную соломкой корейку, нарезанные ломтиками помидоры, нарезанные мелкими кубиками лук и чеснок, влить вино, посолить, поперчить и тушить под крышкой 5—6 мин. После чего влить горячую воду, чтобы она полностью покрыла мясо, и продолжать тушить под крышкой в течение 2 часов. Отдельно отварить в подсоленной воде макароны, откинуть на дуршлаг, промыть водой, выложить в сковороду с мясом, посыпать тертым сыром, зеленью петрушки и запечь в духовке до готовности.

378 Баранина по-бакински

800 г бараньей грудинки или лопатки, 100 г сливочного масла, 2 луковицы, 100 г сушеных слив или кураги; мясной бульон, соль, перец, зелень по вкусу.

Баранину нарубить на кусочки с мясом и костью, сложить в глубокую сковороду с растопленным маслом, посолить, поперчить и обжарить до появления корочки. Затем подлить немного бульона и тушить под крышкой до готовности. За 15 мин до окончания тушения добавить мелко нарезанный репчатый лук и предварительно замоченные в воде сушеные сливы или курагу. При подаче посыпать блюдо зеленью.

379 Плов «Фисмиджан»

800 г бараньего фарша или 850 г курицы, 400 г риса, 200 г сливочного масла, 450 г грецких орехов, 200 г граната, 1 луковица, 2 лепешки из пресного теста, 1 г шафрана на 100 г воды; мясной или куриный бульон, соль, перец, корица по вкусу.

Рис перебрать, замочить на 12 часов в воде с марлевым мешочком с солью, промыть, положить в кипящую подсоленную воду, отварить до полуготовности и откинуть на дуршлаг. В посуду положить масло, пресную лепешку (рецепт 359), засыпать рис, закрыть крышкой и довести плов до готовности на медленном огне. Из бараньего фарша сделать небольшие шарики, положить на сковороду с разогретым маслом, добавить соль, перец, немного воды и тушить до полуготовности под крышкой. Курицу разрубить на куски, посолить, поперчить, обжарить на масле. К баранине или курице добавить слегка обжаренный репчатый лук, немного бульона, грецкие орехи, зерна граната, корицу и тушить до готовности. При подаче рис выложить горкой, сбоку разложить мясо, кусочки лепешки, сбрызнуть плов растопленным маслом и часть плова окрасить настоем шафрана.

380 Плов по-туркменски

800 г баранины, 3 стакана риса, 4–5 морковок, 5–6 луковиц, 1 ¹/₂ стакана смеси растительного масла и растопленного бараньего жира, 1 ¹/₂ л воды; соль, перец по вкусу.

Мясо нарезать мелкими кусками. В глубокой толстостенной посуде прокалить смесь растительного масла и бараньего жира, добавив 1–2 очищенные головки репчатого лука и мясную кость, что придаст плову аромат и окраску. Затем лук и кость вынуть, положить куски мяса, обжарить до образования поджаристой корочки, добавить мелко нарезанные лук и морковь и продолжать обжаривать еще 5 мин. После чего добавить кипящую воду, соль, перец, промытый рис и довести до кипения на большом огне. Затем огонь уменьшить и варить плов под крышкой на медленном огне до готовности. У готового плова рис должен быть мягким и рассыпчатым. При подаче рис смешать с морковью и луком, выложить горкой на блюдо, сверху положить куски мяса. Отдельно к плову подать овощи или овощные салаты.

381 Плов по-узбекски

800 г баранины, 1 стакан риса, 150 г топленого масла, 1–2 луковицы, 1–2 моркови; соль, перец, изюм, курага, урюк или чернослив по вкусу.

Мясо нарезать кубиками, слегка обжарить с маслом в толстостенной посуде, добавить нарезанный полукольцами лук и нарезанную соломкой морковь, все, помешивая, обжарить до образования корочки, добавить бульон, соль, перец и довести до кипения. Затем положить промытый рис и варить плов под крышкой на слабом огне до готовности. Перед окончанием варки в плов можно положить изюм, курагу, урюк или чернослив без косточек. Готовый плов, не размешивая, выложить на блюдо.

Если при варке риса в него добавить немного уксуса, готовый рис приобретет белый цвет. Если при варке риса добавить шафран или лепестки календулы — рис приобретет желтый оттенок.

Если при приготовлении плова положить побольше слегка обжаренных моркови, лука и помидоров, плов приобретет красивый золотистый цвет и отменный вкус.

Чтобы рис получился рассыпчатым нужно использовать полированный рис. Перед приготовлением его нужно промыть. Опускать рис нужно в кипящую воду, так, чтобы она покрыла его на 1,5–2 см, и варить под плотно закрытой крышкой до готовности не перемешивая.

382 Плов с тыквой

800 г баранины, $^1/_2$ кг тыквы, 3 стакана риса, 4 моркови, 5 луковицы, $1^1/_2$ стакана смеси растительного масла и растопленного бараньего жира, 1 $^1/_2$ л воды; соль, перец по вкусу.

Молодую тыкву вымыть, очистить от кожуры и семенной части, нарезать небольшими тонкими ромбиками, посолить и обжарить на растительном масле до готовности. В остальном этот плов готовят так же, как и плов по-туркменски (рецепт 367). При подаче рис, смешанный с луком и морковью, выложить на блюдо горкой, мясо с тыквой положить по периметру блюда, сверху выложить оставшиеся кусочки тыквы.

383 Казанский плов

800 г мяса, 1 стакан риса, 100 г топленого масла или бараньего сала, 1–2 луковицы, 1–2 моркови; соль, перец, изюм, урюк без косточек или курага по вкусу.

Баранину, говядину или молодую конину вымыть, зачистить от пленок и сухожилий, залить водой, добавить соль, перец, лавровый лист, коренья и отварить до готовности. Вареное мясо вынуть, остудить и нарезать небольшими кубиками или брусочками. Рис перебрать, промыть несколько раз горячей водой и сварить в подсоленной воде до полуготовности. В неглубоком котле или другой толстостенной посуде растопить масло или сало, положить туда нарезанное вареное мясо, сверху положить кружочки очищенной моркови и кольца ощищенного репчатого лука. На овощи положить подготовленный рис, влить немного мясного бульона и варить плов под крышкой, не перемешивая, на слабом огне в течение 1–1,5 часа. Готовый плов выложить в большую тарелку или блюдо, на плов выложить распаренный в кипятке изюм, урюк без косточек или курагу.

384 Плов лоби-чилов

700 г баранины, 400 г риса, 200 г белой фасоли, 200 г топленого масла, 200 г кишмиша, 1 пресная лепешка; соль, перец, корица, шафран по вкусу.

Баранью корейку или другую часть баранины нарезать средними по величине кусками, слегка обжарить в сковороде на масле с добавлением шинкованного репчатого лука, залить горячим мясным бульоном, добавить соль, перец, настой шафрана и тушить под крышкой до готовности. Предварительно замоченный рис отварить в кипящей подсоленной воде до полуготовности и откинуть на сито. Отдельно отварить предварительно замоченную фасоль и откинуть на дуршлаг. На дно кастрюли положить пресную лепешку, масло, вылить настой шафрана, довести до кипения, насыпать слой риса и нагревать до образования корочки-казмача. После этого рис смешать с фасолью, положить в отдельную кастрюлю, полить настоем шафрана и маслом и довести до готовности под крышкой на слабом огне. Отдельно на масле слегка обжарить кишмиш. При подаче выложить горкой рис с фасолью, с боков положить мясо, казмач, кишмиш. Сверху полить плов маслом и посыпать корицей.

385 Толма в капустных листьях

1 кг капусты, 200 г кураги, 200 г айвы или яблок, 1 луковица, 2 ст. ложки топленого масла, 1–2 помидора или 2 ст. ложки томатной пасты; бульон или вода по вкусу.
Для начинки:
500 г баранины, 2–3 ст. ложки риса, 1–2 луковицы, 50 г зелени петрушки, кинзы, мяты, базилика, чабреца; соль, перец по вкусу.

Из кочана капусты вырезать кочерыжку, положить капусту в подсоленный кипяток и варить до полуготовности. Затем капусту откинуть на сито и, когда вода стечет, разобрать кочан на отдельные листья, грубые стебли срезать ножом. После этого положить на листья капусты начинку (рецепт 386), листья завернуть в виде конверта. В кастрюлю положить разрубленные кости, оставшиеся после отделения мякоти, и слой капустных листьев, сверху уложить рядами толму, а в промежутках между ними — нарезанные дольками курагу, айву или яблоки, нарезанный кольцами репчатый лук. После этого добавить масло, свежие помидоры или обжаренную томатную пасту, влить горячий бульон или воду и прикрыть опрокинутой тарелкой. Кастрюлю закрыть крышкой и на небольшом огне тушить толму до готовности. При подаче толму выложить на блюдо или на тарелки, полить подливкой, которая образовалась при тушении, рядом с толмой положить курагу, айву или яблоки.

386 Толма в виноградных листьях по-еревански

500 г виноградных листьев; бульон или вода по вкусу.
Для начинки:
500 г баранины, 2–3 ст. ложки риса, 1–2 луковицы, 50 г зелени петрушки, кинзы, мяты, базилика, чабреца; соль, перец по вкусу.
Для мацуна:
чеснок или сахар, корица по вкусу.

Свежие виноградные листья положить в кипяток на 2–3 мин, но не кипятить, чтобы они не сварились. После чего у листьев удалить стебли. На 1–2 подготовленных виноградных листа выложить начинку и свернуть листья в виде конвертиков. В кастрюлю положить рубленые кости, оставшиеся после отделения от них мякоти, и виноградные листья. Сверху уложить рядами подготовленную толму, влить немного бульона или воды и плотно прикрыть опрокинутой тарелкой. Кастрюлю закрыть крышкой и на слабом огне довести толму до готовности. При подаче толму полить образовавшейся при тушении подливкой. В кислое молоко-мацун добавить измельченный чеснок или сахар с корицей, полить им толму и подать его отдельно.

Начинка. Мякоть баранины отделить от костей и пропустить через мясорубку. В полученный фарш добавить полуотваренный рис, соль, перец, мелко нарезанные лук, зелень петрушки, кинзы, мяты, базилика, чабреца. Все тщательно перемешать.

387 Колбаски по-селянски

Свиные кишки; сало, репчатый лук, овощи, зелень по вкусу.
Для фарша:
1 кг свинины, 400 г свиного сала, 8 зубчиков чеснока, 2–3 ч. ложки соли; перец по вкусу.

Свиные кишки прополоскать несколько раз в холодной воде, тупой стороной ножа снять с наружной поверхности кишок жир и замочить кишки на 4 часа в теплой воде. Затем вывернуть кишки наизнанку, натереть солью, тщательно соскоблить слизистую оболочку, несколько раз промыть в холодной воде и вывернуть на лицевую сторону. Подготовленные кишки наполнить фаршем, перевязать или перекрутить через каждые 10–15 см и поставить в холодильник на 5–6 часов. После этого колбаски проколоть в нескольких местах вилкой и жарить на сковороде с салом и нарезанным кольцами луком. Подать колбаски с жареными картофелем и луком, овощами и зеленью.

Фарш. Половину сала промолоть на мясорубке. Остальное сало и мясо нарезать мелкими кусочками, добавить молотое сало, соль, перец, тертый чеснок, все тщательно перемешать.

388 Жареная домашняя колбаса

Жирная свинина, свиные кишки; соль, перец, чеснок, водка по вкусу.

Жирную свинину нарезать кусочками, смешать с тертым чесноком, черным молотым перцем, добавить соль, водку, еще раз перемешать и поставить в закрытой посуде в холодильник на 2–3 часа. После чего заполнить получившимся фаршем подготовленные свиные кишки (рецепт 387), концы кишок перевязать и жарить колбасу во фритюре (рецепт 344) до готовности. Охлажденную колбасу хранить в холодильнике 2–3 дня.

При обжаривании изделий из мясного фарша, их нужно положить на сковородку с очень горячим жиром и обжаривать со всех сторон до образования румяной корочки, и лишь после этого доворить до готовности на умеренном огне.

Если мясо слегка залежалось и у него появился неприятный «душок», его нужно положить в холодную воду с добавлением уксуса, или в слабый поцеженный раствор ромашки, или в слабый раствор марганцовки, а затем промыть.

Мясо кролика станет сочнее, если после маринования его нашпиговать сильно охлажденным свиным салом, нарезанным брусочками.

389 Купаты

Кишки свиные, 2 ст. ложки топленого сала, 2 луковицы, 1–2 помидора, 2 свежих или соленых огурца; зелень петрушки, базилика, соус ткемали по вкусу.
Для фарша: *500 г свинины без костей, 1 луковица, 3 зубчика чеснока, 2 ст. ложки зерен граната; соль, перец, хмели-сунели, корица, гвоздика по вкусу.*

Подготовленные кишки (рецепт 387) набить фаршем, концы кишок завязать ниткой, придав им форму подковы, и жарить на сковороде с добавлением жира. Купаты можно жарить над углями на мангале или на гриле. Готовые купаты выложить на блюдо вместе с нарезанным тонкими кольцами репчатым луком, помидорами, свежими или солеными огурцами, зеленью петрушки и базилика. Ткемалевый соус подать отдельно.
Фарш. Свинину промолоть на мясорубке, добавить мелко нарубленные лук и чеснок, зерна граната, соль, перец, хмели-сунели, корицу, гвоздику.

390 Круглая колбаса – шырдан

Желудок; жир, соль по вкусу.
Для фарша:
1 кг мяса, 1 стакан овсяной крупы, 4 луковицы или 6 зубчиков чеснока, 1 стакан воды; соль, перец по вкусу.

Очищенный и хорошо промытый желудок наполнить фаршем, края желудка соединить и плотно зашить ниткой. Натереть желудок снаружи солью, придать ему форму каравайчика, положить в смазанную жиром, не очень глубокую посуду, плотно закрыть крышкой или миской и поставить в духовку или печь на $1\,^1/_2$–2 часа. После чего убавить жар и при невысокой температуре постепенно высушить готовую колбасу.
Фарш. Мякоть свинины, говядины или баранины нарезать небольшими кусочками, добавить подсушенную овсяную крупу, нарезанный дольками репчатый лук или чеснок, перец, соль, влить воду и все хорошо перемешать.

391 Кролик запеченный

*Тушка кролика,
100–150 г жира,
500 г сметаны, 2 ст. ложки
томатной пасты, 1/4 ч. ложки
красного жгучего перца;
соль по вкусу.*

Обработанную тушку положить в глубокую посуду и залить холодной водой. Воду периодически менять до тех пор, пока мясо не станет белым. На противне разогреть жир, положить натертого солью кролика, облить его жиром и поместить в разогретую духовку. Запекать кролика 1 час 30 мин или больше, в зависимости от возраста кролика. Через каждые 15 мин поливать соусом и, по мере выпаривания, подливать воду на противень. Разрезать кролика на куски, уложить в кастрюлю, добавить воду, сметану, томатную пасту, красный молотый перец и тушить кролика под крышкой в течение 1 часа. Подать кролика на продолговатом блюде с отварным или жареным картофелем, зеленым горошком, салатом, клюквой.

392 Зайчатина, запеченная в сметане

*600 г зайчатины,
7 картофелин, 1 луковица,
1/2 стакана брусники,
4 ст. ложки жира, 5 ст. ложек
сметаны; соль, маринад по вкусу.*
Для маринада:
*1 луковица, 1 морковь,
2 стакана столового уксуса,
1 ст. ложка сахара,
1 ч. ложка соли; лавровый лист,
перец, гвоздика по вкусу.*

Подготовленную тушку зайца разрезать на небольшие куски и вымочить в холодной воде, несколько раз сменяя воду, пока вода не станет окрашиваться. Затем тушку залить маринадом и поставить в прохладное место на 4 часа для молодой зайчатины и до суток для старой. После этого куски зайчатины вынуть из маринада, обсушить и обжарить на сковороде с хорошо разогретым жиром. Добавить нарезанный брусочками и обжаренный картофель, нарезанный полукольцами и обжаренный лук, бруснику, залить сметаной и запечь в духовке.

Маринад. Овощи мелко нарезать, добавить все остальные компоненты маринада, прокипятить на слабом огне и охладить.

393 Гуляш из крольчатины

*1 кроличья тушка (около 1,5 кг),
150 г говяжьего жира,
2 луковицы, 2 морковки, 1 ст.
ложка муки, 200 г томатного
соуса; соль, красный молотый
перец, лавровый лист, укроп
и петрушка по вкусу.*

Обработанную тушку порубить на части, положить в глубокую посуду и залить холодной водой. Воду периодически менять до тех пор, пока мясо не станет белым. Мясо нарезать на небольшие кусочки, положить в кастрюлю, залить холодной водой, чтобы вода полностью покрыла мясо, закрыть крышкой и варить на среднем огне около 1 часа. Затем мясо выложить в глубокую сковороду и обжарить в течение 15 мин на говяжьем жире, добавив мелко нарезанный лук и натертую на терке морковь. Сверху посыпать мясо мукой, полить томатным соусом, посолить, поперчить, посыпать нарезанными укропом и петрушкой и тушить до готовности под крышкой. Готовый гуляш подать с лапшой или отварным картофелем. Из оставшегося мясного бульона можно приготовить суп.

394 Жаркое из кролика

*1/2 кроличьей тушки,
6 картофелин, 2 моркови,
2–3 луковицы, 1/2 стакана
сметаны, 2 ст. ложки томатной
пасты, 50 г масла; соль, перец,
лавровый лист по вкусу.*

Обработанную тушку кролика разрезать на куски, положить в глубокую посуду и залить холодной водой. Воду периодически менять до тех пор, пока мясо не станет белым. Вымоченные куски натереть солью, перцем и обжарить на масле до образования румяной корочки. Затем переложить куски в кастрюлю, добавить крупно нарезанный картофель, кружочки моркови, нарезанный кольцами лук, томатную пасту, сметану, лавровый лист, воду и тушить под крышкой до готовности. При подаче разложить жаркое на тарелки и полить оставшейся подливой.

Если перед запеканием мясо перевязать тонким шпагатом, то его легче будет резать тонкими ломтиками.

Большой кусок жесткого мяса нужно на несколько часов смазать со всех сторон горчицей, а перед приготовлением промыть и слегка посолить.

Чтобы мясо было более мягким и ароматным, его лучше тушить в закрытой посуде.

Если хотите придать жаркому пикантный вкус, добавьте немного приправы карри.

395 Крученики по-салехардски

400 г свиной вырезки, 400 г оленьей или говяжьей вырезки, 2–3 луковицы; масло, соль, черный молотый перец по вкусу.

Свиную, оленью или говяжью вырезку нарезать тонкими ломтями, отбить, посыпать солью, черным молотым перцем. На каждый кусок оленины или говядины положить кусок свинины, сверху положить обжаренный лук, все свернуть рулетиками, перевязать нитками и жарить со всех сторон на масле до готовности, поливая выделившимся соком. При подаче снять с крученников нитки, уложить на блюдо, полить мясным соком.

396 Голубцы с сосисками

1 кочан капусты, 500 г сосисок, 200 г сметаны, 1 ст. ложка муки, 2 ст. ложки томатной пасты; соль, сахар, зелень петрушки по вкусу.
Для соуса с корнишонами:
1 ст. ложка муки, 2 ст. ложки масла, 1 стакан бульона, 1 луковица, 2–3 корнишона или небольших маринованных огурца; соль, сахар по вкусу.

Кочан капусты с вырезанной кочерыжкой опустить в подсоленную кипящую воду и варить на слабом огне. Верхние размягченные листья постепенно снимать и срезать с них утолщения. На каждый лист положить сосиску без оболочки, края листа свернуть рулетом. На дно кастрюли уложить капустные листья, на них сложить полученные голубцы, сверху накрыть капустными листьями, посолить, влить капустный отвар и варить под крышкой на слабом огне 10–15 мин. Сметану размешать с мукой, добавить томатную пасту, соль, сахар, все перемешать. Полученной смесью залить голубцы и тушить в духовке 20–30 мин. Подать, посыпав зеленью, с соусом из огурцов или корнишонов.
Соус с корнишонами. Муку обжарить на масле, развести бульоном, добавить натертый на терке лук, нарезанные мелкими кубиками огурцы, соль, сахар и, помешивая, прокипятить.

397 Мясо по-якутски

1 кг мяса, 100 г сала для шпигования, 2–3 луковицы, 3–4 моркови, 2 ст. ложки жира; соль, перец, лавровый лист по вкусу.

Кусок оленины или говядины обмыть, обсушить салфеткой, нашпиговать салом, посыпать солью и перцем, положить на смазанный жиром противень или сковороду, подлить воды или бульона. Затем поставить мясо в духовку и запекать при умеренной температуре, периодически поливая образовавшимся соком. Через 1 час положить на противень нарезанную кружочками морковь, нарезанный полукольцами лук и запечь мясо и овощи до готовности. При необходимости подлить горячую воду или бульон. За 7–8 мин до окончания запекания положить в овощи перец горошком и лавровый лист. При подаче выложить мясо и овощи на блюдо.

398 Язык по-старомосковски

400 г говяжьего, телячьего или свиного языка, 150 г копченой грудинки, 1 морковь, 1 небольшая репка, 1 корень петрушки, 3–4 картофелины, 200 г брюссельской капусты, 1 луковица, 1 ст. ложка муки; сливочное масло, мясной бульон, соль, перец горошком, лавровый лист, зелень по вкусу.

Язык отварить до полуготовности, очистить от кожи, нарезать на куски, положить в горшок, добавить ломтики копченой грудинки, нарезанные мелкими дольками морковь, репу, корень петрушки, нарезанные кубиками картофель и капусту, целые кочешки брюссельской капусты, разрезанный на дольки репчатый лук, соль, черный перец горошком, лавровый лист. Залить бульоном и тушить в духовке при слабом кипении до готовности. Муку слегка обжарить на масле, развести бульоном и прокипятить. Влить полученный соус в горшок, все перемешать и прокипятить. Подать язык в горшке с зеленью петрушки.

Печень получится особенно нежной, если перед приготовлением ее подержать некоторое время в молоке.

Некоторые считают, что для быстрого приготовления говяжьей или свиной печени ее надо отбить. Это не следует делать. Лучше порезать печенку тоненькими ломтиками и быстро обжарить на сильном огне — получится вкуснее.

Лишние 2–3 минуты обжаривания говяжьей или свиной печени портят вкус и делают печень жесткой и сухой.

Чтобы сливочное масло при жарке не потемнело, нужно раскаленную сковороду предварительно смазать любым жиром или прокалить с растительным маслом.

399 Печень, запеченная в горшочках

500 г печени, 8 картофелин, 2 луковицы, 1 морковь, 1–2 помидора, 4 ст. ложки масла; соль, перец, лавровый лист, чеснок, зелень по вкусу.

Подготовленную говяжью или свиную печень (рецепт 171) нарезать кусками, обжарить на масле, положить в керамические горшочки или другую посуду. Добавить нарезанные дольками картофель, помидоры, лук и морковь, соль, перец, лавровый лист, залить горячей водой или бульоном. Накрыть горшочки крышками, поставить в духовку и тушить до готовности 15–20 мин. При подаче посыпать рубленым чесноком и зеленью.

400 Печень, тушенная под соусом

500 г печени, 80 г свиного сала, 1 соленый огурец; соль, перец, чеснок по вкусу.
Для соуса:
1 ст. ложка муки, 1 ст. ложка томатной пасты, 2 ст. ложки масла, 2 стакана воды или бульона, 1 луковица, 1 морковь, корень петрушки; соль по вкусу.

Подготовленную свиную или говяжью печень (рецепт 171) нарезать небольшими кусочками. Свежее сало мелко нарезать, положить на сковороду, растопить и обжарить на нем кусочки печени. Соленый огурец нарезать на дольки и слегка потушить. У больших огурцов с грубой кожей и крупными семенами кожу очистить, семена удалить. К обжаренной печени добавить огурцы, соль, перец, измельченный чеснок, соус и тушить до готовности. Подать с отварным или жареным картофелем.
Соус. Муку обжарить с 1 ст. ложкой масла до темно-коричневого цвета, положить томатную пасту и развести водой или мясным бульоном. Добавить слегка обжаренные на масле, мелко нарезанные лук, морковь, корень петрушки, посолить и проварить при слабом кипении 20–30 мин. Соус процедить, овощи протереть сквозь сито, положить в соус и все размешать.

401 Печень в кляре

500 г говяжьей или свиной печени, 1 зубчик чеснока; соль, жир для жаренья по вкусу.
Для кляра:
2 яйца, 5 ст. ложек сметаны, 5 ст. ложек муки; соль по вкусу.

Подготовленную печень (рецепт 171) нарезать тонкими ломтиками, слегка отбить, посыпать солью, мелко нарубленным чесноком, смочить в кляре (рецепт 341) и обжарить на раскаленной сковороде с жиром с двух сторон. Подать печень с картофелем, свежими помидорами, огурцами, морковью, украсив листьями салата, зеленью петрушки и ягодами.

402 Оладьи из печени

500 г печени, 1 кусок белого хлеба, 2 ст. ложки масла; соль, перец по вкусу.

Говяжью или свиную печень промолоть на мясорубке, добавить натертый на терке черствый хлеб, соль, перец, хорошо вымесить и разделать в форме лепешек. Затем жарить на сковороде с маслом с обеих сторон до образования золотистой корочки. Подавать с квашеной капустой, солеными огурцами, зеленью.

403 Печень по-царски

1 кг печени, 5 яиц, 1 ч. ложка соды, 3 ст. ложки манки, 4 луковицы, 3 моркови; соль, равные количества сметаны и майонеза по вкусу.

Печень и лук пропустить через мясорубку, вбить яйца, посолить, добавить соду и манку. Полученную массу взбить и выпечь из нее оладьи. Оладьи сложить в толстостенную посуду, пересыпая измельченными луком и морковью, слегка обжаренными с маслом, полностью залить оладьи смесью сметаны с майонезом и тушить в нагретой духовке около 30 мин.

Блюда из птицы

404 Оладушки-ладушки из курицы

500 г куриного мяса или фарша, 2 яйца, 100 г пшеничного хлеба, $^1/_2$ стакана молока; соль, растительное масло или сливочный маргарин, масло сливочное, помидоры, свежие огурцы, зеленый горошек, морковь, салат из свежей капусты по вкусу.

Курицу отварить в подсоленной воде, охладить, мясо отделить от костей, пропустить через мясорубку. Черствый белый хлеб замочить в молоке и тоже пропустить через мясорубку. К куриному фаршу добавить хлеб, хорошо взбить, добавить соль, яичные желтки и перемешать. Яичные белки охладить, взбить, ввести в куриную массу и перемешать до получения однородной массы. Из полученной массы сделать оладушки, обжарить с обеих сторон на масле и довести до готовности в духовке. Подать оладушки-ладушки с овощами или с салатом из свежей капусты.

405 Цыплята по-ростовски

2 цыпленка, 100 г сливочного масла, 8 помидоров, 1–2 баклажана, 2–3 луковицы, 2 сладких перца; соль, перец горошком, гвоздика, зелень по вкусу.

В кастрюлю положить масло и уложить слой разрезанных пополам помидоров. На помидоры положить распластанные тушки цыплят и посолить. Затем уложить второй слой помидоров, нарезанные кружочками баклажаны, нарезанные кольцами лук и сладкий перец, посолить, добавить гвоздику и перец горошком. Кастрюлю плотно закрыть крышкой и тушить цыплят на слабом огне до готовности. При подаче посыпать зеленью.

406 Курица с рисом в горшочках

400 г куриного филе, 2 луковицы, 2 зубчика чеснока, 2 ст. ложки лимонного сока, 8 ст. ложек риса, соль, красный молотый перец, соевый соус по вкусу.

Куриное филе нарезать кусочками, сложить в миску, добавить мелко нарезанный репчатый лук, чеснок, соль, перец, соевый соус, лимонный сок, все перемешать, накрыть крышкой и поставить в холодильник на 3–4 часа. В четыре горшочка насыпать по 2 ст. ложки риса, залить водой на 10–15 мм выше уровня риса, разложить куриную массу вместе с соком и поставить в холодную духовку. Включить нагрев духовки до температуры 200–220° и тушить курицу с рисом до готовности риса 30–40 мин. Готовое блюдо подавать прямо в горшочках.

407 Цыплята, жаренные на решетке

2 цыпленка, 1 ч. ложка черного молотого перца, 2 зубчика чеснока, 2 ст. ложки лимонного сока; соль, кукурузное или другое растительное масло, зелень, томатный или чесночный соус по вкусу.

Подготовленных цыплят разрезать вдоль по грудной части, разровнять, натереть смесью из соли, перца, тертого чеснока, лимонного сока, сложить в миску, накрыть крышкой и оставить на 25–30 мин. Подготовленных цыплят смазать маслом и пожарить с обеих сторон на решетке мангала или гриля до готовности. Готовых цыплят уложить на тарелки, украсить зеленью. Отдельно подать томатный или чесночный соус (рецепт 428).

408 Цыпленок по-мордовски

*1 цыпленок;
топленое масло, соль, свежие
овощи, зелень по вкусу.*
Для фарша:
*3 ст. ложки риса, 3/4 стакана
воды, 1 ст. ложка масла, 2 яйца,
1 ст. ложка клюквы или
брусники; соль по вкусу.*

Подготовленного цыпленка отварить в подсоленной воде, вынуть и слегка охладить. Затем наполнить цыпленка фаршем, зашить нитками и обжарить на масле до готовности. При подаче нитки удалить, цыпленка разрезать пополам, выложить на блюдо, украсить свежими овощами и зеленью. Отдельно можно подать соус из хрена со сметаной (рецепт 12).

Фарш. Промытый рис всыпать в кипящую подсоленную воду, добавить сливочное масло, плотно закрыть крышкой и варить на слабом огне до готовности. Затем рис немного охладить, добавить мелко нарезанный обжаренный лук, сырые яйца, клюкву или бруснику и все перемешать.

409 Курица по-каирски

*1 курица, 5 яиц, 2 луковицы,
2 ст. ложки рубленой зелени,
2 ст. ложки лимонного сока;
сливочное масло, мука,
соль по вкусу.*
Для маринада:
*2 зубчика чеснока, 1/2 стакана
воды, 1 ст. ложка лимонного
сока, 2 ст. ложки рубленой
зелени; соль по вкусу.*

Курицу отварить, разрубить на куски, залить маринадом и оставить на 2 часа. Яйца взбить, добавить мелко рубленный, обжаренный на масле лук, мелко рубленную зелень, лимонный сок, соль, все перемешать. Маринованные куски курицы обвалять в муке, обмакнуть в яичную массу, уложить на разогретую с маслом сковороду, залить оставшейся яичной массой и запечь до готовности в духовке. Подать с отварным рисом, смешанным с обжаренными на масле дольками помидоров и кольцами лука.

Маринад. Натертый на мелкой терке чеснок залить кипяченой водой, добавить соль, лимонный сок, мелко рубленную зелень.

Для отделения мяса от костей домашней птицы всегда используйте маленький острый ножик и делайте надрезы близко к костям.

Чтобы отделить филе, сделайте разрез вдоль кимвидной кости с одной стороны. Продвигая лезвие ножа близко к кости, срежьте филе полностью. Таким же образом срежьте филе с другой стороны. Аккуратно отделите большое и малое филе. Из малого филе ножом вырежьте сухожилие.

Если при обжаривании в духовом шкафу тушка птицы сильно подрумянилась, но внутри еще сырая, прикройте ее влажной пергаментной бумагой.

410 Курица «Альбуфера»

1 курица, 2 ст. ложки оливкового масла; соль, перец по вкусу.
Для начинки:
1 луковица, 1 морковь, 3 зубчика чеснока, 1 ст. ложка оливкового масла, 200 г свежих грибов, 100 г миндаля, 200 г капусты, 100 г чернослива без косточек, $1/2$ стакана красного сухого вина, 1 ст. ложка сушеной мяты, 100 г тертых сухарей, 2 ст. ложки сливочного масла; соль, перец по вкусу.

Курицу промыть, обсушить, натереть снаружи и изнутри солью и перцем, наполнить начинкой, положить на противень брюшком вниз, смазать оливковым маслом и жарить в духовке до готовности, периодически поливая выделившимся соком. Подать с виноградом и жареным картофелем.

Начинка. Нарезанный кубиками лук, натертую на крупной терке морковь, измельченный чеснок обжарить, помешивая, в сковороде на оливковом масле в течение 5 мин. Добавить нарезанные грибы и жарить еще 5 мин. Положить в сковороду измельченный миндаль, крупно нарезанную капусту, предварительно замоченный в вине чернослив вместе с вином, мяту, тертые сухари, соль, перец, сливочное масло и тушить под крышкой, пока капуста не станет мягкой.

411 Курица под грибным соусом

1 курица, 1 кг картофеля; соль, топленое масло, соус грибной по вкусу.

Обработанную тушку курицы промыть в холодной воде, целиком отварить в подсоленной воде и нарезать на куски. Картофель очистить, клубни разрезать пополам и отварить с солью отдельно. Отварной картофель уложить на смазанную маслом глубокую сковороду, на картофель положить куски курицы, все залить грибным соусом (рецепт 305), закрыть сковороду крышкой, поставить на плиту или в духовку и тушить в течение 30 мин. Готовую курицу подать на стол в сковороде.

412 Курица под медовым соусом

800 г куриных ножек и крылышек, 100 г ветчины, 1 яйцо, 1 ст. ложка молока, 1 ст. ложка сливочного масла, 1 ст. ложка оливкового масла, цедра и сок 1 апельсина и 1 лимона, 4 ст. ложки меда, 1 ст. ложка столовой горчицы, 1 зубчик измельченного чеснока, 1 ст. ложка тертого имбиря; соль, молотый черный перец по вкусу.

Куриные ножки, крылышки окунуть во взбитое с молоком яйцо, обвалять в тертых сухарях, сложить в глубокую посуду с разогретым сливочным и оливковым маслом и обжарить с каждой стороны до появления прижаристой корочки. Отдельно пожарить тонкие полоски ветчины и выложить на курицу. Тертую цедру и сок апельсина и лимона, жидкий мед, столовую горчицу, тертые чеснок и имбирь, соль, перец смешать, полить полученным соусом курицу, довести до кипения, поставить посуду с курицей в духовку и тушить под крышкой около 1 часа, часто поливая медовым соусом. Подать курицу в том же блюде, в котором она тушилась. Украсить зеленью.

413 Рулетики из куриных филе

8 куриных филе, 200 г шампиньонов, 2 луковицы, 100 г сыра, 100 г тертых грецких орехов; соль, кукурузное масло по вкусу.

Грибы отварить, мелко нарезать, смешать с мелко нашинкованным и обжаренным на масле луком и солью. Сыр натереть на крупной терке и смешать с тертыми орехами. Куриные филе аккуратно отбить до возможно малой толщины. На подготовленные филе выложить лук и грибы. Свернуть филе рулетиками, перевязать нитками, смазать маслом, посолить, выложить на смазанный маслом противень, посыпать сыром с орехами, поставить в горячую духовку и выпекать при температуре 250° в течение 15–20 мин, периодически поливая выделившимся соком. При подаче нитки снять, рулетики нарезать поперек.

414 Курица в вине с вишней

1 курица, 1 стакан красного сухого вина, 3 ст. ложки коньяка или водки, 1 ч. ложка порошка карри; масло, мука, соль, черный и душистый перец горошком, лавровый лист, вишня по вкусу.

Курицу порубить на куски, посолить, поперчить, обвалять в муке, слегка обжарить на разогретой сковороде с маслом до золотистой корочки, полить коньяком или водкой и поджечь. Когда горение прекратится, залить курицу вином, добавить карри, несколько горошин черного и душистого перца, лавровый лист, вишню, посолить, поперечить и тушить на медленном огне до готовности, поливая курицу образовавшимся соком.

415 Куриные филе с ананасом

500 г куриных филе, 1 зубчик чеснока, 2 ст. ложки соевого соуса, 200 г консервированного ананаса с соком; соль, масло, майонез, приправа для супа по вкусу.

Куриные филе нарезать полосками, натереть солью с растертым чесноком, обжарить на масле в сковороде до подрумянивания, смазывая майонезом и поливая соевым соусом. Добавить ломтики ананаса, полить соком ананаса, смешанным с приправой для супа, и потушить под крышкой в течение 10–15 мин.

416 Цыплята с фруктами

2 цыпленка, 2 ст. ложки топленого масла, 100 г изюма, 100 г чернослива, 1 луковица; соль, сметана, зелень по вкусу.

Тушкам цыплят придать плоскую форму, посолить, смазать сметаной и обжарить на масле с обеих сторон до подрумянивания. Затем цыплят разрубить на 2 части, положить в посуду, добавить изюм, чернослив, поджаренный лук, подлить немного воды и тушить под крышкой 20 мин. При подаче цыплят полить соусом из фруктов, в котором они тушились, посыпать зеленью.

417 Плов с курицей

1 курица, 2 стакана риса, 3 моркови, 3 луковицы, 200 г растительного масла, 2–3 стакана воды; соль по вкусу.

Морковь нарезать соломкой, лук — полукольцами. Рис тщательно промыть. Курицу разрезать на части и обжарить в глубокой толстостенной посуде на хорошо разогретом кукурузном, хлопковом или другом растительном масле. Продолжая обжаривать, положить морковь, лук, посолить и, перемешивая, обжарить до зарумянивания. Затем всыпать рис, разровнять, влить горячую воду, чтобы она покрывала рис примерно на 1,5 см, закрыть плотно крышкой. Можно обложить крышку влажным полотенцем, чтобы вода меньше выпаривалась. Варить плов на слабом огне около 30–40 мин.

418 Курица по-абхазски

1 курица, 3–4 луковицы, 1 л молока, 1/2 ч. ложки шафрана, 2–3 пучка свежей мяты перечной или 2 ст. ложки сушеной мяты, 1/2 кг мягкого сыра; соль, чеснок по вкусу.

Подготовленную курицу нарезать на куски, положить в кастрюлю, добавить мелко нарезанный репчатый лук, залить водой так, чтобы она едва покрывала курицу, и тушить на слабом огне до полуготовности. Затем влить горячее молоко, добавить тертый шафран, мелко нарезанную мяту, довести до кипения и тушить курицу под крышкой до готовности. Выключить огонь и, не снимая кастрюли с плиты, добавить к курице мелко нарезанный сыр и тертый чеснок. Через 5–7 мин все перемешать, посолить, разложить в тарелки и подать к столу.

419 Курица по-черкесски

1 курица, 6–8 зубчиков чеснока; соль по вкусу.
Для соуса:
100 г топленого масла, 1 луковица, 2 ст. ложки муки, 1/2 ч. ложки красного молотого перца, 1 стакан сметаны; соль, куриный бульон, чесночная соль по вкусу.

Подготовленную тушку курицы разрезать на части по суставам, опустить в кипящую подсоленную воду и варить, снимая пену, до готовности. Готовую курицу переложить в глубокую миску, добавить часть растертого с солью чеснока, плотно закрыть крышкой и встряхнуть миску с курицей несколько раз. Куски курицы выложить в горячий соус, при необходимости добавить оставшуюся чесночную соль и перемешать.

Соус. Кастрюлю с топленым маслом поставить на слабый огонь. Когда масло закипит, положить в него мелко порубленный репчатый лук и обжаривать в масле, добавляя понемногу муку и размешивая. Затем добавить красный молотый перец и обжарить все вместе. Соус охладить и развести остывшим куриным бульоном до нужной консистенции, вливая бульон тонкой струйкой и медленно размешивая. Затем добавить в соус сметану, соль и довести соус до кипения.

420 Цыплята по-каталонски

2 цыпленка для жарки, 2 ст. ложки оливкового масла, 2 ст. ложки сливочного масла, 1 луковица, 50 г корня сельдерея, 20 мелких молодых морковок, 3 зубчика чеснока, 200 г свежих грибов; куриный бульон, тимьян, шалфей, соль, молотый черный перец, шафран по вкусу.

Цыплят натереть солью, перцем, мелко нарубленными тимьяном и шалфеем и обжарить со всех сторон в глубокой посуде с разогретым оливковым и сливочным маслом в течение 5–10 мин. После чего цыплят вынуть, в посуду положить мелко нарезанные лук, чеснок, корень сельдерея и все обжарить в течение 5 мин. Добавить мелко нарезанные грибы и обжаривать, помешивая, еще 5 мин. Положить в посуду цыплят, молодые мелкие морковки, влить бульон, настой шафрана, посолить, поперчить, довести до кипения, убавить огонь и тушить под крышкой 30–35 мин. При подаче цыплят и вареную морковь выложить на блюдо. Соус от тушения подать отдельно.

421 Барбекю из куриных филе

4 куриных филе, 3 зубчика чеснока, 3 ст. ложки порошка чили, 1 ст. ложка оливкового или кукурузного масла, 2 ст. ложки лимонного сока; соль, зелень по вкусу.

Куриные филе натереть смесью тертого чеснока, порошка чили, масла и лимонного сока, посолить и, периодически переворачивая, жарить на решетке мангала над средним огнем около $^1/_2$ часа. У готовых филе сок от прокола тонким ножом должен быть прозрачным. Подать филе с зеленью.

422 Куриные филе по-андалузски

12 куриных филе, 1 луковица, 1 сладкий перец, 3 зубчика чеснока, 400 г консервированных помидоров с соком, 1–2 лавровых листа, 1 ст. ложка мелко нарезанного базилика, 1 стакан куриного бульона, 150 г риса, 300 г зеленого горошка, 100 г маслин без косточек; соль, перец, оливковое масло, базилик по вкусу.

Куриные филе без кожи посолить, поперчить и обжарить на разогретом оливковом масле в глубокой сковороде с двух сторон до появления поджаристой корочки. Обжаренные филе вынуть, положить в миску и накрыть крышкой. Нарезанный кольцами лук, очищенный от семян и нарезанный соломкой сладкий перец, измельченный чеснок положить в сковороду, в которой жарились филейчики, и жарить, помешивая, 5 мин. Затем добавить помидоры, лавровый лист, базилик, влить томатный сок и бульон, посолить, поперчить, довести до кипения, добавить рис, убавить огонь и тушить под крышкой 10—15 мин. После чего положить на рис куриные филе, накрыть сковороду крышкой и тушить еще 10 мин. Затем добавить зеленый горошек, довести до кипения, убавить огонь и тушить куриные филе с рисом под крышкой до готовности. При подаче выложить рис с овощами горкой на блюдо, сверху положить филе. Блюдо украсить веточками базилика и маслинами.

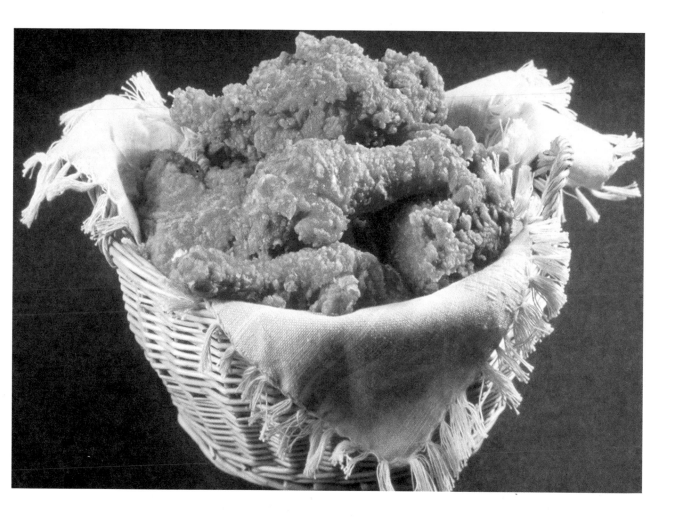

423 Куриные окорочка в сухарях

4 куриных окорочка, 1 яйцо, 1 ст. ложка порошка чили, 1 ч. ложка лимонного сока; соль, перец, крошки белого хлеба по вкусу.

Куриные окорочка разрезать по суставу на две части. К взбитому яйцу добавить соль, перец, порошок чили, лимонный сок, все размешать. Обмакнуть подготовленные окорочка в яичную смесь, обвалять в крошках белого хлеба и жарить во фритюре (рецепт 344) до готовности.

424 Куриные окорочка с лапшой

4 куриных окорочка, 1 луковица, 50 г корня сельдерея, 200 г свежих грибов, 1/2 л куриного бульона, 2/3 стакана сухого белого вина, 1–2 лавровых листа, 250 г зеленого горошка, 2 ст. ложки кукурузной муки, 2/3 стакана сливок, 1 ст. ложка лимонного сока, 2 ст. ложки мелко нарезанной петрушки, 250 г лапши, 3 ст. ложки сливочного масла; соль, перец, кукурузное масло, белые сухари по вкусу.

Куриные окорочка разрезать на 2 части, посолить, поперчить, обжарить в течение 5 мин в глубокой сковороде с разогретым маслом и выложить в миску. Лук, корень сельдерея, грибы очистить, мелко нарезать и слегка обжарить в сковороде, в которой жарились окорочка. Затем положить куски курицы, влить куриный бульон, вино, добавить лавровый лист, довести до кипения, убавить огонь и тушить под крышкой 30 мин. После чего добавить зеленый горошек, муку, смешанную со сливками, и тушить, помешивая, еще 5 мин. В конце тушения добавить лимонный сок и мелко нарезанную зелень петрушки. Отваренную в подсоленной воде и промытую лапшу положить в глубокую толстостенную посуду с разогретым маслом, перемешать, чтобы лапша была вся смазана маслом, и разровнять ее по дну посуды. Выложить на лапшу куриную смесь, обсыпать толчеными сухарями, сбрызнуть сливочным маслом. Поставить посуду в нагретую до 200° духовку и запекать курицу с лапшой 25–30 мин.

425 Жаркое из курицы с грибами и картофелем

1 курица, 200 г шампиньонов, 4–5 картофелин, 1 луковица, 2 зубчика чеснока; крепкий куриный бульон, соль, сливочное масло, лимонный сок или лимонная кислота по вкусу.

Для соуса:
2 стакана воды, $^1/_2$ луковицы, $^1/_2$ моркови, $^1/_2$ ст. ложки муки, 1 ст. ложка томатной пасты, 1 ч. ложка сахара; корень сельдерея или петрушки, соль, масло по вкусу.

У курицы отделить мясо от костей. Мясо посолить, поперчить и обжарить на масле до полуготовности. Репчатый лук очистить, мелко нарезать. Грибы вымыть, очистить и крупно нарезать. Лук и грибы отдельно слегка обжарить на сливочном масле и положить в соус. Налить немного куриного бульона в сковороду, где обжаривались лук и грибы, довести до кипения и вылить в соус. Затем добавить в соус обжаренное куриное мясо, очищенный и крупно нарезанный картофель, влить куриный бульон и тушить при слабом кипении до готовности картофеля. В конце тушения добавить соль, лимонный сок или лимонную кислоту, сливочное масло, мелко нарубленный чеснок и размешать.

Соус. Мелко нарубленные куриные кости обжарить в духовке при температуре 160–170° до коричневого цвета. В конце обжаривания добавить соль, крупно нарезанные коренья и лук и обжаривать еще 15 мин. Затем все сложить в кастрюлю, залить горячей водой и варить при слабом кипении в течение 5–7 часов. Готовый бульон процедить. Часть бульона слить в отдельную посуду, слегка охладить, всыпать обжаренную без жира до светлокоричневого цвета муку и размешать, чтобы не было комков. В остальной бульон положить обжаренную на масле томатную пасту, нагреть до кипения, затем влить бульон, смешанный с мукой, и, периодически помешивая, варить при слабом кипении в течение одного часа. В конце варки добавить сахар.

426 Куриные окорочка по-португальски

4 куриных окорочка,
300 г длиннозерного риса,
200 г зеленого горошка,
200 г оливкового масла,
2 луковицы, 3 зубчика чеснока,
3 помидора, $^{1}/_{2}$ стакана сухого
белого вина; соль, перец,
куриный бульон,
шафран по вкусу.

Помидоры опустить на несколько секунд в кипяток, после чего снять с них кожицу и мелко порезать. Лук и чеснок очистить и также мелко нарезать. Куриные окорочка посолить, поперчить, положить в глубокую посуду с разогретым маслом и обжарить до подрумянивания. Добавить промытый рис, лук, чеснок и, помешивая, обжаривать еще 10–15 мин. Затем влить горячий бульон, добавить немного настоя шафрана и варить на умеренном огне 15 мин. После чего добавить зеленый горошек, помидоры, влить вино и варить на умеренном огне еще 15–20 мин.

427 Жаркое из цыплят по-сицилийски

2 цыпленка для жарки,
6–7 картофелин, 1 луковица,
300 г яблок, 1–2 лавровых
листа, цедра 1 апельсина,
по $^{1}/_{4}$ ч. ложки молотых
гвоздики и душистого перца,
$^{3}/_{4}$ ч. ложки молотой корицы,
1 стакан апельсинового сока,
1 апельсин; соль, молотый
черный перец, оливковое масло,
зелень петрушки, тертые белые
сухари, веточки зелени по вкусу.

Тушки цыплят подготовить как для цыплят-табака (рецепт 435). Нарезанный тонкими ломтиками картофель, нарезанный тонкими кольцами лук, нарезанные ломтиками яблоки сложить в смазанную оливковым маслом глубокую посуду. Добавить лавровый лист, петрушку, тертую цедру апельсина, молотую гвоздику, душистый перец, корицу, соль, перец. Сверху уложить цыплят кожей кверху, слегка посолить и поперчить. Залить все апельсиновым соком, смазать оливковым маслом и обсыпать сухарями. Поставить посуду с цыплятами в нагретую до 200° духовку и запекать их в течение 1–1 $^{1}/_{2}$ часа до образования хрустящей золотистой корочки. При подаче выложить жаркое на блюдо, украсить дольками апельсина и веточками зелени.

428 Цыплята, жаренные по-шкмерски

2 цыпленка,
1 ст. ложка сметаны,
5 ст. ложек сливочного масла.
Для чесночного соуса:
2 головки чеснока,
1 ¹/₂ стакана воды, 4 ст. ложки
сливочного масла; соль по вкусу.

Цыплят разрезать вдоль по грудной части, разровнять, посолить, смазать с двух сторон сметаной, положить на разогретую с маслом сковороду и жарить под прессом с обеих сторон до образования румяной корочки. Затем разрезать цыплят на части, уложить на блюдо и полить горячим чесночным соусом.

Чесночный соус. Очищенный чеснок измельчить в ступке или натереть на мелкой терке, залить теплой кипяченой водой, посолить, прокипятить и заправить сливочным маслом.

429 Жаркое из цыплят с рисом

2 цыпленка, 200 г риса,
1 сладкий перец, 1 зеленый
жгучий перец, 100 г консерви-
рованной кукурузы, 50 г твердого
сыра, ¹/₂ стакана сметаны,
³/₄ стакана томатного соуса;
соль, перец, кукурузное
или другое растительное масло,
сладкий красный перец по вкусу.

Подготовленных цыплят разрезать вдоль по грудной части, разровнять, посолить, поперчить, смазать с двух сторон кукурузным маслом, уложить на сковороду спинками вверх и жарить в нагретом гриле или на плите, периодически переворачивая, пока цыплята не покроются прижаристой корочкой. В глубокой толстостенной посуде смешать предварительно замоченный рис, мелко нарезанные сладкий и зеленый жгучий перцы без семян, консервированную сладкую кукурузу, тертый сыр и сметану. Сверху уложить цыплят, полить их томатным соусом, поставить посуду с цыплятами в нагретую до 200° духовку и запекать жаркое в течение 40 мин. При подаче рисовую массу выложить горкой на блюдо, сверху уложить цыплят и украсить кольцами сладкого красного перца. Отдельно подать овощной салат.

430 Цыплята под сметанным соусом

2 цыпленка для жарки; соль, перец, масло, маринованный сладкий перец по вкусу.
Для соуса:
1 ст. ложка муки, 2 ст. ложки сливочного масла, 1 ч. ложка томатной пасты, 2 ст. ложки лимонного сока, 100 г сметаны; соль, перец по вкусу.

Цыплят разрубить на большие куски, посолить, поперчить, обвалять в муке и пожарить на масле в сковороде. Готовые куски вынуть со сковороды, влить на сковороду соус и проварить 2—3 мин. Снять соус с огня и процедить. При подаче куски цыплят положить на блюдо, полить соусом. На куриные ножки надеть бумажные папильотки, сверху положить маринованный сладкий перец или маринованные помидоры.

Соус. Муку слегка поджарить на масле, добавить томатную пасту, лимонный сок, соль, перец и продолжать обжаривать 5—7 мин. Затем добавить сметану, тщательно размешать, нагреть до кипения и процедить.

431 Цыплята по-мексикански

2 цыпленка, 2 луковицы, 2 головки чеснока, 6 сладких перцев разного цвета, 4 помидора, 1 банка сладкой консервированной кукурузы; соль, порошок чили, оливковое масло, куриный бульон, томатный соус по вкусу.

Подготовленных цыплят натереть солью, порошком чили и обжарить со всех сторон на оливковом масле в глубокой толстостенной посуде. Очищенный репчатый лук нарезать полукольцами. Очищенный чеснок мелко порубить. Перец вымыть, очистить от семенной части и нарезать кольцами. Подготовленные овощи слегка обжарить на сковороде с маслом, добавить к цыплятам, все залить горячим куриным бульоном так, чтобы жидкость только покрывала содержимое, и тушить под крышкой в течение 15—20 мин. За 5 мин до окончания тушения добавить мелко порезанные помидоры, кукурузу, соль, томатный соус.

432 Курица по-индийски

1 курица, 3 ст. ложки лимонного сока, 1 ч. ложка соли; листья салата, репчатый лук по вкусу.
Для маринада:
1 стакан йогурта, 2 ч. ложки паприки, 2 ст. ложка растительного масла, 4 ч. ложки сока лимона, 4 измельченных зубчика чеснока, 1 ч. ложка молотого имбиря, 2 ч. ложки молотого кориандра, 2 ч. ложки молотого тмина; соль по вкусу.

Подготовленную курицу разрубить на куски и снять с них кожу. На куриной мякоти острым ножом сделать надрезы, натереть куски курицы солью и соком лимона и оставить на 20—30 мин. Затем сложить куски в кастрюлю, залить маринадом, закрыть крышкой и поставить в холодильник для маринования на 10—12 часов. Марированные куски курицы выложить на решетку для запекания, поставить ее в предварительно нагретую до температуры 220° духовку, под решетку поставить глубокий противень для сбора выделяющегося при запекании сока. Запекать курицу 25—30 мин, периодически переворачивая и поливая оставшимся маринадом. После этого куски курицы обжарить в горячем гриле до образования коричневой корочки с двух сторон. При подаче выложить куски курицы на блюдо, полить соком от запекания, украсить листьями салата и кольцами лука.

Маринад. Смешать йогурт с паприкой, маслом, соком лимона, чесноком, имбирем, кориандром, тмином и солью.

433 Курица по-кубински

1 курица, 50 г петрушки, 1 головка чеснока, 1 стакан риса, 2 банана; соль, перец по вкусу.

Подготовленную курицу разрубить на куски, посолить, поперчить. В куриной мякоти сделать надрезы и заполнить их смесью мелко рубленных петрушки и чеснока. Подготовленные куски курицы обжарить со всех сторон на растительном масле. Промытый рис обсушить, сложить в глубокую посуду с разогретым растительным маслом и, перемешивая, обжарить в течение 10—15 мин. После чего залить рис кипятком, посолить, отварить до готовности и откинуть на сито. Бананы очистить, разрезать вдоль на две части, обвалять в сухарях и обжарить на сливочном масле. На большое блюдо выложить горкой рис, сверху положить кусочки курицы, а по краям уложить жареные бананы.

434 Цыплята, тушенные с грибами

1 цыпленок, 200 г свежих грибов, 100 г сметаны; сливочное масло, соль, картофель по вкусу.

Свежие грибы очистить от грязи, тщательно промыть, нарезать ломтиками. Подготовленного цыпленка разрезать на куски и обжарить на масле до появления золотистой корочки, добавить грибы, посолить и тушить под крышкой на слабом огне до готовности. За 5 мин до окончания тушения добавить сметану, все перемешать. Подавать с отварным картофелем.

435 Цыпленок-табака

2—4 цыпленка; сливочное масло, соль, сметана, овощи, зелень, ткемалевый или чесночный соус по вкусу.
Для чесночного соуса:
1/2 головки чеснока, 1 стакан воды, 1/2 ч. ложки соли, 1 ч. ложка сахара; столовый уксус по вкусу.

Цыпленка выпотрошить, промыть водой, обсушить салфеткой. Разрезать грудку цыпленка вдоль, развернуть по надрезу и придать цыпленку приплюснутую форму. Затем посыпать его солью, смазать сметаной и пожарить с обеих сторон на раскаленной с маслом сковороде под прессом. При этом цыпленок должен плотно прилегать ко дну сковороды. Готового цыпленка выложить на блюдо с помидорами, огурцами и зеленью. Отдельно подать ткемалевый или чесночный соус.

Чесночный соус. Очищенные зубчики чеснока растолочь в ступке или натереть на мелкой терке, развести холодной кипяченой водой, добавить соль, сахар, уксус, все размешать, накрыть крышкой и дать постоять 15—20 мин.

Чтобы сохранить белизну кожи паровых кур или цыплят, их нужно натереть соком лимона или разведенной в воде лимонной кислоты.

Чтобы жаренные в духовке цыплята, куры или утки имели румяную корочку, перед жаркой их необходимо смазать сметаной.

Чем меньше тушка домашней птицы, тем горячее должен быть духовой шкаф, в котором она жарится.

Чтобы определить готовность обжариваемой птицы, нужно проткнуть ее в самом толстом месте поварской иглой — если сок прозрачный и бесцветный, птица готова.

436 Цыпленок по-абазински

2 цыпленка, $^1/_2$ головки чеснока; соль по вкусу.
Для соуса:
2–3 луковицы, 4 ст. ложки топленого масла, 2 ст. ложки муки, 1 стакан бульона; соль по вкусу.

Тушки цыплят или кур порубить на куски или разделить на части по суставам, положить в кастрюлю, добавить столько воды, чтобы она покрывала птицу примерно на 2–3 см, и варить до готовности. Сваренную птицу вынуть, переложить на разогретую с маслом сковороду, посыпать толченым с солью чесноком, закрыть крышкой и оставить на несколько минут. Затем куски птицы полить соусом и довести до кипения.
Соус. Лук мелко нарезать, обжарить на топленом масле, добавить соль, муку, обжарить все вместе, влить бульон, оставшийся от варки кур, и прокипятить.

437 Курица по-мадридски

1 курица, $^1/_2$ стакана сухого белого вина, 3 картофелины, 2 сладких перца; соль, перец, сливочное масло по вкусу.
Для начинки:
1 луковица, 150–200 г шампиньонов, сливочное масло по вкусу.

Подготовленную курицу натереть солью и перцем, наполнить начинкой, зашить ниткой и обжарить со всех сторон на масле в глубокой толстостенной посуде. Затем добавить нарезанный дольками картофель и нарезанный тонкими кольцами сладкий перец вместе с семенами, влить вино, поставить посуду с курицей в горячую духовку и тушить до готовности, часто поливая курицу соусом, в котором она тушится. Перед подачей нитки снять, курицу полить соусом, приправленным солью и перцем.
Начинка. Лук мелко нарезать и слегка обжарить на сковороде с маслом. Затем добавить очищенные, мелко нарезанные грибы, влить немного воды и тушить грибы до готовности.

438 Чахохбили

1 курица или другая домашняя птица, 6–8 луковиц, 3 помидора, 1 неполная ст. ложка муки, 1 стакан бульона или воды, 3 ст. ложки столового уксуса, 2 зубчика чеснока; сливочное масло, соль, зелень кинзы и базилика, овощи по вкусу.

Подготовленную курицу или другую домашнюю птицу разрезать на куски и обжарить на масле. Репчатый лук нарезать кольцами и слегка обжарить на масле. Муку обжарить на сухой сковороде до кремового цвета. Куски курицы положить в глубокую сковороду или в другую подходящую посуду, добавить подготовленные лук, муку, мелко нарезанные помидоры, куриный бульон или воду, уксус, мелко нарезанный чеснок, зелень кинзы и базилика, соль, перец и тушить под крышкой на слабом огне до готовности. Подать чахохбили с соусом, в котором тушилась птица, овощами и зеленью.

439 Курица по-австралийски

1 курица, 2–3 моркови, 2 луковицы, 300 г свежих грибов, 200 г зеленого горошка, 1 банка (0,5 л) пива, 1 стакан сметаны, 1–2 зубчика чеснока; растительное масло, соль, перец, зелень петрушки, сельдерея, базилика по вкусу.

Очищенные и нарезанные кубиками морковь, лук и грибы слегка обжарить на растительном масле в небольшой гусятнице или другой толстостенной глубокой посуде. Затем добавить зеленый горошек, аккуратно положить на овощи курицу целиком или порубленную на куски, слегка посолить, поперчить, залить пивом и поставить в хорошо разогретую духовку. Через 15 мин уменьшить в духовке огонь и закрыть гусятницу с курицей крышкой. Через 30 мин добавить к курице сметану, мелко нарезанные чеснок и зелень, при необходимости добавить соль и перец и тушить курицу еще 15–20 мин. Подать готовую курицу в посуде, в которой она тушилась.

440 Куриные котлеты «Архангельские»

600 г куриного мяса, 1 ст. ложка муки, 1 яйцо; соль, масло, белый хлеб, жареный картофель, зеленый горошек, свежие овощи и зелень по вкусу.
Для фарша:
100 г свежих или 20 г сушеных грибов, 80 г сливочного масла; соль по вкусу.

Куриное мясо дважды пропустить через мясорубку, добавить яйцо, соль, перемешать, разделить на 4 части и сделать из полученной массы лепешки. На середину лепешек положить фарш, защипать по краям и придать лепешкам форму округлых котлет. Обвалять котлеты в муке, смочить во взбитых с солью яйцах, обвалять в муке или панировочных сухарях и пожарить во фритюре (рецепт 344) до готовности. При подаче выложить котлеты на обжаренные на масле ломтики белого хлеба. На гарнир подать жареный картофель, зеленый горошек, свежие овощи и зелень.
Фарш. Свежие или предварительно замоченные сушеные грибы отварить в подсоленной воде, мелко нарезать, охладить и смешать со сливочным маслом.

441 Запеканка из курицы с картофелем

300 г куриного мяса, 6 картофелин, $^1/_2$ стакана молока, 1 луковица, 40 г свиного жира, 40 г сливочного масла; соль, перец, растительное масло по вкусу.

Куриное мясо без костей с кожей промолоть на мясорубке, посолить, поперчить и обжарить в глубокой сковороде с растопленным свиным жиром. Лук мелко нарезать и отдельно обжарить на растительном масле до золотистого цвета. Очищенный картофель отварить в подсоленной воде, воду слить, влить горячее молоко и растолочь с картофелем. Картофельное пюре и обжаренный лук добавить к куриному фаршу, перемешать и запекать под крышкой на слабом огне 7–10 мин. Перед подачей полить растопленным сливочным маслом.

442 Куриные котлеты «Астраханские»

600 г куриного мяса без костей,
2 ломтика белого хлеба,
1–2 помидора, 6–8 зубчиков
чеснока; соль, перец, сливочное
масло, мука по вкусу.

Куриную мякоть промолоть на мясорубке. В полученный фарш добавить замоченный в молоке белый хлеб, соль, перец. Все хорошо перемешать, пропустить еще раз через мясорубку и выбить. Чеснок очистить, мелко нарезать и слегка обжарить на масле. Помидоры вымыть, нарезать круглыми тонкими ломтиками. Из готовой котлетной массы сделать лепешки, положить на середину лепешек по ломтику помидора, посыпать чесноком, солью и перцем, края лепешек соединить, придать лепешкам форму котлет. Котлеты обвалять в муке, слегка обжарить с двух сторон на масле и довести под крышкой до готовности.

443 «Каштаны» из птицы

600 г мяса курицы или индейки,
60 г плавленого сыра,
2 ст. ложки молока,
50 г сливочного масла,
1–2 ст. ложки муки, 1 яйцо,
1–2 ломтика белого хлеба;
соль, перец, картофель,
овощи и зелень по вкусу.

Мясо птицы нарезать на кусочки и пропустить через мясорубку, добавить тертый сыр, молоко, соль, перец. Все хорошо перемешать, пропустить еще раз через мясорубку и выбить. Из готовой котлетной массы сделать небольшие лепешки, положить по кусочку сливочного масла, соединить края лепешек и свернуть лепешки в форме шариков. Затем обвалять шарики в муке, смочить во взбитом с солью яйце и обвалять в хлебе, нарезанном в виде соломки или мелких кубиков. Подготовленные «каштаны» обжарить во фритюре (рецепт 344). Подавать с жареным картофелем, запеченными с маслом баклажанами, морковью и перцем, украсить зеленью.

В кулинарии красиво только то, что вкусно. В угоду внешнему виду нельзя жертвовать вкусом.

Репчатый лук, добавляемый в котлетную массу, лучше не измельчать на мясорубке (от этого он быстро окисляется и придает изделиям неприятный привкус), а порубить ножом.

Вкус натуральных куриных котлет типа киевских можно варьировать, если фаршировать их смесью сливочного масла с рубленой зеленью петрушки и сырыми желтками или смесью сливочного масла с красным перцем и тертым чесноком.

444 Куриные котлеты «Сюрприз»

400 г куриного мяса без костей, 2 луковицы, 6 яиц, 2 ст. ложки муки, 50 г сыра; сливочное масло или маргарин, соль по вкусу.

Лук мелко нарезать и слегка обжарить на масле. Куриное мясо промолоть на мясорубке, добавить одно яйцо, подготовленный лук, соль, все хорошо вымесить и из полученного фарша сделать котлеты. Обвалять котлеты в муке и пожарить на сковороде с маслом до готовности. Оставшиеся яйца взбить, добавить соль, натертый на терке сыр, перемешать и обжарить до полуготовности на небольших сковородах. Затем на край пожаренных омлетов положить по котлете, свернуть омлеты пополам, накрыв ими котлеты, и обжарить до готовности. Подавать котлеты с жареным картофелем, свежими овощами и зеленью.

445 Куриные фрикадельки

800 г куриной мякоти или готового куриного фарша, 100 г черствого белого хлеба, 2 луковицы, 50 г твердого сыра, 1 яйцо, 1 ст. ложка томатной пасты, 2 помидора, 200 г очищенных кабачков; соль, молоко, кукурузное или другое растительное масло, вода по вкусу.

К куриной мякоти, пропущенной через мясорубку, или к готовому куриному фаршу добавить предварительно замоченный в молоке и отжатый хлеб, натертые на терке луковицу и сыр, яйцо, соль и все хорошо вымесить. Смачивая руки водой, скатать из полученной массы небольшие шарики-фрикадельки, обжарить в глубокой сковороде с маслом и выложить в миску. Добавить в сковороду масло и, помешивая, обжарить томатную пасту, мелко нарезанные луковицу, помидоры и кабачки в течение 5—7 мин. Добавить воду и тушить 10—15 мин под крышкой. После чего положить в сковороду фрикадельки, довести до кипения и тушить на слабом огне еще 15—20 мин.

446 Куриные «Трюфели особые»

400 г белого куриного мяса,
4 ст. ложки сливочного масла.
Для фарша: *60 г грибов, 2 яйца,*
1 луковица репчатого лука; соль,
специи, зелень по вкусу.

Куриное мясо промолоть на мясорубке, добавить соль и сливочное масло, хорошо перемешать и выбить. Затем сделать из фарша небольшие лепешки. На середину каждой лепешки положить начинку, соединить края лепешек и придать лепешкам форму яйца. Полученные «трюфели» смочить во взбитых с солью яйцах, обвалять в муке, панировочных сухарях и пожарить во фритюре (рецепт 344). При подаче уложить «трюфели» на блюдо или тарелки. На гарнир можно подать зеленый горошек, свежие овощи, зелень и чернослив.

Фарш. Яйца сварить вкрутую, охладить, очистить от скорлупы и мелко порубить. Грибы сварить и измельчить. Репчатый лук мелко нарезать и слегка обжарить на масле. Все перемешать, добавив соль и мелко нарубленную зелень.

447 Куриные окорочка «Находка»

1 кг куриных окорочков,
1 яйцо; морковь, репчатый лук,
шампиньоны, чеснок, майонез,
соль, перец, петрушка
или укроп по вкусу.

Куриные окорочка промыть, отделить мясо от костей, жир отделить от шкурок. Куриную мякоть пропустить через мясорубку, добавить мелко нарезанные морковь, лук, свежие шампиньоны, чеснок, петрушку или укроп, посолить, поперчить, все перемешать. Полученный фарш зашить в шкурки в форме окорочков, смочить яйцом, обвалять в сухарях и выпечь на смазанном масле противне в духовке. За 15—20 мин до готовности полить окорочка майонезом.

448 Гусь «Праздничный»

1 гусь, 2 лавровых листа; соль, перец, чеснок, столовый уксус по вкусу.

Потрошеного гуся вымыть, обсушить салфетками. Острым ножом сделать в коже маленькие надрезы и заполнить их солью, перцем и нарезанным тонкими дольками чесноком. Натереть гуся солью и перцем снаружи и изнутри, вложить внутрь 4–6 измельченных зубчиков чеснока, лавровый лист, поместить внутрь гуся чистую пустую бутылку подходящего размера, чтобы тушка сохранила форму, и зашить отверстия нитками. Со всех сторон обильно сбрызнуть тушку гуся уксусом и оставить на 30 мин для маринования. Затем положить гуся в гусятницу, налить 1 стакан воды и поставить гусятницу в холодную духовку. Включить духовку, постепенно довести температуру до 200–220° и жарить гуся до готовности около 3 часов, периодически поливая тушку вытопившимися соком и жиром. Перед подачей нитки удалить, бутылку вынуть и подать гуся целиком на блюде.

449 Гусь, жаренный по-берлински

1 гусь, 3/4 стакана бульона, 1 ст. ложка кукурузной муки; соль, тимьян, яблоки, картофель, краснокочанная капуста по вкусу.

Тушку гуся натереть солью, сушеным измельченным тимьяном и начинить очищенными от сердцевины яблоками. Затем тушку зашить и жарить, как указано в предыдущем рецепте. Соус от жарения развести бульоном, прокипятить, добавить кукурузную муку, перемешать и процедить. Готового гуся нарубить на куски и вместе с яблоками и отварным картофелем уложить на блюдо. Тушеную краснокочанную капусту и соус подать отдельно.

450 Индейка по-английски

1 индейка, 100 г сливочного масла, 1 лимон, 50 г копченого шпика, 1–2 луковицы, 100 г миндаля, 100 г изюма, 1–2 яблока, 100 г пшеничного хлеба, 5 г шалфея, 5 г паприки, 3 г тмина; соль, черный молотый перец по вкусу.

Тушку индейки натереть солью и перцем снаружи и изнутри, не очень плотно нафаршировать начинкой и зашить отверстия. Сбрызнуть индейку лимонным соком, смазать паприкой, смешанной с растопленным жиром, и жарить в духовке, как описано в рецепте 452. При подаче выложить готовую индейку на блюдо, удалить нитки и полить мясным соком от тушения.

Начинка. Мелко рубленные печень индейки и репчатый лук обжарить на шпике. Хлеб подсушить, нарезать кубиками. Миндаль слегка отварить и мелко порубить. Яблоки, очищенные от сердцевины, и лимон вместе с кожурой нарезать тонкими дольками. Все смешать, добавить изюм, тмин, шалфей и перемешать.

451 Рождественская индейка с глазурью

1 индейка; соль, перец, масло, овощи по вкусу.
Для глазури:
200 г яблочного конфитюра, 3 ст. ложки яблочного уксуса; корица, гвоздика по вкусу.

Подготовленную тушку индейки промыть холодной водой, просушить салфетками. Натереть тушку снаружи и изнутри солью и перцем, положить на слегка смазанную маслом жарочную решетку грудкой вверх, накрыть фольгой, поставить в разогретую духовку над глубоким противнем для стекания сока и жира и жарить до готовности около 3–3 1/2 часов. За 1 час до окончания жарки снять фольгу и периодически поливать индейку выделившимися соком и жиром. За 10 мин до окончания жарки смазать индейку глазурью. При подаче готовую индейку выложить на подогретое блюдо, по краю блюда уложить овощи.

Глазурь. В яблочный конфитюр добавить яблочный уксус, молотые корицу и гвоздику и, постоянно помешивая, кипятить, пока глазурь не загустеет.

Вкус мяса в значительной степени зависит от питания и возраста птицы.

Нельзя перегревать жир при жарке продуктов. Сильно разогретый жир начинает дымить и придает обжариваемому продукту привкус горечи и неприятный запах чада.

Фаршируя домашнюю птицу, не следует класть слишком много фарша, так как кожа во время тепловой обработки сильно сжимается и может лопнуть, а фарш вывалиться.

При мариновании домашней птицы уксус лучше заменить белым сухим вином.

452 Индейка по-бостонски

1 индейка с потрохами; соль, растительное масло по вкусу.
Для начинки:
сердце и печенка индейки, 200 г телятины, 200 г черствого белого хлеба, 1 луковица, 1 корень петрушки, 2 яйца, 50 г сливочного масла, 4 ст. ложек апельсинового сока, 2 ч. ложки натертой апельсиновой цедры, $^1/_2$ ч. ложки натертой лимонной цедры, 4 ст. ложки нарубленной зелени петрушки, 1 ч. ложка сухого тимьяна, $^1/_4$ ч. ложки сухой мяты, $^1/_4$ ч. ложки сухого шалфея; соль, перец по вкусу.

Подготовленную тушку индейки натереть изнутри солью и перцем, заполнить внутренность начинкой и тщательно зашить отверстия нитками. Тушку птицы смазать маслом, положить грудкой вниз на жарочную решетку, накрыть фольгой и поставить в нагретую до 200° духовку. Под решетку с птицей подставить смоченный водой глубокий противень и жарить индейку в течение 2 часов, периодически смазывая растительным маслом. Через 1 $^1/_2$ часа фольгу снять, а еще через 30 мин индейку перевернуть, обильно смазать маслом и снова накрыть фольгой. Примерно через 1 час фольгу снять, снова смазать индейку маслом и полить стекшим в противень мясным соком. Жарить индейку до готовности еще около 2 часов. Готовую индейку на 15–20 мин оставить в выключенной и открытой духовке. При подаче выложить готовую индейку на большое блюдо, удалить нитки, нарезать индейку тонкими ломтями, полить мясным соком от тушения, разведенным по вкусу горячей водой или куриным бульоном, украсить зеленью.

Начинка. Индюшачьи сердце и печенку, телятину нарезать на кусочки. Лук очистить и нарезать кубиками. Корень петрушки очистить. У белого хлеба срезать корку, мякоть замочить в воде. Подготовленные сердце, печенку, телятину, лук и петрушку, отжатый хлеб пропустить через мясорубку, добавить яйца, растопленное сливочное масло, апельсиновый сок, апельсиновую и лимонную цедру, мелко рубленную зелень петрушки, тимьян, мяту, шалфей, соль, перец и все хорошо вымесить.

453   Индейка с рисовой начинкой

1 индейка; соль, тимьян,
кукурузное или другое
растительное масло по вкусу.
Для начинки:
300 г риса, 1 луковица,
3–5 зубчиков чеснока;
соль, масло по вкусу.
Для соуса:
1 ст. ложка муки, 2 ст. ложки
сливочного масла, 1 ч. ложка
томатной пасты, 2 ст. ложки
лимонного сока, 100 г сметаны;
соль, перец по вкусу.

Подготовленную тушку индейки промыть холодной водой, просушить салфетками или полотенцем. Натереть тушку снаружи и изнутри солью и тимьяном. Ложкой слегка набить начинкой грудную полость, загнуть кожу шеи и зашить ниткой. Оставшуюся начинку заложить в брюшную полость и зашить кожу ниткой. Жарить индейку, как описано в рецепте 451, исключив смазывание глазурью, или как в рецепте 452. Готовую индейку выложить на подогретое большое блюдо, дать постоять 15 мин, снять нитки, выложить начинку рядом на блюдо. Индейку положить на разделочную доску, нарезать на куски и снова сложить на блюдо. При подаче в тарелки положить куски индейки, начинку, свежие или тушеные овощи. мясо полить соусом.

Начинка. Лук и чеснок очистить, мелко нарезать и слегка обжарить на масле в толстостенной кастрюле. Добавить промытый рис и обжаривать, помешивая, еще 10–15 мин. После чего влить горячую воду, посолить, отварить рис до готовности и откинуть на сито. Сложить рис в кастрюлю с растопленным маслом и перемешать. При желании можно добавить немного мелко нарезанного дикого (канадского) риса, который придаст начинке ореховый вкус.

Соус. Муку слегка поджарить на масле, добавить томатную пасту, лимонный сок, мелко нарезанную зелень укропа или петрушки, соль, перец и продолжать обжаривать в течение 5–7 мин. Затем добавить сметану, все тщательно размешать, нагреть до кипения и процедить.

Уток и гусей обычно жарят целыми тушками. Старую птицу лучше тушить.

Жирных уток и гусей лучше фаршировать. Пропитываясь жиром, фарш из риса, картофеля, яблок приобретает особый вкус.

При приготовлении гуся или утки жира будет меньше, если особо жирные места птицы несколько раз наколоть вилкой, а затем после обжаривания убрать лишний жир из образовавшегося соуса.

454 Утка с апельсиновой глазурью

1 потрошеная утка; соль, перец, тертый имбирь по вкусу.
Для глазури:
3 ст. ложки соевого соуса,
100 г апельсинового сока,
2 ст. ложки тертого имбиря,
100 г жидкого меда,
цедра $^1/_2$ апельсина.

Подготовленную утку натереть изнутри смесью соли, перца, тертого имбиря, положить на противень спинкой вниз, полить горячей водой, поставить в разогретую до 180° духовку и жарить в течение 2 часов. Во время жарки птицу периодически переворачивать и поливать выделяющимся из нее соком и жиром. Достать утку из духовки и смазать всю ее поверхность глазурью. Снова поставить утку в духовку, увеличить температуру до 240° и жарить еще 10 мин. При подаче уложить готовую утку на блюдо, покрытое листьями салата. В оставшуюся глазурь добавить $^1/_2$ стакана красного вина, $^1/_2$ стакана сливового компота вместе со сливами, довести до кипения и подать отдельно.

Глазурь. В соевый соус добавить апельсиновый сок, тертый имбирь, жидкий мед, тонко нарезанную апельсиновую цедру и варить, помешивая, до загустения.

455 Пулькоги из утки по-черкесски

600 г утиной мякоти, 1 пучок зеленого лука, 4 зубчика чеснока, $^1/_4$ ч. ложки тертого имбиря, 1 ч. ложка сахара, 1 ст. ложка соевого соуса, 4 ст. ложки красного сухого вина; соль, черный молотый перец по вкусу.

Подготовленную утку разделать на части, утиное мясо освободить от костей, нарезать кусками толщиной около 4 см и сложить в миску. Добавить мелко нарезанные лук и чеснок, тертый имбирь, сахар, соль, черный молотый перец, соевый соус, красное сухое вино. Все перемешать и оставить на 30 мин для маринования. Подготовленное утиное мясо обжарить на решетке мангала с тлеющими древесными углями.

456   Куриные потроха в сметане

600 г куриных потрохов, 1 луковица, 2 ст. ложки сливочного масла, 4 ст. ложки сметаны; соль, зелень по вкусу.

Куриные желудочки разрезать, очистить, снять внутреннюю оболочку и отварить желудочки в подсоленной воде до полуготовности. После чего отвар слить, желудочки нарезать на кусочки. С печенок осторожно срезать желчный пузырь и те участки, на которые попала желчь, промыть, разрезать на 3–4 части и обжарить. Сердечки промыть, разрезать пополам, сложить в кастрюлю, добавить подготовленные желудочки, мелко нарезанный лук, влить немного воды или бульона, закрыть крышкой и поставить на огонь тушиться. За 10 мин до готовности добавить печенки и соль. Перед подачей полить сметаной и посыпать мелко нарезанной зеленью. Можно подать потроха с картофельным пюре.

457   Запеканка из куриных печенок

400 г куриных печенок, 1 стакан риса, 1 луковица, 6 ст. ложек масла, 1/2 ст. ложки томатной пасты, 2 стакана воды; соль по вкусу.

С куриных печенок срезать желчный пузырь, разрезать печенки на 2–3 части и слегка обжарить на масле с мелко нарезанным луком. Рис промыть, обсушить, обжарить на масле, добавить томатную пасту или мелко нарезанные помидоры, посолить, перемешать, залить горячей водой, плотно закрыть крышкой и поставить на слабый огонь на 1 час. После чего половину риса положить на сковороду, выложить на рис печенку, сверху положить оставшийся рис, посыпать тертым сыром, полить маслом и запечь в духовке.

Блюда из рыбы и морепродуктов

458 Рыба, запеченная с картофелем

600 г рыбы, 1 луковица; соль, перец, растительное масло, отварной картофель, зелень петрушки, помидор по вкусу.

Рыбу очистить, выпотрошить, промыть, обсушить салфеткой, посолить, поперчить и положить на смазанную маслом сковороду. Подлить на сковороду немного воды, сбрызнуть рыбу маслом, поставить сковороду в духовку и запечь рыбу до готовности. Вынуть сковороду из духовки, положить рядом с рыбой предварительно отваренный картофель, сбрызнуть его маслом, положить сверху слегка обжаренный лук и поставить сковороду с рыбой в духовку на 10−15 мин. Подать рыбу с картофелем на той же сковороде, украсив зеленью и помидором.

459 Рыба, запеченная с рисом

1 потрошеный судак массой около 1 кг или другая пресноводная рыба, 2 ст. ложки лимонного сока, 2 луковицы, 5 ст. ложек растительного масла, 200 г риса, 3 стакана овощного бульона, 2 ст. ложки молотого сладкого перца, 2 ст. ложки муки, 4 ст. ложки сливочного масла, 100 г сливок, 1 лимон; соль, черный молотый перец по вкусу.

Потрошеную рыбу сбрызнуть снаружи и изнутри лимонным соком и положить в холодильник на 15−20 мин. В глубокой толстостенной посуде разогреть растительное масло и слегка обжарить на нем мелко шинкованный лук. Затем добавить промытый и обсушенный рис и, помешивая, продолжать обжаривание в течение 10−15 мин. Залить рис с луком горячим овощным бульоном и варить около 20 мин. На рыбе сделать несколько поперечных надрезов, натереть ее снаружи и изнутри солью и черным молотым перцем и обвалять в смеси муки с молотым сладким перцем. Положить рыбу в посуду с рисом, сбрызнуть растопленным сливочным маслом, полить сливками и запечь в духовке при температуре 200° в течение 25−35 мин. Подать с лимоном, разрезанным на дольки.

460 Сазан, фаршированный орехами

1 сазан массой 2 кг, 300 г сметаны, 4 яйца; соль, перец, зелень петрушки или укропа.
Для фарша:
1−2 луковицы, 200 г сливочного масла, 1−2 помидора, 300 г свежих грибов, $^1/_2$ стакана панировочных сухарей, 3 стакана очищенных грецких орехов, 1 стакан сухого белого вина; соль, перец по вкусу.

Рыбу очистить от чешуи, удалить жабры, сделать разрезы вдоль хребта от головы до хвоста по обе стороны от спинного плавника, вынуть кости и внутренности. Рыбу промыть, посолить и поперчить изнутри. Внутреннюю полость заполнить фаршем и зашить разрез ниткой. Подготовленную рыбу положить на противень, залить вином, поставить в духовку и, часто поливая соком, тушить до готовности. Затем рыбу переложить на огнеупорное блюдо, залить сметаной, смешанной с яйцами, и запечь в духовке. Рыбу подать горячей на том же блюде, посыпав зеленью.
Фарш. Лук нарезать мелкими кубиками, слегка обжарить на масле, добавить мелко нарезанные помидоры и грибы и жарить, периодически помешивая, еще в течение 15 мин. Затем добавить сухари, тертые орехи, вино, соль, перец, все перемешать.

461 Лосось по-калифорнийски

800 г рыбного филе; растительное масло, зелень, овощи, лимон по вкусу.
Для маринада:
2 ч. ложки сахара, 4 ст. ложки лимонного сока; соль, перец, зелень петрушки по вкусу.

Филе лосося, семги, горбуши, кеты обильно смазать маринадом, положить в миску, залить оставшимся маринадом, накрыть крышкой и поставить в холодильник на 30 мин. Затем рыбное филе положить на смазанную маслом сковороду, смазать маслом и запечь в микроволновой печи или в духовке. Подать с овощами, ломтиками лимона, украсить зеленью петрушки.
Маринад. Сахар, соль растворить в лимонном соке, смешать с молотым перцем и мелко рубленной зеленью петрушки.

462 Камбала по-бретонски

8 филе камбалы, 2 луковицы, 2 стебля лука-порея, 100 г корня петрушки или сельдерея, 4 ст. ложки сливочного масла, 1 ч. ложка лимонного сока, 1/2 стакана сухого белого вина, 100 г сливок; соль, мука, зелень петрушки по вкусу.

Репчатый лук очистить и нарезать кубиками. У лука-порея обрезать корни и верхние части стеблей, оставшуюся часть мелко нарезать. Корень петрушки или сельдерея очистить и также мелко нарезать. Подготовленные овощи пожарить на масле в глубокой толстостенной посуде на небольшом огне в течение 10 мин. Рыбное филе вымыть, осушить салфетками, сбрызнуть лимонным соком, накрыть и оставить на 15 мин. После чего обвалять филе в муке, свернуть пополам, уложить на овощи, сбрызнуть рыбу вином, накрыть посуду с овощами и рыбой крышкой, поставить в горячую духовку и запекать 20 мин, периодически снимая крышку и сбрызгивая рыбу вином. Затем снять крышку, полить рыбу сливками и продолжать запекать еще 15 мин. Готовую рыбу посыпать зеленью петрушки. Подать с отварным картофелем.

463 Барбекю из рыбы

800 г лосося, форели, скумбрии или другой рыбы; соль, черный молотый перец, белое сухое вино, зелень петрушки по вкусу.

Рыбу очистить от чешуи, выпотрошить. Вскрыть изнутри брюшную полость, прилегающую к позвоночнику, удалить кровь, тщательно вымыть рыбу холодной водой и обсушить. Отрезать от рыбы голову вместе с плавниками и хвостовую часть. Оставшуюся часть рыбы нарезать поперек кусками толщиной 2–2 $^1/_2$ см, посолить, поперчить, сбрызнуть белым сухим вином, посыпать рубленой петрушкой. Смазать куски рыбы маслом и жарить с обеих сторон на смазанной маслом решетке над тлеющими углями до готовности. Готовую рыбу подать с отварным картофелем и овощами.

464 Рыба, запеченная по-шведски

800 г филе трески или другой рыбы, 1 луковица, 100 г шампиньонов, 2 ст. ложки сливочного масла, 1 лавровый лист, 4 тонких ломтика свиного сала; зелень петрушки, соль, черный молотый перец, тимьян, панировочные сухари по вкусу.
Для соуса:
$^1/_2$ литра молока, 2 ст. ложки крахмала, 3 ст. ложки воды.

Тонко нарезанный репчатый лук, нарезанные ломтиками грибы положить в глубокую сковороду с растопленным маслом и тушить в течение 5 мин. На лук с грибами положить подготовленное рыбное филе, посыпать рыбу зеленью петрушки, посолить, поперчить, добавить лавровый лист, тимьян. Залить рыбу соусом и тушить под крышкой в духовке при температуре 170–180° в течение 10 мин. Затем повысить температуру до 220°, посыпать рыбу сухарями, сверху разложить поджаренные хрустящие ломтики свиного сала и запекать еще 10 мин.
Соус. В кипящее молоко, помешивая, влить разведенный в воде крахмал и продолжать мешать до образования густого соуса.

Перед приготовлением живую рыбу сначала глушат ударом по голове, затем делают разрез между грудными плавниками и дают крови стечь. Только потом рыбу начинают чистить и потрошить.

Чтобы легче очистить рыбу от чешуи, окуните ее на секунду в кипяток. Скользкую рыбу легче чистить под струей теплой воды или натерев рыбу крупной солью.

Для удаления слизи с поверхности некоторых видов рыбы ее следует натереть крупной солью, а затем промыть в воде.

Значительно легче очищать рыбу от чешуи, если предварительно удалить все плавники.

465 Рыбная поленница

600 г рыбного филе; соль, лимонный сок, масло для фритюра, зелень, овощи по вкусу.
Для кляра на пиве:
5 ст. ложек муки, 2 ст. ложки растительного масла; соль, перец, пиво по вкусу.
Для соуса тартар:
200 г майонеза, 1 маринованный огурец; каперсы, мелко нарезанные душистые травы, томатный кетчуп по вкусу.

Рыбное филе нарезать брусочками, посолить, сбрызнуть лимонным соком, перемешать с мелко нарубленной зеленью и поставить в холодильник на 30 мин. Затем кусочки рыбы обмакнуть в кляр на пиве. Шумовкой опустить рыбу во фритюр (рецепт 344) и жарить в течение 3–5 мин до образования золотистой хрустящей корочки. Готовую рыбу вынуть шумовкой, дать стечь жиру, уложить на тарелку в виде поленницы и подать с зеленью, овощами и соусом.

Кляр на пиве. В просеянную муку добавить соль, перец, масло и, взбивая, вливать пиво до тех пор, пока тесто не приобретет консистенцию сметаны. Дать тесту постоять 30 мин.

Соус тартар. В майонез добавить мелко нарезанные маринованные огурцы, каперсы, душистые травы, томатный кетчуп, все тщательно размешать.

466 Рыбная запеканка

200 г рыбного филе, 400 г картофельного пюре, 2 сваренных вкрутую яйца, 1 луковица, 1 стакан сметанного соуса; соль, перец, мука, растительное масло, сыр по вкусу.

Подготовленное филе рыбы (рецепт 235) нарезать маленькими кусочками, посолить, поперчить, обвалять в муке и обжарить на масле. В сковороду, смазанную маслом, выложить ровным слоем картофельное пюре (рецепт 500), сверху уложить рыбу, ломтики вареных яиц, обжаренный на масле, нарезанный кольцами лук. Все залить сметанным соусом (рецепт 67), посыпать тертым сыром и запечь в духовке. При подаче украсить зеленью.

467   Жареная рыба под соусом

800 г рыбного филе, 1 яйцо, 2 ст. ложки молока; лимонный сок, соль, перец, мука, панировочные сухари, лимон, зелень петрушки по вкусу.

Для соуса:

1 ¹/₂ ст. ложки муки, 2 ст. ложки сливочного масла, 2 стакана рыбного бульона, 1 сладкий перец, 1 маринованный огурец, 1 морковь, 1 сваренное вкрутую яйцо, 1 ч. ложка лимонного сока, 100 г сметаны.

Свежее рыбное филе нарезать на куски длиной 6–8 см. Мороженую рыбу предварительно оттаять до такого состояния, чтобы рыбу можно было резать ножом и рыбный сок еще не вытек. Куски рыбы сбрызнуть лимонным соком, посыпать с двух сторон солью, перцем, обвалять в муке, смочить во взбитом с молоком яйце, обвалять в панировочных сухарях, полностью опустить на 3–5 мин во фритюр (рецепт 344), выложить на нагретую сковороду или противень и поставить на 15–20 мин в разогретую духовку. Готовую рыбу положить на тарелки, залить соусом, украсить ломтиком лимона и зеленью.

Соус. Муку слегка обжарить со сливочным маслом, развести куриным бульоном и варить 25–30 мин. Затем добавить мелко нарезанные сладкий перец, огурец, вареную морковь, яйцо. Довести соус до кипения, добавить лимонный сок, сметану, соль, перец, размешать, еще раз довести до кипения и снять с плиты.

468   Рыба в кокосовой стружке

600 г рыбного филе, 2 яйца, 2 ст. ложки молока, 100 г панировочных сухарей, 100 г кокосовой стружки; соль, перец, растительное масло по вкусу.

Подготовленное рыбное филе (рецепт 235) нарезать полосками шириной 2–3 см, посолить, поперчить, обмакнуть во взбитое яйцо, обвалять в смеси панировочных сухарей и кокосовой стружки, выложить на разогретую с маслом сковороду и обжарить с двух сторон. Подать с ломтиками белого хлеба, смоченными в яйце, взбитом с молоком, и поджаренными на масле.

469 Запеченная рыба «Дорэ»

*1 рыба массой 1 ¹/₂–2 кг,
2 ст. ложки муки, 2 стакана
рыбного бульона, 2 ст. ложки
лимонного сока, 3 зубчика
чеснока, 2 ст. ложки мелко
рубленной зелени петрушки,
2 яйца; соль, перец, сливочное
масло по вкусу.*

Рыбу очистить от чешуи, сделать разрезы вдоль хребта от головы до хвоста по обе стороны от спинного плавника, осторожно отделить спинной хребет с ребрами и вырезать его у головы и хвоста рыбы. Вынуть внутренности и жабры, промыть рыбу холодной водой и обсушить салфетками. Надрезав рыбу со стороны головы и хвоста, отогнуть филейные части, придав рыбе плоскую форму. На большой сковороде с маслом слегка обжарить муку, развести рыбным бульоном, проварить 5–7 мин, добавить соль, перец, сливочное масло, лимонный сок, натертый на терке чеснок, мелко рубленную зелень и перемешать. Подготовленную рыбу посыпать с обеих сторон солью и перцем, выложить брюшком вниз на приготовленный соус, смазать мясо рыбы взбитыми яйцами и запечь в духовке до готовности.

470 Судак по-польски

*1 кг потрошеного судака,
1 л воды, 1 луковица, 1 морковь,
1 корень петрушки, 4 сваренных
вкрутую яйца, 3 ч ложки
лимонного сока, 2 ст. ложки
мелко нарезанной зелени
петрушки, 6 ст. ложек
растопленного сливочного
масла; соль, перец по вкусу.*

В кастрюлю с водой положить луковицу, нарезанную кружочками морковь, корень петрушки, соль, перец, поставить кастрюлю на огонь и варить овощи после закипания на слабом огне 15–20 мин. Затем положить разрезанную на куски рыбу и варить на слабом огне 6–8 мин, пока рыба не станет мягкой. Готовую рыбу вынуть из бульона, выложить на подогретое блюдо и полить соусом из растопленного масла, смешанного с лимонным соком, мелко рубленными яйцами и зеленью петрушки.

471 Рыба с помидорами по-астрахански

1 потрошеная рыба массой 1–1 ¹/₂ кг; соль, перец, чеснок, лимонный сок, растительное масло, консервированные помидоры, томатный сок, зелень петрушки по вкусу.

Для соуса:
1 ст. ложка муки, 2 ст. ложки сливочного масла, 2 стакана рыбного бульона, 1 луковица, 1 морковь, 1 стакан томатного сока, 2 ст. ложки лимонного сока, 2 ст. ложки мелко рубленной петрушки; соль, молотый красный перец, сахар по вкусу.

Потрошеную рыбу натереть снаружи и изнутри смесью соли, перца и толченого чеснока, сбрызнуть лимонным соком и оставить на 15 мин. Затем рыбу выложить на смазанную маслом фольгу, сделать на рыбе несколько надрезов, положить по бокам помидоры, подлить немного томатного сока, сбрызнуть маслом и запечь рыбу с помидорами в духовке до готовности. Рыбу вынуть из духовки, уложить вместе с фольгой на блюдо и украсить зеленью петрушки. Отдельно подать соус и зелень.

Соус. Муку слегка обжарить на масле, развести горячим рыбным бульоном, добавить мелко рубленный репчатый лук, натертую на крупной терке морковь и варить при слабом кипении 25–30 мин. Затем добавить томатный сок, соль, сахар, молотый красный перец, лимонный сок, мелко рубленную зелень петрушки, довести до кипения и снять с огня.

472 Рыба под горчичным соусом

800 г рыбного филе, 1 морковь, 1 луковица, 100 г сливочного масла, 2 яйца; соль, перец, зелень, белые сухари по вкусу.

Для горчичного соуса:
1 ст. ложка муки, 2 ст. ложки молока, 1 стакан сметаны, 1 ч. ложка столовой горчицы.

В глубокой сковороде слегка обжарить на масле мелко нарезанные морковь, лук и зелень петрушки, положить посыпанные солью и перцем куски филе и обжарить с двух сторон. Все залить взбитыми яйцами, посыпать тертыми сухарями, сбрызнуть маслом и запечь в духовке до готовности. Залить горячим соусом.

Горчичный соус. Муку размешать с молоком, добавить сметану, горчицу, все размешать и проварить 3–4 мин.

У свежей рыбы должны быть розовые жабры, светлые, чистые, выпуклые глаза; мясо рыбы должно быть упругим, ямка от нажима пальцем выравнивается быстро. Никогда не покупайте рыбу с «душком»: у свежей рыбы должен быть чистый, приятный запах.

Чешуя свежей рыбы гладкая, блестящая, плотно прилегающая к телу и потому трудно очищающаяся.

473 Жаркое из рыбы

600 г рыбы, 2 луковицы, 7–8 картофелин; соль, перец, растительное масло, вода или рыбный бульон по вкусу.

Рыбу очистить от чешуи, выпотрошить и промыть. У рыбы отрезать голову, хвост, плавники. Нарезать рыбу на куски, обжарить их с двух сторон на масле, положить в глиняные горшочки, добавить нарезанный дольками картофель, нарезанный кольцами лук, посолить, поперчить, влить немного воды или рыбного бульона, закрыть крышкой и тушить в духовке до готовности.

474 Рыба по-египетски «Саяди Димиати»

800 г рыбы, 4 луковицы, 1–2 сладких перца, 2–3 помидора, 1 головка чеснока, 100 г оливкового масла; соль по вкусу.

Свежую рыбу очистить от чешуи, выпотрошить, промыть холодной водой, разделать на филе без костей. Филе нарезать кусочками. Оливковое масло налить в глиняный горшок или другую посуду, добавить нарезанные лук, перец, помидоры, чеснок, кусочки рыбного филе, посолить и все перемешать. Затем посуду с рыбой накрыть крышкой, поставить в духовку и тушить рыбу с овощами до готовности.

475 Рыба по-ладожски

600 г рыбного филе, 1–2 луковицы, 100 г сыра, 100 г майонеза или сметаны; соль, мука, растительное масло по вкусу.

Рыбное филе нарезать на куски, посолить, обвалять в муке и положить на сковороду с разогретым маслом. На куски рыбы положить нарезанный кольцами и обжаренный лук, кусочки сыра, залить рыбу майонезом или сметаной и запечь в духовке.

476 Рыба по-севастопольски

600 г рыбного филе,
3–4 ст. ложки муки,
2 яйца; соль, перец, жир для
фритюра по вкусу.
Для фарша:
2 луковицы,
2 сваренных вкрутую яйца,
3 ст. ложки майонеза;
соль, перец, растительное
масло, зелень по вкусу.

Рыбу разделать на филе без кожи и костей, слегка отбить, посолить, поперчить. На середину каждого филе положить фарш. Края филе завернуть вокруг фарша и обвалять филе в муке. Белки яиц отделить от желтков. В желтки добавить 2 ч. ложки муки и перемешать. Белки взбить до образования пышной белой массы и сразу смешать с желтками. Подготовленную рыбу окунуть в яичную смесь и жарить во фритюре (рецепт 344) до готовности. Готовую рыбу подать, украсив зеленью, со свежими или маринованными фруктами и овощами.

Фарш. Репчатый лук мелко нарезать и слегка обжарить на растительном масле. Сваренные вкрутую яйца измельчить с зеленью, добавить лук, соль, перец, майонез. Все перемешать.

477 Сельдь с соусом по-латышски

2 соленые селедки,
6 картофелин; мука,
подсолнечное масло по вкусу.
Для сметанного
соуса с луком:
100 г сметаны, 1 ст. ложка муки,
1 ст. ложка сливочного масла,
1/2 луковицы; соль,
томатная паста по вкусу.

Селедки вымочить, выпотрошить, удалить голову и разделать на филе. Филе обвалять в муке и пожарить на масле. Подать сельдь с отварным картофелем, полив сметанным соусом с луком.

Сметанный соус с луком. Сметану нагреть до кипения, добавить муку, соль, перец, все тщательно размешать. Мелко нашинкованный репчатый лук слегка обжарить на масле, добавить томатную пасту, посолить и продолжать обжаривать еще в течение 5–7 мин. После этого смесь соединить со сметанным соусом и варить при слабом кипении в течение 10–15 мин.

478 Фаршированная щука

*Щука массой 1,2–1,5 кг,
2 средние моркови, 1 небольшая
свекла, 2 луковицы, 1/2 головки
чеснока; 6–7 картофелин.*
Для фарша:
*рыбная мякоть,
150–200 г белого хлеба,
2/3 стакана молока, 1 луковица,
2 яйца, 1 ст. ложка сливочного
масла, 1 ч. ложка сахара;
соль, перец по вкусу.*
Для соуса:
*1 ст. ложка муки,
1 ст. ложка сливочного масла,
2–2 1/2 стакана рыбного
бульона; соль по вкусу.*

Щуку вымыть в воде с уксусом. Осторожно, стараясь не повредить кожу, очистить рыбу от чешуи, отрезать голову и, не разрезая брюшка, удалить внутренности. Рыбу нарезать поперек на куски шириной 4–5 см. Из кусков вырезать мякоть и убрать кости. Из мякоти приготовить фарш. Готовым фаршем заполнить куски рыбьей кожи. На дно посуды сначала положить нарезанные ломтиками морковь, свеклу, лук, на них — куски рыбы, наполненные фаршем, затем — еще слой овощей и еще слой рыбы. Уложив так всю рыбу, залить рыбу и овощи холодной водой так, чтобы она только покрыла рыбу и овощи, добавить очищенный чеснок и варить под крышкой при слабом кипении 3–4 часа, периодически поливая верхние слои рыбы бульоном, в котором она варится. Готовые куски рыбы вынуть из кастрюли, бульон процедить и отварить в нем очищенный картофель. Куски рыбы выложить на овальное блюдо в виде целой рыбы, полить соусом, сбоку положить отварной картофель.

Фарш. Рыбную мякоть пропустить через мясорубку. Добавить размоченный в молоке белый хлеб, обжаренный на масле, мелко рубленный репчатый лук, яйца, масло, сахар, соль, перец и все еще раз пропустить через мясорубку.

Соус. Муку слегка обжарить с маслом, развести горячим рыбным бульоном, посолить и варить 25–30 мин.

479 Кугель с рыбой

*800 г рыбного филе или
консервированной рыбы,
5–6 картофелин, 1 луковица,
2 ст. ложки сливочного масла,
1/2 стакана сливок, 2 яйца; соль,
перец, растительное
масло по вкусу.*

Рыбное филе отварить в небольшом количестве воды, нарезать на куски. Картофель очистить и нарезать соломкой. Репчатый лук очистить и обжарить в сковороде на растительном масле. В глубокой сковороде растопить сливочное масло, положить в нее половину картофеля, посолить, поперчить, на картофель выложить куски отварного филе или консервированной рыбы, обжаренный лук, сверху положить оставшийся картофель, посолить, поперчить, залить взбитыми со сливками и солью яйцами и запечь в духовке на среднем огне в течение 40–50 мин.

480 Рыба под сметанным соусом

*600 г филе трески, **или** морского
окуня, **или** хека, 50 г твердого
сыра, 2 1/2 стакана сметанного
соуса; соль, перец, растительное
масло по вкусу.*

Рыбное филе нарезать на куски, посолить, поперчить, обвалять в муке и поджарить с обеих сторон на масле. Свежие грибы мелко нарезать и отдельно поджарить на масле. Рыбу и грибы положить на сковороду, залить сметанным соусом (рецепт 67), посыпать тертым сыром, сбрызнуть маслом и запечь в духовке.

481 Рыбная запеканка «Тихая заводь»

*600 г рыбного филе,
1–2 моркови, 1 луковица,
4 яйца, 4 ст. ложки
картофельного пюре;
соль, перец, столовый уксус,
растительное масло,
зелень петрушки по вкусу.*

Рыбное филе нарезать брусочками, посолить, поперчить, посыпать мелко нарезанной зеленью петрушки. Морковь нашинковать соломкой, посолить, сбрызнуть уксусом, дать постоять 10–15 мин, обжарить в сковороде на масле, добавить нашинкованный лук и продолжать обжаривать до мягкости. Затем добавить рыбное филе и обжаривать еще 4–5 мин. Яичные белки отделить от желтков. Белки взбить, перемешать с картофельным пюре (рецепт 500), выложить на рыбу, сверху вылить желтки. Рыбу с пюре запечь в духовке. При подаче украсить зеленью петрушки.

Рыбу потрошат, разрезав брюшко в продольном направлении. Если разрезать рыбу острым ножом от акального отверстия, слегка приподнимая при этом рыбу вверх, у вас мало шансов повредить желчный пузырь.

Чтобы неразделенная мороженая рыба оттаяла быстрее, положите ее в холодную подсоленную воду.

Разрезанную рыбу и тем более филе для размораживания лучше положить в миску, накрыть крышкой и поставить в холодильник, чтобы размораживание происходило медленнее. При этом рыба остается более сочной. Начинать готовить рыбу можно полуоттаявшей.

482 Рыба по-азовски

800 г рыбного филе, 2 ст. ложки лимонного сока, 1 луковица, 1—2 моркови, 1 корень петрушки, 1 стакан рыбного бульона или воды, 2 ст. ложки белого сухого вина, 300 г цветной капусты; соль, перец, сливочное масло, горох по вкусу.

Куски рыбного филе сбрызнуть лимонным соком, сложить в миску и оставить на 15—20 мин. После чего положить филе в сковороду, посолить, поперчить, добавить нарезанный полукольцами репчатый лук, нарезанную кружочками морковь, корень петрушки, залить рыбным бульоном или водой, добавить вино, закрыть сковороду крышкой, поставить на плиту и припустить рыбу на слабом огне в течение 10—15 мин с момента закипания бульона. Отваренную в подсоленной воде цветную капусту положить на смазанную маслом сковороду, сбрызнуть маслом и запечь в духовке до подрумянивания. Готовое рыбное филе подать с цветной капустой и припущенными овощами. Украсить блюдо зеленью петрушки.

483 Рыба в апельсиновом соусе

800 г рыбного филе; соль, перец, чеснок, панировочные сухари, апельсиновый сок, сливочное масло, сливки по вкусу.

Кусочки рыбного филе посыпать солью, перцем, тертым чесноком, обвалять в сухарях, уложить на сковороду или противень, залить апельсиновым соком до половины высоты слоя рыбы, полить филе растопленным сливочным маслом и поставить посуду с рыбой в горячую духовку. Когда рыба подрумянится, слить половину сока, кусочки филе перевернуть, снова поставить в духовку и запекать 15 мин. Готовую рыбу полить соусом.
Соус. Слитый апельсиновый сок довести до кипения, добавить жирные сливки и проварить в течение 5 мин.

Жареная рыба будет особенно вкусной, если ее предварительно на час-другой положить в молоко, а затем обсушить, обвалять в муке и жарить в кипящем растительном масле.

В рыбный фарш из нежирных сортов рыбы можно добавлять предварительно размягченное сливочное масло или промалывать на мясорубке рыбное филе вместе со свиным салом.

При запекании рыбу лучше прикрывать фольгой, чтобы она сохраняла сочность.

484 Рыба в яйце

500 г рыбы, 2 яйца, 1 ст. ложка муки, 2 ст. ложки растительного масла; соль, перец по вкусу.

Свежую рыбу очистить от чешуи, выпотрошить, промыть холодной водой, отрезать голову, хвост, плавники и разрезать вдоль по позвоночнику на две половины. Затем нарезать на куски, посолить, поперчить, обвалять в муке и обжарить с обеих сторон на масле. Залить рыбу яйцами, взбитыми с солью и 1–2 ст. ложками воды, и запечь в духовке.

485 Тушеная рыба под голландским соусом

800 г рыбного филе, 4 ст. ложки виноградного уксуса, $^1/_2$ л воды, $^1/_2$ ч. ложки соли, сок 1 лимона, 1 стакан сухого белого вина, 2 маринованных огурца, 2 ст. ложки сливочного масла; соль, перец, укроп по вкусу.
Для соуса:
$^1/_2$ луковицы, 2 листика эстрагона, 4 ст. ложки воды, 4 ст. ложки белого вина, 4 горошины черного перца, 2 яичных желтка, 150 г масла, 1 ч. ложка лимонного сока, $^1/_4$ ч. ложки тертого мускатного ореха; соль, кайенский перец по вкусу.

Рыбное филе посолить, сбрызнуть уксусом. В кастрюлю влить воду, добавить соль, лимонный сок, вино, довести до кипения, положить филе и варить при слабом кипении 15 мин. Огурцы нарезать кубиками, положить в сотейник с растопленным маслом, посолить, поперчить и тушить под крышкой на медленном огне до мягкости. В конце тушения добавить рубленый укроп. При подаче филе уложить на подогретое блюдо, вокруг разложить огурцы. Отдельно подать голландский соус.
Голландский соус. Мелко нарезанный лук, листики эстрагона залить водой, добавить вино, перец и варить, пока объем жидкости не уменьшится в 2 раза. Процеженную и охлажденную жидкость взбить с яичными желтками на водяной бане. Продолжая взбивать, добавить сначала по каплям, затем ложками растопленное сливочное масло. Затем добавить соль, лимонный сок, тертый мускатный орех, кайенский перец.

486   Рыба по-онежски

500 г рыбного филе; молоко, соль, мелко нарезанная зелень, мука, яйцо, панировочные сухари, растительное масло по вкусу.
Для фарша:
100 г свежих грибов, 1–2 луковицы, 50 г сливочного масла, 1 сваренное вкрутую яйцо; соль по вкусу.

Рыбное филе слегка отбить и положить в молоко на 15–20 мин. Затем филе вынуть из молока, посолить, посыпать мелко нарезанной зеленью петрушки. На филе положить фарш, свернуть филе в форме котлет, обвалять в муке, смочить во взбитом яйце, обвалять в сухарях и обжарить со всех сторон в масле до готовности. Подать с овощами и зеленью.

Фарш. Шампиньоны или другие свежие грибы промыть, мелко порубить и обжарить вместе с мелко нарезанным репчатым луком. Затем добавить соль, рубленое яйцо и все перемешать.

487   Карп по-китайски

1 потрошеный карп массой около 1 кг, $^1/_2$ л воды, $^1/_2$ литра сухого белого вина, 2 моркови, 1 луковица, 1 корень петрушки, 1 лавровый лист, 2 цветка гвоздики, 50 г сливочного масла, 50 г свежих грибов, 1 ст. ложка соевого соуса, сок 1 лимона; соль, перец, молотый имбирь по вкусу.

У потрошеного карпа отделить филе от хребта. Снять с филе кожу, филе нарезать кубиками. В кастрюлю с водой добавить вино, нарезанную мелкими ромбиками морковь, тонко нашинкованный лук, корень петрушки, лавровый лист, гвоздику, соль, поставить кастрюлю на огонь и варить 5 мин после закипания. Затем положить разделанного карпа, довести до кипения и варить 3 мин на слабом огне. Вареные овощи переложить в сотейник с разогретым маслом, добавить замоченные в воде, мелко нарезанные грибы и потушить 8–10 мин при непрерывном помешивании. Соевый соус смешать с лимонным соком, солью, перцем и имбирем. Добавить в него отваренные кусочки карпа и тушеные овощи и все это уложить на блюдо в форме рыбы.

488 Котлеты «Бравый кок»

500 г рыбного филе без кожи, 2 яичных белка, 2–3 ст. ложки жирных сливок, 1 яйцо; соль, красный молотый перец, мука, панировочные сухари, жир для фритюра, овощи, зелень по вкусу.

Для картофельных палочек:
2–3 картофелины, 2 яйца, 1 ст. ложка сливочного масла; соль, мука, панировочные сухари, жир для фритюра по вкусу.

Рыбное филе нарезать на мелкие кусочки, растолочь в ступке или измельчить в миксере до получения однородной массы и поперчить. Размешивая, постепенно влить яичные белки и поставить рыбный фарш в холодильник на 1 час. Затем, перемешивая фарш деревянной ложкой, постепенно влить охлажденные сливки, добавить соль, тщательно взбить фарш и поставить в холодильник на 30 мин. Сделать из фарша котлеты овальной формы, обвалять их в муке, смочить во взбитом яйце, запанировать в сухарях и пожарить со всех сторон во фритюре (рецепт 344). Подать котлеты на блюде с картофельными палочками, салатом из свеклы (рецепт 11), овощами и зеленью. Отдельно подать майонез, смешанный с томатным кетчупом.

Картофельные палочки. Картофельное пюре (рецепт 500) заправить яйцом, маслом, разделать в виде палочек, обвалять в муке, смочить в яйце, обвалять в сухарях и обжарить во фритюре.

489 Рыбные тефтели в томатном соусе

400 г рыбного филе без кожи, 100 г белого хлеба, ¹/₂ стакана молока, 1 луковица, ¹/₂ л томатного соуса; соль, перец, растительное масло, мука, чеснок по вкусу.

Рыбную мякоть, размоченный в молоке хлеб промолоть на мясорубке, добавить соль, перец, обжаренный на масле лук, перемешать. Из полученного фарша сделать небольшие шарики-тефтели, обвалять их в муке, уложить на смазанную маслом сковороду, полить маслом и запечь в духовке. Затем добавить томатный соус, растертый с солью чеснок и тушить 10–15 мин.

490 Рыбные крокеты «Онар»

600 г рыбного филе, 1 луковица, 2 яйца; соль, растительное масло, мука, жареный картофель, зелень петрушки или укропа по вкусу.

Рыбное филе с кожей нарезать на кусочки и промолоть на мясорубке вместе с луком. Добавить яйца, соль, все хорошо вымешать. Из полученного фарша сделать шарики, обвалять их в муке, слегка обжарить на масле, добавить немного воды или рыбного бульона и тушить под крышкой до готовности. Подать с жареным картофелем, посыпав мелко нарезанной зеленью.

491 Рыбные котлеты «Бриз»

700 г рыбного филе, 100 г свинины, 1 луковица, 3 яйца, 1/2 стакана молока; соль, перец, панировочные сухари, мука, жир для фритюра, овощи, зелень петрушки или укропа, картофель по вкусу.

Рыбное филе и жирную свинину нарезать на кусочки, промолоть на мясорубке, добавить обжаренный на масле, мелко нарезанный лук, 1 яйцо, соль, перец, все тщательно вымешать. Из полученного фарша сделать котлеты овальной формы, смочить их в смеси молока и оставшихся яиц, обвалять в смеси сухарей с мукой и жарить во фритюре (рецепт 344) до готовности. Подать с овощами, зеленью, отварным или жареным картофелем.

492 Оладьи из горбуши

500 г филе горбуши, 2 луковицы, 1 яйцо, 1/2 стакана кефира, 1/2 ч. ложки соды, 1 1/2 стакана муки; соль, перец по вкусу.

Филе горбуши нарезать мелкими ломтиками. Репчатый лук нарезать мелкими кубиками. Яйцо взбить с кефиром, добавить соль, перец, соду, все перемешать. Всыпать муку и замесить тесто. В тесто добавить подготовленные рыбу и лук, все тщательно перемешать до получения однородной массы. Из полученной массы выпечь оладьи на растительном масле на сковороде под крышкой. Готовые оладьи подать к рыбному бульону или ухе.

493 Рыбный пудинг

800 г рыбного филе, 200 г белого хлеба, 1 стакан молока, 50 г свиного сала, 1 луковица, 3 яйца, 1 ст. ложка крахмала; соль, сливочное масло, панировочные сухари, тертый мускатный орех по вкусу.

Рыбное филе нарезать на куски. Хлеб замочить в половине количества молока. Сало нарезать кубиками. Лук очистить, мелко порубить, слегка обжарить на половине количества сала и остудить. Куски рыбного филе, обжаренный лук, оставшееся сало пропустить через мясорубку, добавить яйца, оставшееся молоко, крахмал, мускатный орех, все хорошо вымесить. Форму для пудинга смазать маслом, обсыпать сухарями, заполнить рыбным фаршем и плотно закрыть. Поставить форму на горячую водяную баню на 1 час. Вынуть форму из воды, дать пудингу постоять 5 мин, опрокинуть форму и выложить пудинг на блюдо.

494 Крабовые палочки, жаренные в кляре

300 г крабовых палочек, 1 ч. ложка растительного масла, сок 1/3 лимона или 2 г лимонной кислоты, растворенной в 2 ст. ложках воды; соль, перец, жир для фритюра, зелень петрушки, огурцы, лимон по вкусу.
Для кляра:
3 яйца, 2/3 стакана муки, 1/2 стакана молока или воды; соль по вкусу.

Крабовые палочки разморозить, освободить от пленок, сложить в миску, добавить соль, перец, растительное масло, лимонный сок или разведенную лимонную кислоту, перемешать и поставить в холодильник для маринования на 20—30 мин. Маринованные палочки обмакнуть в кляр и жарить во фритюре (рецепт 344) до образования поджаристой корочки. Готовые палочки подать, посыпав зеленью, с солеными или маринованными огурцами, дольками лимона.

Кляр. Яйца разделить на белки и желтки. Муку развести теплым молоком или водой, добавить растертые с солью желтки, размешать и поставить на 20 мин в тепло. Непосредственно перед жарением добавить охлажденные взбитые белки и размешать.

495 Креветки, жаренные в кляре

Креветки, соль, перец, зелень петрушки, лимонный сок, кляр, жир для фритюра по вкусу.

Для жаренья в кляре лучше всего подойдут крупные креветки. Креветки очистить, начиная со шва на брюшной стороне. Очищенные креветки положить в миску, посолить, поперчить, посыпать мелко рубленной зеленью петрушки, сбрызнуть лимонным соком, все аккуратно перемешать и оставить на 5—7 мин. Подготовленные креветки по очереди брать пинцетом, окунать в кляр (рецепт 494) и опускать во фритюр (рецепт 344). Подрумянившиеся креветки по очереди вынимать шумовкой и для удаления лишнего жира выкладывать на салфетку. Чтобы креветки не остыли, их следует держать в горячей духовке до тех пор, пока все креветки не будут готовы.

496 Креветки с рисом по-тайски

500 г креветок, 250 г риса, 1 луковица, 2 зубчика чеснока, 4 ст. ложки растительного масла, 2 помидора, 250 г зеленого лука, 3 яйца; соль, порошок чили, зеленый лук, зелень петрушки или кориандра по вкусу.

Рис отварить, откинуть на сито и остудить. Мелко нарезанные лук и чеснок обжарить на масле в глубокой сковороде до прозрачности. Затем в сковороду положить очищенные креветки и обжаривать еще 3—4 мин. С помидоров снять кожицу (рецепт 2) и нарезать их дольками. В сковороду с креветками положить отваренный рис, дольки помидоров, добавить соль, порошок чили, все перемешать и прогреть в горячей духовке 10—15 мин. После чего залить креветки с рисом взболтанными яйцами и запечь в духовке. Готовое блюдо посыпать мелко нарезанным зеленым луком, зеленью петрушки или кориандра.

497 Креветки под соусом со спагетти

*¹/₂ кг креветок,
¹/₂ кг маринованных огурцов,
300 г спагетти; соль, сливочное
масло по вкусу.*
Для соуса:
*¹/₂ луковицы, ¹/₂ моркови,
1 ч. ложка мелко нарезанного
корня петрушки,
300 г томатного соуса,
4 ст. ложки сухого белого вина;
соль, перец по вкусу.*

Приготовить креветки в кляре (рецепт 494), положить в соус и прогреть на слабом огне. Огурцы крупно нарезать, сложить в небольшую кастрюлю, влить немного маринада и дать прокипеть 3—4 мин. В подсоленной воде отварить тонкие макароны-спагетти, откинуть на дуршлаг, дать стечь воде. Выложить макароны на сковороду с разогретым маслом, перемешать, прогреть под крышкой на слабом огне и выложить на подогретое блюдо. На макароны выложить креветки с соусом и огурцы.

Соус. Нарезанные очень мелкими кубиками лук, морковь, корень петрушки обжарить на масле, добавить соль, перец, томатный соус, белое сухое вино и варить до загустения.

498 Фаршированные кальмары

*1 кг очищенных кальмаров,
6 ст. ложек растительного
масла, ¹/₂ стакана сухого
белого вина, 1 ¹/₂ стакана
томатного сока; соль по вкусу.*
Для начинки: *1 луковица, 6 ст.
ложек растительного масла,
4 ст. ложки риса, 4 ст. ложки
тертых грецких орехов,
4 ст. ложки черной смородины,
2 ст. ложки рубленой петрушки;
соль и перец по вкусу.*

Кальмары натереть солью и промыть в воде. Наполнить кальмары начинкой наполовину, зашить отверстия нитками и обжарить кальмары на сильном огне в глубокой сковороде. Затем добавить вино, горячий томатный сок, соль. Накрыть сковороду крышкой, поставить в предварительно нагретую до температуры 180° духовку и запекать кальмары около 1,5 часа, пока кальмары не станут мягкими, а соус не загустеет. При подаче снять с кальмаров нитки, уложить на блюдо и полить соусом.

Начинка. Мелко рубленный лук обжарить на масле. Добавить рис, орехи, смородину, петрушку, соль, перец, все перемешать.

Блюда из картофеля, овощей и грибов

499 Картофель по-юсуповски

2 кг картофеля; грибной соус, зелень петрушки и укропа по вкусу.

Очищенные и вымытые картофелины плотно уложить в вертикальном положении в один слой в гусятницу или другую толстостенную посуду. Залить картофель грибным соусом (рецепт 305) так, чтобы соус полностью покрыл картофель, накрыть посуду крышкой, поставить в нежаркую духовку и тушить до готовности. Перед подачей выложить готовый картофель в глубокое блюдо, полить соусом, в котором картофель тушился, посыпать мелко порезанной зеленью петрушки и укропа.

500 Картофельная запеканка с орехами

1–2 луковицы, 3–4 яйца, 100 г плавленого сыра, $^1/_2$ стакана молотых грецких орехов, 2 ст. ложки муки, 1 ст. ложка рубленой зелени, $^1/_2$ ч. ложки тмина; соль, перец, сливочное масло, панировочные сухари по вкусу.
Для картофельного пюре: *1 кг картофеля, 2 ст. ложки сливочного масла, 1 стакан молока; соль по вкусу.*

Лук очистить, мелко нарезать и слегка обжарить на масле. Яичные желтки отделить от белков. Плавленый сыр натереть на крупной терке, добавить обжаренный лук, тертые орехи, муку, желтки, мелко рубленную зелень, соль, перец, тмин, все перемешать, выложить в картофельное пюре, добавить взбитые белки и все тщательно перемешать. Полученную массу выложить в смазанную маслом форму, полить растопленным маслом, посыпать сухарями, поставить в разогретую духовку и запекать при температуре 180–200° в течение 30–40 мин.
Картофельное пюре. Очищенный и промытый картофель нарезать крупными кусками, сварить, слить воду, размять деревянным пестиком, добавить масло, соль и, помешивая, постепенно влить горячее молоко.

501 Картофель, запеченный с сыром

1 $^1/_2$ кг картофеля, 200 г сыра, 5–6 зубчиков чеснока, 1 стакан молока; соль, перец, сливочное масло по вкусу.

Картофель очистить, вымыть, нарезать тонкими кружочками. Выложить 3–4 слоя картофеля в смазанную маслом глубокую сковороду, посыпая каждый слой смесью тертого сыра, рубленого чеснока, соли и перца и сбрызгивая растопленным маслом. Сверху посыпать сыром, залить молоком, поставить картофель в духовку и запечь при температуре 200–210° до готовности.

502 Картофельная драчена по-белорусски

5–6 картофелин, 4 яйца, 2 стакана молока или сливок; сливочное масло, соль по вкусу.

Очищенный картофель отварить в подсоленной воде, воду слить, картофель растолочь, добавить теплое молоко или сливки, яйца, соль. Все взбить до получения пышной однородной массы. Выложить картофельную массу на смазанную маслом сковороду и запечь в духовке до готовности.

Молодой картофель очистится быстрее, если положить его перед чисткой в соленую холодную воду.

Картофельное пюре разбавляют только горячим молоком. Из молодого картофеля делать пюре не рекомендуется.

Чтобы тертый картофель, из которого Вы готовите оладьи, не потемнел, влейте в него немного горячего молока.

Перед тем, как жарить картофель во фритюре, подсушите его полотенцем, тогда получится сухая, хрустящая корочка.

503 Тверские картофельные кокорки

5–6 картофелин, 4 ст. ложки молока, 4 ст. ложки муки, 1 яйцо; соль, сметана, сливочное масло по вкусу.

Картофель очистить, вымыть, отварить в подсоленной воде, воду слить. Горячий картофель растолочь или протереть сквозь сито, добавить масло, постепенно влить, помешивая, горячее молоко и остудить. Затем добавить муку, яйцо, соль и все тщательно перемешать до получения однородной массы. Из полученной массы сделать круглые лепешки толщиной 1–1,5 см, смазать их сметаной, выложить на смазанный маслом противень и выпечь кокорки в духовке при температуре 180–190° до готовности. Готовые кокорки подать со сметаной и свежими овощами.

504 Лежни по-полтавски

6 картофелин, 1 ст. ложка сливочного масла, $^1/_2$ стакана молока, 4 яйца, 4–5 луковиц, 100 г свиного сала, 1 $^1/_2$ стакана квашеной капусты, 2 ст. ложки муки; соль, сметана по вкусу.

Из очищенного и вымытого картофеля, масла, молока и соли приготовить картофельное пюре (рецепт 500). Добавить в пюре яйца и перемешать до получения однородной массы. Квашеную капусту выложить на сковороду и потушить под крышкой на слабом огне в течение 20–25 мин. В конце тушения добавить обжаренный на сале, мелко рубленный лук, все перемешать. Половину картофельного пюре выложить ровным слоем на смазанный салом и посыпанный мукой противень, положить на него тушеную капусту с луком, разровнять, сверху ровно выложить оставшееся пюре, сбрызнуть растопленным салом и запечь в духовке до подрумянивания. Готовую запеканку нарезать на куски и подать со сметаной.

505 Деруны с салом и луком

4–5 картофелин, 4 ст. ложки муки, 2 яйца, 4 ст. ложки сметаны, 5 луковиц, 150 г шпика; соль, перец по вкусу.

Очищенный картофель натереть на терке, добавить муку, яйца, сметану, соль, перец, пропущенный через мясорубку лук, все хорошо вымесить. Полученную массу выложить ложкой в форме котлет на сковороду с растопленным шпиком и обжарить с двух сторон. Затем полить деруны салом с обжаренным луком, накрыть крышкой и довести до готовности на слабом огне.

506 Деруны с мясом

4–5 картофелин, 4 ст. ложки муки, 2 яйца, 4 ст. ложки сметаны, 5 луковиц, 150 г шпика; соль, перец по вкусу.
Для фарша:
200 г свинины, 1 луковица; соль, перец по вкусу.

Часть картофельной массы (рецепт 505) выложить ложкой в форме котлет на сковороду с растопленным шпиком. Сверху разложить фарш, накрыть его оставшейся картофельной массой, обжарить деруны с двух сторон, залить сметаной, или грибным соусом (рецепт 305) и довести до готовности под крышкой.
Фарш. Мясо промолоть на мясорубке, добавить соль, перец, мелко нарезанный и слегка обжаренный лук и все перемешать.

507 Картофельные котлетки с капустой

300 г квашеной капусты, 6–7 картофелин, 4 ст. ложки муки, 1 яйцо, 1 ст. ложка сахара; соль, растительное масло по вкусу.

Капусту мелко нарезать и обжарить на масле в сковороде. Вареный картофель промолоть на мясорубке, добавить капусту, муку, яйцо, сахар, соль. Все перемешать, сделать небольшие котлетки и пожарить на масле на сковороде. Подавать со сметаной.

508 Картофель в фольге «Голиаф»

*4 большие картофелины,
4 ст. ложки сливочного масла,
2 луковицы, 2 яблока, 2 ч. ложки
лимонного сока, 2–3 ст. ложки
сметаны, 2 ст. ложки тертого
сыра; соль по вкусу.*

Картофель очистить от кожуры, вымыть, срезать плоскую крышечку и вынуть сердцевину, оставив стенки толщиной около 1 см. Внутрь каждой картофелины положить масло и посолить. Лук очистить, нарезать колечками и обжарить на разогретой с маслом сковороде до прозрачности. Яблоки помыть, очистить, удалить сердцевину, нарезать тонкими ломтиками, сбрызнуть лимонным соком. Лук, яблоко и сметану смешать, слегка посолить, заполнить картофелины полученной смесью и посыпать сыром. Сверху накрыть срезанными крышечками. Обернуть картофелины фольгой и запекать в духовке при температуре 200° в течение 1–1,5 часа до готовности.

509 Свекольный рулет с яблоками

*4 средние свеклы, 3 ст. ложки
манной крупы, 1 яйцо,
2 ст. ложки маргарина,
4 ст. ложки сметаны,
1 ст. ложка панировочных
сухарей; соль по вкусу.*
Для фарша:
2 яблока, 4 ч. ложки сахара.

Свеклу отварить, очистить, натереть на терке, положить в кастрюлю, добавить манную крупу, маргарин и, помешивая, проварить до загустения. Полученную массу охладить, добавить яйцо, размешать, выложить на влажную салфетку, разровнять, сверху положить фарш и свернуть вместе с салфеткой рулетом. Выложить рулет из салфетки на смазанную жиром сковороду, смазать сметаной, посыпать сухарями. Наколоть рулет в нескольких местах вилкой и запечь в духовке. Подать со сметаной.
Фарш. Яблоки вымыть, очистить от кожицы и семян, натереть на крупной терке и перемешать с сахаром.

510 Колобки из гороха

*2 стакана гороха,
4 луковицы, 200 г свиного сала
или растительного масла;
соль по вкусу.*

Горох промыть несколько раз теплой водой, залить холодной водой и оставить набухать на 5–6 часов. Затем воду слить, залить горох свежей холодной водой так, чтобы ее уровень был выше гороха на 2–3 см. Посуду с горохом плотно закрыть крышкой, поставить на огонь и варить горох в течение 1–1,5 часа на небольшом огне, пока горох не станет мягким. В конце варки добавить соль. Свиное сало нарезать мелкими кубиками и обжарить на сковороде до получения шкварок. Затем добавить мелко нарезанный лук и слегка обжарить. Готовый горох растолочь, добавить шкварки, лук, вытопившееся сало, все тщательно перемешать. Из полученного пюре сделать колобки, выложить их на смазанную салом сковороду и прогреть в духовке. Вместо сала можно использовать растительное масло.

511 Фасоль с помидорами

*500 г фасоли, 4–5 луковиц,
5–6 помидоров, 3–4 ст. ложки
сливочного масла; соль, зелень
петрушки, кинзы, укропа,
базилика по вкусу.*

Фасоль замочить в холодной воде на 5–8 часов. Затем воду слить, залить свежей холодной водой и сварить под крышкой до готовности. Лук мелко нарезать и слегка обжарить в сковороде на масле. С помидоров снять кожицу (см. рецепт 2), разрезать пополам, удалить семена и размять. Подготовленные помидоры и лук положить в фасоль и все варить до загустения. За 10 мин до окончания варки добавить мелко нарезанную зелень петрушки, кинзы, укропа и базилика, посолить и перемешать.

Если свежая капуста горчит, ее надо нарезать и ошпарить кипятком.

При тушении свежей капусты добавляйте немного уксуса или несколько капель лимонного сока.

Капустные листья для голубцов будут мягче, если обварить их соленым кипятком.

Когда готовите голубцы, можно положить между ними ломтики айвы. Она придаст аромат блюду и отобьет запах капусты.

512 Голубцы «Сельские»

600 г капусты, 100 г масла, 1/2 стакана сметаны; соль по вкусу.
Для начинки:
400 г творога, 4 сваренных вкрутую яйца; зелень, чеснок, соль по вкусу.

У белокочанной капусты удалить подпорченные листья, вырезать кочерыжку, положить кочан в кипящую подсоленную воду и варить до полуготовности. Затем кочан вынуть из воды и разобрать на листья. Утолщенные черешки слегка отбить. На подготовленные листья положить начинку. Листья завернуть в форме конвертиков, обжарить с двух сторон на сковороде с маслом, залить сметаной, посолить и запечь в духовке. Перед подачей полить голубцы растопленным сливочным маслом.
Начинка. Творог, мелко нарубленные яйца, соль тщательно перемешать. Можно добавить мелко нарезанную зелень укропа или петрушки, измельченный чеснок.

513 Ленивые голубцы

600 г свежей или квашеной капусты, 2 луковицы, 1 ч. ложка сахара, 3 ст. ложка риса; масло, сметана или сметанный соус, соль по вкусу.

Свежую или квашеную капусту мелко порубить и потушить в небольшом количестве воды или бульона. Затем добавить мелко нарезанный, обжаренный лук, сахар, масло и еще немного потушить. Промытый рис слегка отварить в подсоленной воде, откинуть на дуршлаг, добавить к капусте, перемешать и посолить. Из полученной массы сделать голубцы, обвалять их в муке и обжарить со всех сторон на сковороде с маслом. Затем разложить голубцы на сковороде или противне на расстоянии друг от друга не менее 2 см. Полить голубцы сметаной или сметанным соусом (рецепт 67) и запечь в духовке до готовности.

514 Голубцы «Посадские»

600 г капусты, сметана,
грибной соус по вкусу.
Для начинки:
50 г сушеных
грибов, 2 ст. ложки риса,
2 луковицы, 1 морковь,
150 г сливочного
или растительного масла;
соль по вкусу.

На подготовленные листья капусты (рецепт 385) разложить начинку, завернуть листья в виде конвертов и обжарить с маслом до готовности. Подавать голубцы со сметаной или грибным соусом (рецепт 305). Блюдо можно украсить зеленью, ягодами и вареными овощами.

Начинка. Грибы тщательно вымыть, замочить в холодной воде, отварить, отвар слить, грибы слегка остудить и нарезать ломтиками. Рис перебрать, промыть, положить в кастрюлю с кипящей подсоленной водой и отварить до готовности, откинуть на дуршлаг. Лук и морковь мелко нарезать, обжарить на масле с грибами и смешать с отварным рисом, посолить.

515 Цветная капуста, тушенная с овощами

1 кочан цветной капусты,
1–2 луковицы, 2 картофелины,
1 ст. ложка тертого имбиря,
2 зубчика чеснока, 1 ч. ложка
порошка карри, 1 ¹/₂ стакана
воды, 200 г зеленого горошка;
растительное масло, соль,
тмин, кориандр или зелень
петрушки по вкусу.

Лук очистить, мелко порубить и слегка обжарить на масле в глубокой сковороде. Добавить очищенный и нарезанный небольшими кусочками картофель, имбирь, мелко рубленный чеснок, порошок карри, молотый тмин и жарить, помешивая, 2 мин. Затем посолить, влить воду, довести до кипения, накрыть крышкой и тушить на слабом огне 10–15 мин. После чего добавить очищенную и разобранную на кочешки цветную капусту и тушить под крышкой 10 мин. Снять крышку, добавить зеленый горошек и тушить еще 10 мин. При подаче посыпать капусту рублеными кориандром или петрушкой.

Если квашеная капуста слишком кислая, промойте ее в холодной воде. Горячая вода вымывает из капусты много питательных веществ.

Перед тем, как варить цветную капусту, ее нужно промыть и разделить на соцветия. Если в капусте есть мошки, ее нужно вымочить в холодной подсоленной воде.

Чтобы цветная капуста после варки была белого цвета, в воду при варке нужно добавить немного лимонного сока.

516 Капуста, запеченная по-удмуртски

700 г белокочанной или цветной капусты, 2 ст. ложки молотых сухарей; масло, соль по вкусу.
Для соуса:
2 яйца, 2 ст. ложки муки, 2 стакана молока; соль по вкусу.

Капусту нарезать кубиками, отварить в подсоленной воде до полуготовности, откинуть на дуршлаг, дать стечь воде. Затем выложить капусту на сковороду с маслом, залить соусом, посыпать сухарями и запечь в духовке до готовности.
Соус. Яйца растереть с солью и мукой и развести, помешивая, несколькими ложками теплого молока. Яичную массу при непрерывном помешивании влить в оставшееся кипящее молоко, и проварить получившийся соус на слабом огне до загустения.

517 Овощное рагу по-корейски

2 баклажана, 1 небольшой кабачок, 2 луковицы, 2 сладких перца, 1–2 зубчика чеснока, 7–8 помидоров, 4–6 ст. ложек оливкового или другого растительного масла, $^1/_2$ стакана сухого белого вина; соль, перец, базилик по вкусу.

Баклажаны нарезать тонкими ломтиками, посолить, обжарить с двух сторон на сковороде с маслом до подрумянивания и сложить в кастрюлю. Нарезанный тонкими ломтиками кабачок, тонко нашинкованный лук, очищенный от семян и нарезанный квадратиками перец обжарить на масле в той же сковороде и переложить в кастрюлю с баклажанами. Добавить к овощам обжаренные на масле в той же сковороде толченый чеснок и очищенные от кожицы и нарезанные ломтиками помидоры (см. рецепт 2), мелко нарезанный базилик, соль, перец, вино, масло, на котором жарились овощи, поставить кастрюлю на огонь и тушить рагу под крышкой до мягкости. При подаче рагу переложить на блюдо и полить его прокипяченным на сковороде соусом, оставшимся от тушения овощей.

Для чистки овощей нужно применять ножи только из нержавеющей стали.

Чтобы уменьшить потери витаминов, овощи следует опускать в кипящую воду и варить в в закрытой посуде.

Морковь с длинными корнеплодами требует более продолжительной тепловой обработки. Такую морковь лучше всего тушить или использовать для приготовления запеканок, котлет, пудингов.

Чтобы сохранить цвет свеклы при варении или тушении, в воду необходимо добавить уксус или лимонный сок.

518 Борани по-тбилисски

2–3 картофелины, 1 баклажан, 1–2 сладких перца, 2 луковицы, 3 помидора, 100 г топленого или растительного масла; чеснок, зелень петрушки или кинзы, соль по вкусу.

В глубокую сковороду или другую посуду положить очищенный, нарезанный кубиками картофель и слегка обжарить на масле. Добавить мелко нарезанные баклажаны, сладкий перец, лук, слегка обжарить, посолить, залить небольшим количеством воды, закрыть крышкой и тушить на слабом огне до готовности. За 5 мин до окончания тушения добавить промытые, нарезанные дольками помидоры, измельченный чеснок и мелко нарезанную зелень. При подаче борани выложить на блюдо или глубокую тарелку и полить соусом от тушения.

519 Мусака из кабачков

2 небольших кабачка, 1–2 луковицы, 1/2 стакана риса, 2–3 помидора, 5–6 зубчиков чеснока, 2 яйца, 2 ст. ложки муки, 1 стакан молока; соль, перец, растительное масло, укроп по вкусу.

Кабачки нарезать тонкими продольными ломтиками, посолить, обвалять в муке, обжарить на сковороде с маслом с двух сторон до полуготовности, сложить в миску и закрыть крышкой. На той же сковороде обжарить до мягкости измельченный лук. Затем добавить промытый рис, мелко нарезанные помидоры и чеснок, подлить немного воды и варить под крышкой до готовности риса. Половину рисовой смеси выложить на смазанный маслом противень, на рис положить половину кабачков. Затем выложить оставшуюся часть риса, сверху положить оставшиеся кабачки. Залить мусаку смесью из взбитых яиц с разведенной молоком мукой и запечь в духовке до образования румяной корочки. При подаче посыпать зеленью укропа.

520 Морковь, тушенная по-алжирски

1 кг моркови, 3–4 помидора, 1 стакан оливкового или другого растительного масла, 1 зубчик чеснока, 1 небольшой стручок красного жгучего перца; соль, тмин, зелень по вкусу.

Морковь очистить, нарезать кружочками, отварить в кипящей подсоленной воде, откинуть на дуршлаг, дать стечь воде, сложить морковь в миску и накрыть крышкой. В глубокой сковороде или другой толстостенной посуде разогреть масло и обжарить на нем, помешивая, нарезанные дольками помидоры, мелко нарезанный стручковый перец, толченый чеснок, тмин. Затем добавить вареную морковь и тушить на слабом огне под крышкой 10 мин. При подаче посыпать морковь зеленью.

521 Лечо по-венгерски

6–7 сладких перцев, 5–6 помидоров, 100 г копченого мяса, 2–3 луковицы, 4 ст. ложки растительного масла; соль, красный молотый перец по вкусу.

Перец очистить от семян, нарезать широкими полосками. Помидоры разрезать на половинки. Лук мелко нарезать и слегка обжарить на масле в глубокой сковороде. Добавить к луку подготовленные перец и помидоры, нарезанное кубиками копченое мясо, соль, перец и все потушить под крышкой до готовности. Готовое лечо подать с копченой колбасой или с запеченными в духовке сосисками и картофельным пюре.

522 Шпигованные баклажаны

4 средних баклажана, 150 г шпика, 1 головка чеснока; соль, перец, оливковое или другое растительное масло, зелень петрушки, лимон по вкусу.

Баклажаны вымыть и обсушить салфетками. Затем сделать в баклажанах продольные надрезы и через эти надрезы наполнить их поочередно кусочками поперченного шпика и зубчиками чеснока. Нашпигованные баклажаны уложить на сковороду, полить маслом, закрыть крышкой и тушить на слабом огне в течение 1 часа, изредка переворачивая баклажаны и поливая их сверху маслом. При подаче выложить баклажаны на блюдо, посолить, полить маслом, украсить зеленью и лимоном.

523 Яхния из баклажанов по-болгарски

4 баклажана, 1 луковица, 2 помидора, 1 ст. ложка муки, 2–3 дольки чеснока, 100 г брынзы или сыра; соль, перец, лавровый лист, уксус, зелень петрушки, растительное масло по вкусу.

Лук мелко нарезать и обжарить на масле в глубокой сковороде. Отдельно пожарить на масле очищенные и нарезанные кубиками баклажаны и сложить их в сковороду с луком. Затем добавить нарезанные дольками помидоры, разведенную водой обжаренную муку, измельченный чеснок, соль, перец, лавровый лист, уксус, все перемешать, посыпать рубленой зеленью, тертой брынзой или сыром и запечь яхнию в духовке до готовности.

524 Толма из помидоров с грибами

8 помидоров, 250 г свежих грибов, 1 головка репчатого лука, 1 ст. ложка риса, 3–4 зубчика чеснока, 150 г топленого масла; соль, перец, зелень кинзы или петрушки по вкусу.

Отобрать помидоры средней величины, вымыть, срезать верхнюю часть и осторожно удалить сердцевину с семенами. Подготовленные помидоры наполнить фаршем, положить сверху срезанные части, уложить помидоры на смазанный маслом противень, сбрызнуть маслом, поставить противень в нагретую духовку и запекать толму в течение 15–20 мин. При подаче полить толму маслом и посыпать мелко рубленной зеленью.
Начинка. Грибы промыть, положить на 5 мин в кипящую воду, затем откинуть на дуршлаг, мелко нарезать и обжарить на масле. Лук нарезать полукольцами, слегка обжарить на масле, соединить с грибами, добавить рис, соль, перец, измельченный чеснок, зелень кинзы или петрушки и все перемешать.

Оладьи и запеканки из овощей, запанированные в муке или сухарях, при жаренье надо класть на разогретую сковороду.

Жареные, вареные и тушеные грибы отлично хранятся в течение нескольких месяцев в морозильной камере при −18° (три звездочки на дверце). Так можно заморозить и свежие грибы, но они занимают много места.

Грибы в домашних условиях нельзя хранить в банках с герметически закатанными крышками.

Чтобы сушеные грибы были как свежие, их нужно подержать в слегка подсоленном молоке.

525 Тыква по-аварски

2 тыквы; помидоры, чеснок, зелень петрушки, соль, черный молотый перец, растительное масло по вкусу.

Тыквы очистить от кожуры и семян. Из одной тыквы приготовить фарш, а вторую наполнить приготовленным фаршем. На дно глубокой посуды положить нарезанные помидоры, на них уложить фаршированную тыкву, влить холодную воду, чтобы она не полностью покрыла тыкву, посолить, закрыть посуду крышкой и тушить тыкву до готовности.
Фарш. Мякоть тыквы нарезать на куски, помидоры нарезать дольками, чеснок порубить с зеленью петрушки, посолить, поперчить, все перемешать и пожарить на растительном масле.

526 Жаркое из тыквы

1 небольшая тыква, 5–6 помидоров, 1–2 сладких перца, 1 головка чеснока, 3 ст. ложки растительного масла; соль, молотый перец, зелень петрушки по вкусу.

Подготовить тыкву (рецепт 525), нарезать кусочками, выложить в глубокую сковороду с маслом и обжарить. Добавить мелко нарезанные помидоры, сладкий перец, чеснок, зелень петрушки, соль, черный молотый перец, все перемешать, закрыть сковороду крышкой и тушить до готовности.

527 Запеканка с тыквой

¹/₄ небольшой тыквы, 2 стакана отварного риса, ¹/₂ стакана изюма; мед или сахар, масло по вкусу.

Очищенную от кожуры тыкву нарезать кубиками, добавить отварной рис, изюм, мед или сахар. Все перемешать, выложить в горшочек с маслом или на сковороду и запечь в духовке.

528 Овощи, тушенные по-казацки

*2 небольших баклажана,
2–3 сладких перца, 2 луковицы,
8 небольших картофелин,
2 помидора; соль, растительное
масло, зелень по вкусу.*

Баклажаны нарезать кружочками, посолить, дать постоять 30 мин, отжать от выделившегося сока и пожарить на растительном масле. Сладкие перцы очистить от семян, посолить и пожарить. Лук нарезать кольцами, посолить и также пожарить. Очищенный от кожуры картофель обжарить со всех сторон и посолить. Помидоры надрезать крест-накрест, опустить в кипяток на 1–2 мин, снять с них кожицу, нарезать дольками и посолить. Подготовленные овощи, чередуя, аккуратно уложить в глубокую посуду, накрыть крышкой и тушить до готовности. Перед подачей посыпать зеленью.

529 Овощная запеканка с грибами

*300 г капусты, 2 луковицы,
500 г свежих грибов,
1–2 помидора, 2–3 соленых или
маринованных огурца,
1–2 ч. ложки сахара;
растительное масло, соль, перец
горошком, лавровый лист, уксус,
тертые белые сухари, лимон,
зелень по вкусу.*

Капусту нарезать соломкой, сложить в кастрюлю и потушить в небольшом количестве воды с добавлением 2 ст. ложек масла и уксуса до мягкости. Лук нарезать полукольцами и слегка обжарить на масле. Вешенки или другие свежие грибы промыть, нарезать ломтиками, обжарить на масле, смешать с подготовленными капустой и луком, добавить нарезанные дольками помидоры, мелко нарезанные огурцы, соль, перец, сахар, лавровый лист, все перемешать. Полученную массу выложить на смазанную маслом сковороду, посыпать сухарями, сбрызнуть маслом и запечь в духовке до подрумянивания. При подаче запеканку украсить ломтиками лимона и зеленью.

530 Грибы, жаренные с яйцом

1 кг свежих грибов, 2 яйца,
4 ст. ложки молока,
4 ст. ложки сливочного масла;
соль, зелень по вкусу.

Грибы очистить, промыть, нарезать ломтиками и обжарить на сковороде с маслом, периодически помешивая, до готовности. Яйца взбить с молоком, залить ими грибы, посолить и поставить блюдо в горячую духовку на 5–6 мин. Перед подачей полить грибы растопленным сливочным маслом и посыпать мелко нарезанной зеленью.

531 Запеканка с солеными грибами

700 г вареного картофеля,
300 г соленых или маринованных
грибов, 1–2 луковицы, 2 яйца,
100 г сливочного масла,
2 ст. ложки тертого сыра;
соль по вкусу.

Вареный картофель пропустить через мясорубку, добавить нарезанные соленые или маринованные грибы, мелко нарезанный, слегка обжаренный лук, соль и взбитые яйца. Все перемешать и выложить в форму. Сверху запеканку посыпать тертым сыром, положить кусочки масла и запечь в духовке.

532 Грибы, жаренные с хлебом

200 г черного хлеба,
1–2 луковицы, 400 г свежих
грибов, 100 г сметаны;
сливочное масло,
соль по вкусу.

Черствый черный хлеб нарезать мелкими кубиками, посолить и обжарить на масле. Свежие грибы промыть, нарезать и пожарить в масле вместе с нарезанным луком. Добавить соль, сметану, хорошо перемешать, потушить 5–10 мин. Затем добавить обжаренный хлеб, закрыть крышкой и тушить на слабом огне еще 5 мин. Подавать грибы горячими.

533 Грибы, запеченные в сметане

150 г сушеных или 600 г свежих грибов, 2 луковицы, 150 г сметаны или сметанного соуса, 2 ст. ложки тертого сыра; сливочное масло, соль по вкусу.

Сушеные грибы промыть, замочить в воде на 3–4 часа и отварить до готовности. Свежие грибы промыть. Подготовленные грибы нарезать, обжарить на сковороде с маслом, добавить жареный лук, посолить, залить сметаной или сметанным соусом (рецепт 67), посыпать тертым сыром, сбрызнуть растопленным сливочным маслом и запечь в духовке.

534 Грибной пудинг

600 г грибов, 2 луковицы, 2 сваренных вкрутую яйца, 2 ломтика белого хлеба, 3 яйца; соль, молоко, панировочные сухари, масло, сметана по вкусу.

Грибы промыть, нарезать, добавить соль, перец, мелко нарезанный, обжаренный на масле лук, рубленые яйца, замоченный в молоке и отжатый белый хлеб, взбитые яйца и хорошо перемешать. Форму для пудинга смазать маслом, посыпать панировочными сухарями, выложить в нее грибную массу и запечь в духовке в течение 30–40 мин. Подавать со сметаной.

535 Грибы с макаронами

400 г свежих или 200 г соленых грибов, 2 луковицы, 300 г макарон; соль, сыр, соевый соус или томатный кетчуп по вкусу.

Свежие грибы промыть, соленые грибы предварительно вымочить. Затем грибы и лук нарезать соломкой, посолить и пожарить до готовности. Добавить к грибам отваренные макароны, перемешать, посыпать тертым сыром и запечь в духовке. Подавать с соевым соусом или томатным кетчупом.

Блюда из творога и яиц

536 Домашний творог

1 л молока, 2 стакана сметаны,
***или** кефира, **или** простокваши.*

Молоко нагреть до температуры 80°, затем охладить: в теплое время года до температуры 25–28°, в холодное — 32–34°. В теплое молоко положить в качестве закваски сметану, или простоквашу, или кефир, перемешать и поставить в теплое место для скисания молока. Чтобы предотвратить отстаивание жира, в начале заквашивания необходимо перемешивать молоко через каждый час. При температуре 18–20° сквашивание заканчивается через 6–8 часов. Из переквашенного молока творог получается кислым, а из недоквашенного — пресным, поэтому важно определить готовность простокваши.

Для лучшего отделения сыворотки простоквашу нужно медленно и равномерно прогреть до температуры 38–40°. Если температура будет выше, творог получится сухим. Затем дать простокваше постоять 15–20 мин. За это время сыворотка отделится от простокваши и образовавшийся творожный сгусток всплывет. После чего основную часть сыворотки вычерпать или отделить с помощью сифона. Творожный сгусток вылить в полотняный мешок и подвесить его, чтобы сыворотка свободно стекала. Можно также вылить творожный сгусток в решето или дуршлаг, выстланные марлей, и дать стечь оставшейся сыворотке. Затем для лучшего отделения сыворотки положить творог в мешке или в марле под деревянную доску с грузом. После чего творог переложить, слегка приминая, в стеклянную или эмалированную посуду с крышкой. Хранить творог в холодильнике не более 2–3 суток при температуре 0–8°.

537 Клинковый сыр по-белорусски

На 1 л молока — 1 стакан
простокваши; тмин, изюм,
перец, соль по вкусу.

Кастрюлю с молоком поставить на водяную баню и нагреть до 75°. Затем молоко охладить до 30° и заквасить простоквашей. Заквашенное молоко оставить при комнатной температуре на 12–14 часов. Образовавшийся сгусток прорезать в нескольких местах ножом, поставить кастрюлю со сгустком на водяную баню и прогреть на медленном огне до 45°, пока сгусток не уплотнится. Часть сыворотки вычерпать или отделить с помощью сифона. Для придания сыру различного вкуса в сгусток можно добавить тмин, изюм, перец и др. После чего сырную массу перелить в мешок, сшитый клином, мешок подвесить, чтобы сыворотка постепенно вытекла. Затем мешок завязать и поместить под пресс массой 5–10 кг на 6–8 часов. Сыр вынуть из мешка и трижды натереть мелкой солью с интервалом 4 часа. Сыр можно употреблять свежим и выдержанным.

538 Домашний сыр

1 кг творога, 1 стакан молока, 200—250 г сливочного масла, 4 яйца; соль по вкусу.

Творог размешать с молоком и нагревать в течение 10 мин. Переложить творожную массу в полотняный мешок и поместить под небольшой груз. Размягченное сливочное масло растереть с яйцами и солью. Готовую смесь соединить с творогом и, помешивая, нагревать на слабом огне до тех пор, пока творожная масса не будет отставать от дна посуды. Чтобы получить ноздреватый сыр, нужно добавить щепотку соды. Готовый сыр выложить на тарелку, придать ему желаемую форму, слегка посыпать солью и хранить открытым в холодильнике.

539 Сыр «Десертный»

2 ст. ложки меда, 200 г сыра, 1—2 ст. ложки рубленых орехов; молотая корица, лимонная цедра по вкусу.

На сковороду положить мед, нарезанный тонкими ломтиками сыр, добавить корицу, мелко нарезанную лимонную цедру, рубленые орехи и, помешивая, готовить блюдо до тех пор, пока сыр не размягчится. Горячим разложить сыр на тарелки.

540 Сыр «Дачный»

800 г творога, 1 стакан молока, 50—100 г сливочного масла; соль, сахар по вкусу.

Молоко вскипятить, добавить творог и, помешивая, продолжать нагревать, пока не отделится сыворотка. Вылить все в дуршлаг, выстланный марлей, и дать стечь сыворотке. Затем переложить творожную массу в миску, добавить сливочное масло, соль, сахар и тщательно перемешать. Готовый сыр положить в марлю, придавить легким грузом и поставить на сутки в холодильник.

541 Творожный крем «Лебедушка»

400 г творога, 100 г сливочного масла, 100 г сгущенного молока; ванильный сахар, кисель, заварной крем или шоколад по вкусу.

Сливочное масло растереть со сгущенным молоком, добавить творог, ванильный сахар и вымешать до получения однородного, пышного крема. Крем охладить и отсадить в виде лебедя в креманку или вазу с помощью кондитерского мешка. Шею и голову лебедя выпечь из заварного теста или сделать из расплавленного шоколада с помощью бумажного корнетика. Подлить кисель в вазу или креманку (рецепты 590, 592).

542 Клецки из творога по-чешски

2 яйца, ¹/₂ стакана сахара, 500 г творога, ¹/₂ стакана муки, 2 ст. ложки крахмала, 2 ст. ложки изюма; соль, лимонная цедра по вкусу.

Яйца, сахар, соль, тертую цедру тщательно перемешать. Добавить творог, просеянную муку и крахмал. Все вымешать до получения однородной массы, добавив промытый изюм. Из полученной массы с помощью ложки сделать клецки и отварить в подсоленной воде в течение 15 мин. Подавать со сметаной.

543 Острая запеканка по-баварски

500 г творога, 2 яйца, 1 ст. ложка крахмала; соль, красный и черный молотый перец, сливочное масло, панировочные сухари по вкусу.

Творог растереть с яйцами, крахмалом, солью. Можно добавить тертый сыр, мелко нарезанные окорок или колбасу. Творожную массу переложить в смазанную маслом и обсыпанную панировочными сухарями сковороду. Запекать при температуре 180° до готовности.

Если творог оказался кислым, смешайте его с равным количеством молока и оставьте на час. Затем творог откиньте на марлю и дайте молоку стечь.

Чтобы засохший сыр снова стал мягким, его нужно положить в холодное молоко на некоторое время.

Яичный желток хорошо сохранится, если положить его в маленькую баночку и долить немного воды, которая защитит желток от высыхания.

Не надо выпускать на сковороду яйца, прежде чем сковорода не нагреется. Масло должно кипеть.

544 Сырники по-марийски — туара

800 г творога, 4 ст. ложки сметаны, 2 яйца; яичный желток или топленое масло, соль по вкусу.

В творог добавить сметану, яйцо, соль и все перемешать до получения однородной массы. Сделать сырники круглой формы диаметром 8—10 см и толщиной 2—3 см. Можно сделать сырники и меньшего размера. Подготовленные сырники уложить на противень на небольшом расстоянии друг от друга, смазать яичным желтком или топленым маслом и поставить в нежаркую духовку с температурой не выше 70° на 1—1,5 часа. Затем снизить температуру до 40—50° и продолжать сушить до готовности. После сушки сырники-туара уменьшаются в размере. Подавать горячими с маслом или холодными к чаю.

545 Эгретки с сыром по-французски

1/2 стакана муки, 1/2 стакана воды, 1 ст. ложка сливочного масла, 2 яйца, 1 стакан тертого твердого сыра, 1/2 ч. ложки порошка горчицы; соль, молотый красный и черный перец, растительное масло для фритюра, молоко, морковь, зеленый горошек, салат по вкусу.

В небольшую кастрюлю положить масло, соль, влить воду, довести до кипения и всыпать просеянную муку. Снять посуду с огня и деревянной лопаточкой перемешивать смесь, пока она не начнет отделяться от стенок кастрюли и не образует ком. Заваренную смесь охладить до 60—70° и, тщательно перемешивая, вбить яйцо. Продолжая перемешивать, добавить тертый сыр, горчицу, молотый красный и черный перец. Набирая столовой ложкой, полученную сырную смесь опускать и обжаривать во фритюре (рецепт 344) до золотистого цвета. Готовые эгретки вынуть шумовкой и подать горячими с тушенной в молоке морковью, зеленым горошком и салатом.

546 Творожные крокеты

400 г творога, 2 ст. ложки сахара, 2 яйца, 3 ст. ложки муки, ванильный сахар, сахарная пудра, сметана, соль по вкусу.
Для начинки:
2–3 ст. ложки изюма; мед, варенье, джем или конфитюр по вкусу.

Творог протереть, добавить сахар, ванильный сахар, яйца, муку, соль, перемешать до получения однородной массы. Из полученной творожной массы сделать круглые лепешки толщиной 5–7 мм, положить на них начинку, края соединить и скатать творожники в форме шариков. Смочить их во взбитом яйце, обвалять в панировочных сухарях и обжарить во фритюре (рецепт 344). При подаче обсыпать творожники сахарной пудрой. Отдельно подать сметану.

Начинка. Изюм промыть, обсушить, перемешать с медом, густым вареньем, джемом или конфитюром.

547 Сладкая запеканка «Фантазия»

800 г творога, 3 яйца, 2 ст ложки крахмала или муки, ²/₃ стакана сахара, 1 ст. ложка изюма; лимонная цедра, сливочное масло или маргарин, соль, ванильный сахар, грецкие орехи, яблоки, ананас, вишни, сливы, морковь, сахар по вкусу.

Творог протереть сквозь сито или взбить миксером. Затем добавить желток, крахмал или муку, сахар, ванильный сахар, тертую лимонную цедру и промытый изюм. Творожную массу тщательно перемешать, выложить в смазанную маслом и обсыпанную панировочными сухарями сковороду, разровнять, смазать взбитым яйцом и запечь при температуре 180° до готовности. В запеканку можно добавить измельченные ядра грецкого ореха, мелко нарезанное яблоко, кусочки ананаса, вишни или сливы без косточек, натертую на терке морковь. Количество сахара можно увеличить по вкусу. Подать запеканку горячей или холодной со сметаной.

548 Галушки отварные и запеченные по-украински

500 г творога, 2 яйца, 3 ст. ложки сахара, 50 г сливочного масла, 1 стакан муки; соль, панировочные сухари, сметана по вкусу.

Творог протереть, добавить яйца, сахар, часть размягченного сливочного масла, соль и все хорошо перемешать. В творожную массу всыпать просеянную муку и вымесить тесто. Выложить тесто на подпыленный мукой стол, разрезать на четыре части, раскатать каждую часть в форме небольших колбасок и нарезать на кусочки, прижимая их немного сверху. Подготовленные галушки опустить в подсоленную кипящую воду и варить, пока они не всплывут. С помощью шумовки выложить галушки на блюдо, полить растопленным сливочным маслом и посыпать панировочными сухарями, поджаренными до золотистого цвета. Подавать со сметаной.

Сваренные галушки можно положить на сковороду, полить сметаной, сбрызнуть маслом и запечь в духовке до образования золотистой корочки.

549 Сырники с яблоками и свеклой

500 г творога, 3 яйца, 1–2 ст. ложки сахара, 4 ст. ложки муки, 1–2 яблока, 1 свекла; соль, сливочное или растительное масло, сметана по вкусу.

В творог добавить молоко, яйца, сахар, соль, муку, все тщательно растереть. Добавить нарезанные мелкими кусочками яблоки, натертую на терке вареную свеклу, все перемешать. Из полученной массы сделать небольшие лепешки и пожарить на сливочном или растительном масле. При подаче полить сметаной.

550 Колечки из творога

400 г творога, 4 ст. ложки овсяной или пшеничной муки, 1 яйцо, 2–3 ст. ложки меда; сахарная пудра, сметана по вкусу.

В творог добавить овсяную или пшеничную муку, яйцо, мед и хорошо перемешать до получения однородной массы. На разделочную доску подсыпать муку, выложить на нее творожную массу, раскатать в форме тонких колбасок, нарезать на куски длиной 10–12 см, края колбасок соединить. Подготовленные колечки обжарить в большом количестве разогретого масла до золотистого цвета. Перед подачей посыпать сахарной пудрой. Подать со сметаной.

551 Творожная запеканка с рисом

³/₄ стакана риса, 2 л воды, 200 г творога, 2 ст. ложки изюма, 2 ст. ложки сахарного песка, 2 яйца; масло, панировочные сухари, сметана, варенье, соль, ванильный сахар по вкусу.

Рис промыть, засыпать в подсоленный кипяток, отварить до готовности, откинуть на дуршлаг или сито и охладить до 60–70°. Отварной рис переложить в миску, добавить творог, промытый изюм, сахарный песок, 1 яйцо, ванильный сахар, соль, все тщательно перемешать. Приготовленную массу разложить ровным слоем на сковороде, смазанной маслом и обсыпанной панировочными сухарями. Поверхность запеканки залить смесью из второго яйца и 1 ст. ложки сметаны. Запечь в духовке до образования поджаристой корочки в течение 25–30 мин. Подавать запеканку со сметаной или с вареньем.

552 Каравай из творога

500 г творога, 3 яйца; соль, сливочное масло, сметана по вкусу.

Творог растереть с яйцами и солью. Творожную массу выложить на смазанную маслом сковороду. Поверхность каравая смазать взбитым яйцом и запечь каравай в духовке. Подавать горячим, со сметаной.

553 Глазунья для гурманов

4 яйца, 1 ст. ложка сливочного масла, 2 ст. ложки сметаны; соль, сыр, овощи, зелень по вкусу.

На сковороду с разогретым маслом положить сметану и размешать. Когда сметана закипит, аккуратно вбить яйца, посолить, посыпать тертым сыром и жарить яйца до готовности. Подавать на сковороде или на тарелке с овощами и зеленью.

554 Яичница в помидорах

4 яйца, 4 помидора; 2 ст. ложки сметаны, сливочное масло, соль, перец, зелень по вкусу.

Подобрать не очень крупные помидоры одинаковой величины. У помидоров срезать верхушки и удалить сердцевину ложкой. Помидоры посолить, посыпать черным молотым перцем, выложить на смазанную маслом сковороду и в каждый помидор выпустить по одному яйцу. Поставить сковороду в духовку и запечь, следя за тем, чтобы свернулся только белок, а желток остался полужидким. При подаче полить яичницу сметаной, проваренной с мелко нарезанной мякотью помидоров, и посыпать мелко рубленной зеленью петрушки или укропа.

555 Глазунья по-парижски

4 яйца, 4 ломтика белого хлеба, 100 г печеночного паштета; масло, соль, зелень по вкусу.

Пожарить яичницу-глазунью. Отдельно обжарить на масле ломтики белого хлеба. Горячие ломтики намазать толстым слоем печеночного паштета и положить на каждый ломтик зажаренную яичницу, посыпать мелко нарезанной зеленью.

556 Яичница в «гнезде»

4 яйца, 6–8 картофелин, 2 луковицы, 1–2 помидора; масло, перец, соль, зелень по вкусу.

Отварной картофель растолочь, добавить мелко нарезанные, обжаренные на масле лук и помидоры. Все перемешать. Приготовленное картофельное пюре выложить на смазанную маслом большую сковороду и сделать в картофельном пюре углубления для яиц. В каждое углубление аккуратно вбить по одному яйцу. Поставить яичницу в духовку и запечь до готовности. Перед подачей посыпать зеленью.

557 Яйца «Фудзияма»

4 яйца, 1 стакан риса, 1 морковь, 1–2 помидора; соль, перец, томатный или соевый соус по вкусу.

Рис отварить в подсоленной воде, откинуть на дуршлаг. Морковь нашинковать тонкой соломкой и обжарить на масле, добавить мелко нарезанные помидоры, рис, соль, перец. Все перемешать и обжарить до готовности. На тарелки выложить горкой рис, полить томатным или соевым соусом, сделать в середине горки углубление и положить туда сваренные всмятку и очищенные от скорлупы яйца.

558 Омлет со сливками

8 яиц, 4 ст. ложки сливок, 2 ст. ложки сливочного масла; соль по вкусу.

Взбитые со сливками и солью яйца вылить на сковороду с маслом и жарить на слабом огне, помешивая, пока омлет не загустеет. Затем омлет снять с огня и накрыть крышкой на 1–2 мин.

559 Слоеный омлет

8 яиц, 1 стакан молока,
1 стакан муки,
100 г растительного масла;
соль, сливочное масло,
зелень по вкусу.

Яйца, муку, молоко, растительное масло и соль смешать до получения однородной массы. Вылить массу на сковороду с разогретым маслом и дать растечься. Когда омлет подрумянится, перевернуть его широким ножом на другую сторону, добавив масла. Таким образом выпечь 6–8 омлетов, сложить их друг на друга, прослаивая сливочным маслом и мелко нарубленной зеленью. Омлет можно прослоить помидорами, обжаренными с луком, мясным или рыбным фаршем, жареными грибами, тертым с чесноком сыром, густым вареньем или конфитюром, растертыми свежими ягодами, творожной массой.

560 Омлет с орехами

8 яиц, 100 г пшеничного хлеба,
3 ст. ложки очищенных грецких
орехов, 2 ст. ложки меда,
4 ст. ложки сливочного масла,
1/2 стакана сливок или
сметаны; фрукты по вкусу.

Мякиш черствого пшеничного хлеба протереть через решето или дуршлаг и, помешивая, слегка поджарить на сковороде со сливочным маслом вместе с мелко рубленными грецкими орехами. Затем добавить мед и прокипятить. Яйца тщательно смешать со сливками или свежей сметаной, добавить хлебные крошки с медом и орехами, размешать, вылить на горячую сковороду со сливочным маслом и жарить омлет до готовности. Готовый омлет переложить на блюдо и подать в горячем виде. Вокруг омлета на блюдо можно положить дольки яблок, груш, персиков, половинки абрикосов, сваренных в слабом, как для компота, сахарном сиропе, или консервированные фрукты.

561 Яичный рулет с капустой

*8 яиц, ¹/₂ стакана молока,
1 ст. ложка муки, 1 ст. ложка
сметаны; соль, сливочное масло,
панировочные сухари по вкусу.*
Для начинки:
*300 г свежей капусты,
1 луковица; зелень петрушки,
сливочное масло, соль по вкусу.*

Приготовить омлетную массу (рецепт 559) и выпечь в духовке до готовности. На омлет положить слой начинки из капусты и свернуть омлет рулетом, положить омлет швом вниз, смазать сверху сметаной, посыпать сухарями и запечь в духовке в течение 2–3 мин. Готовый рулет нарезать кусками, выложить на тарелку и полить растопленным сливочным маслом.

Начинка. Капусту нашинковать, выложить на сковороду с растопленным маслом и, часто помешивая, обжарить на плите до готовности. Затем капусту охладить, добавить соль, мелко нарезанный, слегка обжаренный лук, мелко нарезанную зелень.

562 Яичный рулет с яблоками «Чаровница»

*8 яиц, ¹/₂ стакана молока,
1 ст. ложка муки; соль,
сливочное масло,
сахарная пудра по вкусу.*
Для начинки:
*2–3 яблока, 2–3 ст. ложки
сахара, 1 ст. ложка воды.*

К яйцам добавить молоко, соль, муку, тщательно перемешать, взбить и вылить на большую сковороду или противень с нагретым маслом. Поставить омлет в духовку и выпечь до полуготовности. Затем вынуть омлет из духовки, сверху положить подготовленную яблочную начинку и снова поместить в духовку на 5 мин. Готовый омлет свернуть рулетом, нарезать на куски, выложить на тарелку и посыпать сахарной пудрой.

Начинка. Яблоки промыть, очистить от кожицы, вырезать семенную часть и нарезать ломтиками. Нарезанные яблоки пересыпать сахаром, добавить воду и варить, помешивая, при слабом нагреве до тех пор, пока масса не станет густой.

Прекрасным завершением трапезы являются десерты. Ассортимент десертов необычайно широк: это — различные свежие ягоды и фрукты и приготовленные из них салаты и салаты-коктейли, мороженое и шоколад, компоты, кисели и варенья.

Компоты приготавливают из свежих, сушеных, консервированных и замороженных плодов и ягод как в различных сочетаниях, так и из одного какого-либо вида. Для улучшения вкуса компоты из сухофруктов рекомендуется варить за 10–12 часов до подачи.

Кисели приготавливают из свежих и сушеных фруктов и ягод, соков и сиропов, молока и других продуктов с добавлением крахмала.

Желе и муссы чаще готовят к праздничному столу. Их приготавливают из свежих, консервированных и сушеных фруктов и ягод, из плодового и ягодного пюре, из соков, сиропов и молока. Желе готовят на желатине, муссы — на желатине или с манной крупой. Желатин заливают охлажденной кипяченой водой в соотношении 1:8 и оставляют для набухания на 1–1,5 часа. Приготовленные желе и муссы разливают в формочки и охлаждают до застывания при температуре 0–8°. Взбитые сливки и кремы на их основе готовят из густых, содержащих не менее 35% жира сливок. Охлажденные сливки взбивают в пышную густую пену, в которую вводят ванилин, миндаль или другие продукты. При приготовлении кремов на основе взбитых сливок добавляют размягченный на водяной бане желатин и другие ингредиенты согласно рецептуре. Все взбивают, разливают в формочки и охлаждают.

В домашней мировой кулинарии наиболее популярны два безалкогольных напитка: чай и кофе. Для приготовления чая чаще всего используют различные сорта черного байхового, то есть сыпучего чая. В Средней Азии, Китае и других странах, в основном, пьют зеленый байховый чай. При производстве зеленого чая чайный лист не подвергают ферментации и завяливанию, как черный. Популярный черный быстрорастворимый чай в пакетиках готовят из крошки, остающейся при выработке черного байхового чая.

Кофе приготавливают из жареных кофейных зерен. В домашних условиях кофейные зерна следует дополнительно обжарить на толстостенной чугунной сковороде, насыпав их слоем 2–3 см и непрерывно помешивая, чтобы зерна не подгорали, в течение 8–10 мин. Размалывать кофе рекомендуется непосредственно перед приготовлением напитка, так как молотый кофе быстро теряет аромат. Кофе крупного помола лучше сохраняет аромат, легче отстаивается от гущи. Для приготовления кофе по-восточному, который разливают в чашки вместе с гущей, зерна следует измельчать очень тонко. Несмотря на большой ассортимент имеющихся в продаже напитков, к домашнему праздничному столу готовят когда-то широко распространенные и почти забытые сбитни, меды, медовухи, крюшоны, пуншы, глинтвейны и гроги. В России, на Украине, в Польше, в Беларуси и других странах готовят различные квасы, которые особенно популярны в жаркое время года, варят пиво. В странах с развитым виноградарством приготавливают домашнее вино. Вино также делают из фруктов и ягод. Многие народности традиционно варят домашнее пиво. Из ресторанов и кафе пришли на домашний стол различные безалкогольные и слабоалкогольные смешанные напитки — коктейли, джулепы и прочие.

Десерты

563 Десерт «Грушевый дуэт»

4 груши, 200 г свежих или замороженных ягод, 4–8 ст. ложек взбитых сливок, 1 ст. ложка сахарной пудры.

Груши вымыть, очистить от кожицы, разрезать на половинки, удалить сердцевину. Нижнюю часть груш нарезать ломтиками, не разрезая до верха, таким образом, чтобы все ломтики держались вместе. Сбрызнуть груши лимонным соком, чтобы они не потемнели. На каждую тарелку вертикально установить по две половинки груш, заполнив их сердцевину взбитыми сливками. Клубнику, малину или другие свежие или мороженые ягоды растереть с сахарной пудрой и полить груши полученным ягодным сиропом.

564 Десерт «Веселая герцогиня»

4 груши, 2 стакана белого сухого вина, 2–3 ст. ложки сахара; лимонная цедра, ванильный сахар, шоколад по вкусу.

Груши вымыть. Часть кожуры снять с груш полосками по диагонали. В вино добавить сахар, тонко нарезанную лимонную цедру, ванильный сахар, положить подготовленные груши и варить на слабом огне под крышкой в течение 20–30 мин, переворачивая их время от времени. Затем все охладить, сироп процедить. В креманки разлить сироп, в каждую креманку выложить по груше и сверху полить груши растопленным шоколадом.

565 Фрукты «Королевский сюрприз»

2 апельсина, 1 стакан малины, 1 стакан черники, 1/2 стакана воды, 2 ст. ложки сахара, 1–2 ст. ложки ликера; взбитые сливки по вкусу.

Апельсины очистить от кожуры, разрезать на дольки без пленок. Цедру нарезать тонкими полосками. В небольшой посуде вскипятить воду и сахар на слабом огне до растворения сахара. Затем убавить огонь, положить нарезанную цедру и прокипятить на медленном огне в течение 2 мин, после чего добавить ореховый или фруктовый ликер и охладить. Апельсиновые дольки, промытые и обсушенные ягоды положить в миску, полить сиропом с цедрой и поставить в холодильник на 1–3 часа. Затем фрукты с сиропом переложить ложкой в бокалы или креманки и украсить взбитыми сливками.

566 Десерт «Летняя феерия»

400 г арбуза, 400 г дыни, 100 г сливы, 100 г вишни, 100 г абрикосов, 100 г крыжовника; сахарная пудра, мед по вкусу.

Арбуз и дыню очистить от корок и семян, нарезать кусочками средней величины. Крыжовник промыть и обсушить. Сливы, вишни, абрикосы промыть, разрезать и вынуть косточки. Подготовленные продукты уложить в вазу слоями, пересыпая с помощью сита сахарной пудрой. Сверху украсить ягодами. Десерт можно полить растопленным медом.

Для самого простого десерта достаточно выбрать красивые спелые ягоды и фрукты, промыть, обсушить их и подать к столу без всяких украшений.

Вне зависимости от сложности рецепта десерты, как и другие блюда, требуют внимания к деталям, т. е. точного следования рецептам. В особенности это касается приготовления желе, муссов или безе. Однако приготовление фруктовых салатов, киселей, компотов, варенья открывает большой простор для фантазии.

После сытной трапезы лучше всего подать легкий десерт, например фруктовое мороженое или фруктовый салат.

567 Малина с вишней и сметаной

400 г малины, 200 г вишни, 4 ст. ложки сметаны; сахар по вкусу.

Малину перебрать, удалить плодоножки. Вишню промыть, освободить от косточек и добавить к малине. Ягоды выложить на тарелки горкой, полить сметаной и посыпать сахаром.

568 Конфеты «Пьяная вишня»

2–3 стакана крупных вишен, 1/2 л водки, 200 г шоколада.

Вишни вымыть вместе с черенками, наколоть в нескольких местах, положить в банку, залить водкой, закрыть крышкой и поставить в холодильник на 1 неделю. Затем вишни выложить на салфетку и обсушить. Шоколад растопить на водяной бане и окунуть каждую ягоду в шоколад, держа ее за черенок. Уложить ягоды на поднос, покрытый фольгой, и поставить в холодильник. Вишни можно разложить в коробки из-под шоколадного ассорти или бумажные формочки. Оставшуюся водку, настоянную на вишне, можно подать к столу или использовать для коктейлей.

569 Десерт «Авиценна»

1 стакан кураги, 1 стакан изюма, 1 стакан инжира, 1 стакан чернослива без косточек, 1 стакан очищенных грецких орехов, 2 лимона, 1 стакан меда.

Промытые курагу, изюм, инжир, чернослив, грецкие орехи пропустить через мясорубку, добавить отжатый из лимонов сок, мед и тщательно перемешать. Все плотно уложить в стеклянную банку, закрыть крышкой и поставить в холодильник. Подавать с холодной водой перед завтраком или к чаю.

К сладкому десерту не следует подавать сухие вина, т. к. любое самое изысканное вино покажется кислым и невыразительным.

К десерту и шоколаду лучше подойдут сладкие вина, ликеры, сладкие наливки.

Изысканный десерт получается из персиков, залитых шампанским с добавлением какого-либо ликера.

Если клубнику положить в бокал, слегка размять с сахаром и залить красным вином, получится оригинальный ароматный десерт.

570 Клубника «Романофф»

500 г клубники; взбитые сливки по вкусу.
Для сиропа:
1 стакан шампанского, $^1/_2$ стакана апельсинового сока, 4 ст. ложки клубничной наливки.

Клубнику промыть, удалить зеленые черешки, разложить в фужеры или креманки и залить охлажденным сиропом. Сверху украсить взбитыми сливками.
Сироп. Смешать шампанское или сухое белое вино с апельсиновым соком и клубничной наливкой.

571 Ягоды «Райское наслаждение»

400 г ягод, 150 г шоколада; кокосовая стружка, взбитые сливки по вкусу.

Клубнику промыть, обсушить, удалить зеленые черешки. Вишню или сливу промыть, освободить от косточек, обсушить. Шоколад растопить на водяной бане, обмакнуть в него ягоды, сразу же обвалять их в кокосовой стружке и выложить на тарелку. Можно подать ягоды со взбитыми сливками, смешанными с кокосовой стружкой. В этом случае подготовленные сливки отсадить из кондитерского мешка или просто выложить на середину тарелки. Вокруг положить подготовленные ягоды.

572 Брусника с яблоками и медом

2 стакана брусники, 2 яблока, 2 ст. ложки меда, 2 ст. ложки сахара, 1 стакан воды.

Яблоки вымыть, очистить от кожуры, удалить сердцевину и нарезать дольками. Промытую бруснику залить водой, добавить мед, сахар, довести до кипения, добавить яблоки и варить 5–10 мин, чтобы яблоки стали мягкими. Подать охлажденной.

Белки нужно тщательно отделять от желтков. Если в белковую массу попадет небольшая примесь желтков или жира, то белки не удастся взбить в крепкую пену.

Если в конце взбивания в белковую массу добавить немного лимонной кислоты, лимонного сока или сахарной пудры, масса будет лучше взбиваться и станет белее.

Белки нельзя взбивать в алюминиевой посуде, т. к. белковая масса приобретет сероватый цвет.

573 Десерт «Воздушный поцелуй»

8 яблок,
1 банка сгущенного молока.
Для безе:
4 яичных белка, 1 стакан сахара
или ¹/₂ стакана сахара
и ¹/₂ стакана сахарной пудры,
1–2 ч. ложки ванильного сахара.

Сгущенное молоко проварить в банке в течение 2 часов и охладить. Яблоки вымыть, очистить от кожуры и сердцевины, уложить на жаростойкое блюдо вырезом вверх и запечь в духовке до полуготовности. Затем наполнить яблоки сгущенным молоком, отсадить на яблоки из кондитерского мешка безе и выпечь в духовке при температуре 120° до подрумянивания.

Безе. Охлажденные яичные белки взбить в крепкую пену. Продолжая взбивать, всыпать тонкой струйкой половину сахара и ванильный сахар. Затем, осторожно перемешивая, добавить оставшийся сахар или сахарную пудру.

574 Фруктовый маседуан

3 стакана воды, 4–5 ст. ложек
меда, 2 ст. ложки сахара,
2 ст. ложки лимонного сока,
4 яблока, 4 твердые груши,
4 апельсина; корица, ванильный
сахар, зерна граната по вкусу.

В кастрюле смешать воду, мед, сахар и лимонный сок. Яблоки, груши очистить от кожуры и сердцевины, положить в кастрюлю, довести до кипения, закрыть кастрюлю крышкой и варить 15–20 мин, пока фрукты не станут мягкими. Переложить фрукты шумовкой в глубокую посуду. Апельсины очистить от кожуры, положить в кастрюлю и варить 5 мин, изредка переворачивая. Переложить апельсины шумовкой в посуду с фруктами. В оставшийся сироп добавить корицу, ванильный сахар, проварить 5 мин и залить фрукты полученным сиропом. Затем сироп охладить, изредка переворачивая фрукты, и поставить в холодильник. Перед подачей маседуан украсить зернами граната.

575 Десерт «Яблочный оазис»

*500 г свежих яблок,
1 ¹/₂ стакана сахара,
3 ¹/₃ ст. ложки желатина,
неполная ч. ложка лимонной
кислоты.*

Для сахарного сиропа:
*1 стакан сахара, 3 стакана
воды, 1 ст. ложка лимонного
сока или лимонная кислота
на кончике ножа.*

Для желе:
*1 ст. ложка желатина,
6–8 ст. ложек воды.*

Яблоки очистить от кожицы и сердцевины, отварить в сахарном сиропе до мягкости. Затем сироп процедить и охладить. Часть сиропа отделить и приготовить на нем желе. Яблоки уложить в креманки, залить подготовленным желе и поставить в холодильник на ¹/₂–2 часа для застывания. Из оставшегося сиропа можно приготовить напиток, разбавив сироп кипятком.
Сахарный сироп. Растворить сахар в горячей воде, добавить лимонную кислоту или лимонный сок и варить 10–15 мин, периодически удаляя образующуюся пену. Готовый сироп охладить до комнатной температуры и процедить. При желании в сироп можно положить какое-либо варенье.
Желе. Замочить желатин в охлажденной кипяченой воде, а когда он набухнет, излишек воды слить и растопить желатин на водяной бане. В сироп положить подготовленный желатин, вновь довести до кипения, но не кипятить и немного остудить.

576 Десертные яблоки «Шахерезада»

*8 яблок, 200 г чернослива,
200 г грецких орехов,
6 ч. ложек сахара; корица,
сахарная пудра по вкусу.*

Яблоки промыть, срезать верхушки и удалить сердцевину. Чернослив размочить, удалить косточки. Орехи очистить и измельчить. Смешать чернослив, орехи, сахар, корицу и наполнить этой смесью яблоки. Затем уложить яблоки на сковороду или противень и запечь в духовке до готовности. После чего яблоки охладить, переложить на блюдо, посыпать сахарной пудрой.

303

577 Яблоки «Мадам Помпадур»

8 яблок, 8 ч. ложек варенья или конфитюра; лимонный сок, коньяк, ванильный сахар, взбитые сливки по вкусу.
Для сиропа:
$1/_3$ стакана сахара,
1 стакан воды,
2 ст. ложки лимонного сока.

Яблоки очистить от кожуры и сердцевины и сбрызнуть лимонным соком. Из сахара, воды и лимонного сока приготовить сироп (рецепт 570). Положить в него яблоки и сварить до мягкости. Затем яблоки вынуть, выложить на блюдо и сбрызнуть коньяком. В каждое яблоко положить варенье или конфитюр, посыпать ванильным сахаром и поставить яблоки в холодильник. Перед подачей украсить яблоки взбитыми сливками.

578 Яблоки по-венски

6 яблок, 1 стакан воды, 2–3 ст. ложки сахара; корица, сахарная пудра по вкусу.
Для начинки:
2 ст. ложки сливочного масла, 2 ст. ложки сахара, 5 яиц, $1/_2$ стакана молотого миндаля.

Яблоки очистить от кожуры и сердцевины, разрезать пополам, положить в холодную воду, добавить сахар, корицу и сварить до полуготовности. Переложить яблоки на смазанный маслом противень. На каждое яблоко выложить горкой по 1 ст. ложке начинки. Поставить противень с яблоками на 30 мин в нагретую до температуры 180° духовку. После чего выложить яблоки на блюдо, охладить и посыпать сахарной пудрой.
Начинка. Сливочное масло растереть с сахаром и яичными желтками, добавить миндаль, затем взбитые в пену белки.

579 Яблоки, запеченные по-турецки

8 яблок; сахар по вкусу.
Для начинки:
100 г фиников, 50 г кураги, 2 ст. ложки толченых грецких орехов или миндаля, 1–2 ст. ложки меда или абрикосового конфитюра, 50 г сливочного масла; молотая корица по вкусу.

У яблок вырезать сердцевину. По диагонали снять с яблок полосками часть кожуры и обвалять яблоки в корице и сахаре. Наполнить каждое яблоко начинкой, поместить на противень, смазанный маслом, и выпекать в духовке в течение 30–40 мин при температуре 180°, пока яблоки не станут мягкими. Яблоки лучше запекать перед подачей к столу и подавать их теплыми.
Начинка. Финики промыть, вынуть косточки, мелко нарезать. Курагу промыть и залить теплой водой на 15–20 мин, чтобы курага стала мягкой, затем мелко нарезать. Сложить в миску финики и курагу, добавить измельченные грецкие орехи или миндаль, мед или абрикосовый конфитюр, сливочное масло, молотую корицу и тщательно перемешать.

580 Десертные яблоки с творогом

8 яблок, 200 г творога, 1 яйцо, 2 ст. ложки сахара, 1 ч. ложка сахарной пудры.

Яблоки промыть и вырезать сердцевину. Творог перемешать с яйцом и сахаром и наполнить этой смесью яблоки. Затем уложить яблоки на сковороду или противень, добавить немного воды и запечь в духовке в течение 15–20 мин. Перед подачей на стол посыпать сахарной пудрой.

581 Десерт «Агидель»

200 г кураги, 100 г чернослива, 2 ст. ложки изюма, 4 сушеных инжира, 4 сушеных персика, 2–3 ст. ложки очищенного миндаля, 2 ст. ложки очищенных фисташек или кедровых орехов, $3/_4$ стакана сахара, $1/_2$ стакана апельсинового сока; вода, зерна граната по вкусу.

Курагу, чернослив, изюм, сушеные инжир и персики промыть и положить в кастрюлю. Добавить очищенный и разделенный на половинки миндаль, очищенные фисташки, сахар, апельсиновый сок и залить охлажденной кипяченой водой так, чтобы она покрыла фрукты и орехи. Все перемешать, накрыть крышкой и поставить десерт в холодильник на двое суток. Перед подачей разложить фрукты и орехи в большие пиалы-кясе, полить сиропом, украсить зернами граната. При желании можно добавить кубики льда.

582 Фруктовый салат «Радуга»

200 г арбуза, 200 г дыни, 2 апельсина, 1 банан, 2 киви, 100 г слив, 1 манго, 200 г винограда.
Для ванильного соуса:
2 стакана молока, 2 ст. ложки сахара, 1 ст. ложка крахмала, ¹/₃ стакана воды; ванильный сахар по вкусу.

Арбуз, дыню, апельсины, бананы, киви вымыть, очистить от кожуры, нарезать ломтиками. Сливы и манго вымыть, освободить от косточек, манго нарезать ломтиками. Подготовленные продукты сложить в вазу, добавить вымытые ягоды винограда, все перемешать и охладить. При подаче разложить салат в креманки и полить ванильным соусом или подать соус отдельно.
Ванильный соус. Молоко вскипятить с сахаром и ванильным сахаром. Крахмал размешать в воде, влить, помешивая, в молоко, довести до кипения и охладить.

583 Фруктовый салат «Летнее настроение»

1 апельсин, 2 мандарина, 2 яблока, 1–2 груши, 2 киви, 100 г клубники, 2 ст. ложки сахара, 3 ст. ложки лимонного сока, 3 ст. ложки ликера, вишневой или малиновой наливки; ванильный соус или взбитые сливки по вкусу.

Апельсин и мандарины вымыть, очистить от кожуры, разделить на дольки и удалить пленки. Яблоки вымыть, очистить от кожуры и сердцевины и нарезать тонкими дольками. Груши вымыть, очистить от кожицы, нарезать тонкими дольками и сбрызнуть лимонным соком, чтобы они не потемнели. Киви вымыть, очистить от кожуры и нарезать дольками. Свежую клубнику вымыть, обсушить и нарезать кусочками. Мороженую клубнику чуть оттаять и сразу нарезать. Затем фрукты и ягоды переложить в миску, посыпать сахаром, залить лимонным соком, ореховым ликером, перемешать и поставить в холодильник на 1 час. При подаче разложить салат в креманки, полить ванильным соусом (рецепт 582) или положить на салат взбитые сливки.

Натертая цедра апельсинов и лимонов долго сохранит свой аромат, если положить ее в герметичную банку, посыпать слоем сахарного песка и хранить в холодильнике.

Чтобы очищенные яблоки не потемнели, их нужно положить в холодную воду и добавить лимонный сок.

Кислые яблоки легко развариваются, а сладкие при варке хорошо сохраняют свою форму.

584 Салат-десерт «Кижи»

8 яблок, 10 грецких орехов, 200 г сметаны, 2 ст. ложки меда, 100 г консервированных слив или других ягод; ванильный сахар по вкусу.

Яблоки вымыть, одно яблоко оставить для украшения. Остальные очистить от кожуры и семян, нарезать тонкой соломкой, добавить часть измельченных орехов, перемешать и выложить горкой в салатник. Сметану размешать с медом и ванильным сахаром и полить полученнной смесью салат. Яблоко очистить от кожуры полосками, разрезать пополам, удалить сердцевину, нарезать ломтиками и украсить ими салат. Добавить консервированные сливы или другие ягоды и половинки орехов.

585 Салат-десерт «Амброзия»

1 небольшой ананас, 2 апельсина или 4 мандарина, 100 г мякоти кокоса, 1 грейпфрут, 200 г малины или клубники; сахарная пудра по вкусу.

Срезать верхушку и основание ананаса, поставить ананас на разделочную доску, срезать большим ножом кожуру и удалить шипы маленьким ножиком. Разрезать ананас в длину на 4 части, вырезать сердцевину и нарезать ананас мелкими кусочками. Апельсины или мандарины очистить от кожуры, удалить белые пленки, разделить на дольки и нарезать кусочками. Мякоть кокоса натереть на крупной терке. Грейпфрут разрезать пополам, вырезать центральный белый стержень и удалить его. Затем ложкой вынуть мякоть грейпфрута, положить в миску, посыпать сахарной пудрой. Добавить подготовленные ананасы, апельсины или мандарины, кокосовую стружку, все перемешать и разложить в креманки. Малину или клубнику растереть с сахарной пудрой и полить этим сиропом десерт.

Для приготовления фруктовых салатов все фрукты и другие ингредиенты нужно предварительно охладить.

Начатый лимон долго сохранится, если положить его срезом на блюдечко, политое уксусом.

Все продукты, которые не хранятся в холодильнике, лучше держать в темном месте.

Сахар не следует держать рядом с продуктами, имеющими сильный запах, — он легко воспринимает его.

586 Салат-десерт «Слоистый»

Яблоки, клубника, киви, бананы, апельсины, виноград, абрикосы, персики или другие фрукты и ягоды, сахарный сироп по вкусу.

Яблоки промыть, вырезать сердцевину, нарезать ломтиками. Клубнику промыть, обсушить, очистить от черешков и нарезать ломтиками. Киви и бананы очистить от кожуры, нарезать кружочками. Апельсины очистить от кожуры и нарезать дольками. Ягоды винограда промыть. Абрикосы или персики опустить на несколько секунд в кипяток, снять с них кожицу и удалить косточки. Подготовленные фрукты и ягоды уложить слоями в вазу или креманки и залить сахарным сиропом (рецепт 570).

587 Десерт с мороженым и шампанским

1 стакан сухого белого вина, 2–3 ст. ложки сахарной пудры, 200 г ананасов, 2 персика или нектарина, 200 г клубники, 1 груша; шампанское, сливочное мороженое, взбитые сливки по вкусу.

Сухое белое вино вылить в небольшую кастрюлю, всыпать сахарную пудру, помешивая, нагреть на слабом огне, не доводя до кипения, пока сахарная пудра не растворится, и охладить. Очищенные свежие или консервированные ананасы мелко нарезать. Клубнику промыть, очистить и разрезать на части. Персики или нектарины тщательно промыть, разрезать пополам, вынуть косточки и нарезать дольками. Грушу вымыть, очистить от кожуры и сердцевины и нарезать тонкими дольками. Подготовленные фрукты и ягоды положить в глубокое блюдо, залить охлажденным винным сиропом и оставить в холодильнике на 1—2 часа, периодически помешивая. При подаче разложить фрукты в креманки, полить образовавшимся соусом, шампанским, украсить мороженым или взбитыми сливками.

588 Салат-коктейль «Новогодний»

1 апельсин, 1 яблоко, 1 груша, 100 г консервированных ананасов, 2 ст. ложки консервированных вишен; вино, взбитые сливки по вкусу.

Вымытые и очищенные апельсины, яблоки, груши нарезать ломтиками, добавить вишни без косточек, ломтики ананасов. Все смешать, выложить в фужеры, сбрызнуть вином, полить сиропом от ананасов. Сверху можно украсить взбитыми сливками.

589 Салат-коктейль «Форос»

6 яблок, 1 ст. ложка изюма, 4 ст. ложки толченых орехов, 2 лимона, 2–3 ст. ложки сахара.

Очищенные яблоки нарезать соломкой, сбрызнуть лимонным соком. Изюм промыть, ошпарить кипятком, охладить. Подготовленные яблоки, изюм, часть орехов перемешать, полить лимонным соком с сахаром, выложить в креманки, посыпать оставшимися орехами и украсить ломтиками лимона.

590 Кисель из кизила со взбитыми сливками

1 стакан кизила, 3 стакана воды, 3–4 ст. ложки сахара, 4 ч. ложки крахмала, 100 г взбитых сливок.

Кизил вымыть, удалить плодоножки и проварить в небольшом количестве воды в течение 10 мин. Отвар слить, ягоды протереть через сито. В отвар добавить сахар, полученное кизиловое пюре, все довести до кипения. Затем, помешивая, тонкой струйкой влить разведенный в холодной воде крахмал, вновь довести до кипения и охладить. Кисель подать со взбитыми сливками.

Для приготовления киселя картофельный крахмал разводят охлажденной кипяченой водой или фруктово-ягодным сиропом, подготовленным для киселя.

Для приготовления одной порции густого киселя необходимо 15 г крахмала, для киселя средней густоты 7–10 г и для полужидкого киселя 4–8 г крахмала.

Кисели средней густоты и полужидкие после соединения с крахмалом не кипятят, а только доводят до кипения.

Чтобы на поверхности киселя не образовалось пленки, его посыпают небольшим количеством сахара.

591 Овсяный кисель с медом

1 стакан овсяной муки или 2 стакана овсяных хлопьев «Геркулес», 3 ¹/₂ стакана воды; ¹/₂ ч. ложка соли, 1 ст. ложка сахара; мед по вкусу.

Овсяную муку или овсяные хлопья «Геркулес» залить водой, размешать и поставить на 8–10 часов в теплое место. Затем добавить соль, сахар, поставить на огонь и, периодически помешивая, варить кисель до готовности в течение 7–8 мин. Готовый кисель процедить сквозь сито, разлить в тарелки или чашки и подать в охлажденном виде с медом.

592 Кисель из ананаса по-пекински

300 г ананаса, ¹/₂–²/₃ стакана сахара, 150 г крахмала, 2 стакана воды.

Ананас очистить и мелко нарезать. В кастрюлю с водой всыпать сахарный песок и вскипятить. Опустить кусочки ананаса, снова довести до кипения, непрерывно помешивая, влить тонкой струйкой разведенный в холодной воде крахмал, заварить кисель и охладить. Готовый кисель накрыть крышкой, поставить в холодильник для загустения. Перед подачей кисель нарезать.

593 Какао-крем

¹/₂ л 35%-ных сливок, 8 ст. ложек сгущенного молока, 4 ст. ложки порошка какао; шоколад по вкусу.

Предварительно охлажденные сливки взбить в миксере до получения густой, устойчивой пены. Продолжая взбивать, постепенно добавить охлажденное сгущенное молоко и порошок какао. При подаче какао-крем разложить в креманки или стаканы, посыпать натертым на мелкой терке шоколадом.

594 Какао-десерт «Бахчисарай»

4 ч. ложки порошка какао,
3–4 ст. ложки сахара,
¹/₂ стакана кипятка,
2 стакана молока, 4 ч. ложки
крахмала, ¹/₃ стакана воды;
взбитые сливки по вкусу.

Порошок какао смешать с сахаром, добавить кипяток и все растереть в однородную массу. Затем, непрерывно помешивая, влить горячее молоко и довести до кипения. Продолжая помешивать, влить разведенный в воде крахмал и вновь вскипятить. Какао охладить, разлить в стаканы, сверху украсить взбитыми сливками.

595 Домашние «Трюфели»

200 г шоколада кусочками,
50 г сливочного масла,
2 ст. ложки коньяка, ликера
или водки, 2 ст. ложки сухого
молока, 3–4 ст. ложки
порошка какао.

Шоколад и масло положить в небольшую кастрюлю и нагревать, помешивая, на слабом огне до получения однородной массы. Затем снять с огня, добавить коньяк, ликер или водку и, продолжая помешивать, всыпать сухое молоко. Когда смесь начнет затвердевать, вылепить из нее чайной ложкой «трюфели», придавая им куполообразную форму. Порошок какао насыпать на блюдо. Обкатать «трюфели» в какао, положить их в коробку из-под конфет, закрыть крышкой и поставить в холодильник.

596 Сливочная карамель с орехами

2 стакана сахара,
1 стакан сливок,
100 г сливочного масла;
100 г грецких или других орехов.

Сахар и сливки, постоянно размешивая, варить на слабом огне, пока масса не станет кофейного цвета. Снять с плиты, добавить сливочное масло, измельченные орехи, тщательно перемешать, вылить на блюдо, слегка охладить и нарезать квадратиками.

597 Торт-желе «Царь-колокол»

3 стакана ягод, 6 стаканов воды, 1 стакан сахара, 5 ст. ложек желатина; мандарины, взбитые сливки, мята по вкусу.

Желатин замочить на 1 $1/2$–2 часа в 2 $1/2$ стаканах воды. Вишню, клюкву, смородину и другие ягоды, кроме малины, промыть. Из ягод отжать сок. Оставшуюся воду вскипятить, залить ею выжимки и кипятить в течение 5–6 мин. Отвар процедить, всыпать сахар, довести до кипения, снять пену. Затем добавить предварительно замоченный желатин и размешать до его полного растворения. Полученную смесь вновь довести до кипения, влить ягодный сок и еще раз размешать. В формы разного диаметра положить очищенные дольки мандаринов, влить приготовленное желе и дать застыть. Перед подачей большую форму с желе на $2/3$ ее объема погрузить на 1–2 сек в горячую воду, встряхнуть и выложить желе на блюдо. Затем таким же образом выложить желе из средней формы на большое желе. Сверху выложить желе из маленькой формы. Торт-желе украсить дольками мандаринов, взбитыми сливками, листиками мяты.

598 Десерт-желе «Вечеринка»

500 г красной или черной смородины, 1 стакан воды, 1 стакан сахара, 1 стакан портвейна, 25 г желатина; сливки по вкусу.

Красную или черную смородину положить в кастрюлю, влить воду, добавить сахар, поставить на огонь и прокипятить в течение 1–2 мин. Затем процедить смородину сквозь сито, добавить подготовленный желатин (рецепт 597), поставить на слабый огонь и, помешивая, подогреть до полного растворения желатина. После чего желе охладить, добавить портвейн и перемешать. Разлить желе по формочкам и поставить в холодильник для застывания. Перед подачей формочки с желе на $2/3$ ее объема окунуть на 1 сек в горячую воду, встряхнуть, выложить желе в креманки, украсить ягодами смородины и взбитыми сливками.

599 Суфле-желе «Маркиза»

$1/2$ стакана 20%-ных сливок; ягоды по вкусу.
Для желе:
2 стакана ягод, 2 стакана воды, 4 ст. ложки сахара, 2 ст. ложки желатина.

Приготовить ягодное желе (рецепт 597). Креманки или большие фужеры наполовину наполнить ягодами, залить охлажденным желе на $1/2$ высоты посуды и поставить в холодильник для застывания желе. Оставшееся слегка охлажденное желе взбить в миксере до образования густой пены, добавить взбитые сливки и все осторожно перемешать. Полученным суфле наполнить доверху креманки или фужеры и снова поставить их в холодильник. При подаче украсить суфле-желе ягодами.

600 Молочное желе

3 стакана молока, $1/2$ стакана сахара, 2 ст. ложки желатина.

В горячее молоко всыпать сахар, добавить подготовленный желатин (рецепт 597), размешать до его растворения, помешивая, довести до кипения, разлить в формочки и охладить.

601 Винное желе «Король-солнце»

$1/2$ л красного или белого сухого вина, 2 стакана воды, 1 лимон, 1 стакан сахара, 2 ст. ложки желатина; мороженое по вкусу.

В красное или белое сухое вино влить воду, лимонный сок, добавить сахар, довести до кипения, положить предварительно замоченный в воде желатин и, непрерывно помешивая, подогреть смесь до растворения желатина. Затем желе охладить, разлить в бокалы и поставить в холодильник для застывания. Перед подачей украсить желе мороженым.

602 Шоколадный мусс

200 г горького или полугорького шоколада, 2 ст. ложки сливочного масла, 6 яиц, 2 ст. ложки сахарной пудры, 2 ст. ложки тертой апельсиновой цедры.

Яйца разделить на белки и желтки. Шоколад разломить на куски, положить в миску, добавить масло и, непрерывно помешивая, растопить на водяной бане. Затем снять с огня, немного остудить и, размешивая, добавить яичные желтки. Продолжая размешивать, всыпать просеянную сахарную пудру. Затем добавить тертую апельсиновую цедру и перемешать. Охлажденные яичные белки взбить в крепкую пену. Постепенно, маленькими порциями, деревянной ложкой или лопаткой подмешать в шоколадную массу взбитый белок. Разлить шоколадный мусс в вазочки или креманки и поставить в холодильник на 3–4 часа. Перед подачей мусс можно украсить взбитыми сливками.

603 Десерт с зефиром «Южная ночь»

3 ст. ложки желатина, 1 1/2 стакана воды, 100 г шоколада, 2 стакана молока, 200 г белого зефира.

В теплую кипяченую воду всыпать желатин и оставить для набухания на 2 часа. Шоколад измельчить и растопить на водяной бане. Влить в шоколад горячее молоко, добавить сахар, довести до кипения, положить набухший желатин и размешать до полного растворения желатина. Полученную массу охладить до температуры 30–35° и взбивать до тех пор, пока смесь не превратится в густую, пышную массу. Зефир разделить на половинки, выложить им круглую миску объемом около 1 л, влить полученную шоколадную массу и поставить в холодильник для застывания. Готовый десерт опрокинуть из миски на блюдо.

Для приготовления желе и муссов используют желатин, который перед использованием заливают на 1 — 1,5 часа охлажденной кипяченной водой.

При набухании желатин увеличивается в объеме и массе в 6 — 8 раз. Это нужно учесть при определении необходимого количества воды. Излишнюю воду можно слить.

При приготовлении желе или мусса можно добавить вино или ликер, а если подготавливаемая смесь слишком сладкая — лимонный сок или немного лимонной кислоты.

604 Клубничный мусс

500 г клубники, 2 стакана сахара, 100 г желатина, 1/2 ч. ложки лимонной кислоты; киви по вкусу.

Ягоды клубники промыть, отделить черенки, протереть через сито в эмалированную посуду. Затем в приготовленную массу добавить сахар, лимонную кислоту, предварительно размоченный в воде желатин (рецепт 597) и, помешивая, нагреть до растворения желатина. После чего массу охладить до 30–35°, поставить кастрюлю в миску со льдом и взбивать мусс венчиком до образования густой однородной пены. Полученный мусс разлить в подготовленные креманки или вазу и поставить в холодильник для застывания. Перед подачей украсить мусс ломтиками клубники и киви.

605 Ягодный мусс «Виндзорский сад»

500 г крыжовника и малины, 1/2 стакана воды, 1/2 стакана сахара, 1 1/2 стакана 35%-ных сливок, 2 ст. ложки сахарной пудры, 2 ч. ложки ванильного сахара.

Промытый крыжовник залить водой, добавить сахар, вскипятить и варить до мягкости на слабом огне в течение 10–15 мин. Добавить малину, все протереть через сито, дать остыть и поставить в холодильник. Охлажденные сливки взбить наполовину, добавить сахарную пудру, ванильный сахар и взбивать, пока сливки не станут густыми и пышными. После чего взбитые сливки перемешать с ягодным пюре и на несколько часов поставить в холодильник. Перед подачей выложить мусс в креманки в виде шариков, вырезав их из ягодно-сливочной массы круглой ложкой для мороженого. Украсить свежими ягодами, цукатами (рецепт 620), посыпать сахарной пудрой.

Ягоды и фрукты прекрасно сочетаются с мороженым и при приготовлении десертов открывают большое поле для творческой фантазии.

При приготовлении домашнего мороженого следует учесть, что избыток или недостаток сахара ухудшает качество мороженого: при избытке сахара смесь плохо замораживается, а при недостатке — мороженое получается грубое, снежное.

Чем выше содержание жира в смеси для мороженого, тем мельче получаются ледяные кристаллики при замораживании, тем лучше и тоньше структура мороженого.

606 Апельсины «Замороженная принцесса»

8 апельсинов, 4 ст. ложки сахарной пудры; сливочное мороженое, безе по вкусу.
Для сахарной мастики:
1 стакан сахарной пудры, 2 ч. ложки желатина, 2–3 ст. ложки воды; лимонная кислота, пищевой краситель по вкусу.

У апельсинов срезать верхушки и, держа апельсины над миской, ложкой вынуть мякоть, удалить пленки, добавить сахарную пудру, все перемешать и поставить миску в морозильник на 15–20 мин. Апельсиновые оболочки поставить в холодильник. Затем смешать апельсиновую массу с мороженым. Полученной массой наполнить апельсиновые оболочки и поставить апельсины в морозилку. На замороженные апельсины отсадить безе (рецепт 573) и быстро подрумянить безе в горячей духовке. Апельсины украсить листиками из мастики и сразу подать.
Сахарная мастика. Предварительно замоченный в воде желатин распустить на водяной бане, добавить лимонную кислоту, зеленый пищевой краситель и размешать. Сахарную пудру насыпать горкой, в середину влить желатин и быстро перемешать до образования однородной массы и вылепить листочки.

607 Десерт «Искушение»

8 персиков, нектаринов или груш, 200 г взбитых сливок, $1/2$ стакана сахара, $1/4$ стакана воды.

Персики, нектарины или груши промыть, очистить, удалить косточки, нарезать ломтиками и разложить в креманки. Сверху положить холодные взбитые сливки. Сахар залить водой, нагреть до полного растворения сахара, вскипятить и варить до золотисто-коричневого цвета. Снять с огня и, когда закончится образование пузырьков, тонкой струйкой полить десерт горячей карамелью так, чтобы она образовала различные узоры.

608 Десерт «Ноев ковчег»

*1 дыня, 2 персика,
200 г клубники,
200 г винограда;
листья салата,
мороженое, ванильный
соус по вкусу.*

Персики очистить от кожицы и косточек, нарезать дольками. Клубнику промыть, очистить от черешков и также нарезать дольками. Ягоды винограда промыть. Персики, клубнику и виноград сложить в миску и охладить. Охлажденную вымытую дыню разрезать на 6—8 ломтиков, удалить семена. Каждый ломтик дыни положить на тарелку, выстланную листьями салата. На каждую тарелку и ломтик дыни положить по шарику мороженого и ягоды, перемешанные с ванильным соусом (рецепт 582).

609 Торт из мороженого «Северное сияние»

*6 яиц, 1 стакан сахарной пудры,
500 г 35%-ных сливок,
2 ст. ложки вишен,
200 г цукатов или мармелада,
100 г шоколада,
1 ст. ложка порошка какао,
¹/₂ стакана тертых орехов.*

Яйца разделить на белки и желтки. Белки взбить, постепенно добавляя сахарную пудру. Сливки взбить и постепенно ввести в них желтки и взбитые белки. Полученную массу разделить на три части, две части поставить в холодильник. В первую часть добавить вишни без косточек, цукаты (рецепт 620) или нарезанный мармелад, перемешать, выложить в посуду высотой около 20 см, разровнять и поставить в морозильник. Во вторую часть взбитых сливок и белков, перемешивая, добавить какао и натертый шоколад, выложить ровным слоем на застывший первый слой и поставить в морозильник. В оставшиеся взбитые сливки и желтки добавить тертые орехи, перемешать, выложить на шоколадный слой и поставить в морозильник до застывания. Перед подачей вынуть торт из формы и нарезать ломтиками.

При приготовлении домашнего мороженого замораживаемую смесь нужно вымешивать, отделяя от стенок замерзший слой и равномерно распределяя его по всей массе. Перемешивание способствует образованию более мелких кристаллов.

Перемешивание домашнего мороженого продолжают до тех пор, пока смесь не приобретет консистенцию густой сметаны. После чего мороженое выдерживают в морозильнике 1−2 часа до окончательного застывания.

Для приготовления взбитых сливок подходят сливки, содержащие 30 − 35% жира. Сливки, содержащие 20% жира, взбивают в холодном помещении или ставят посуду на лед. Для большей устойчивости во взбитые сливки добавляют небольшое количество сахарной пудры.

610 Клюквенное мороженое

1 стакан клюквы, 1 стакан сахара, 2 ч. ложки желатина, 2 стакана воды; лимонная кислота по вкусу.

Клюкву промыть, залить кипятком и выдержать 5 мин. Воду слить, ягоды протереть сквозь сито, полученную клюквенную массу охладить. Сахар, лимонную кислоту, предварительно замоченный в воде желатин залить водой и, периодически помешивая, растворить на водяной бане при температуре 80−90°. После чего сахарный сироп охладить до температуры 3−4°, добавить в него клюквенную массу, размешать, взбить, поставить в морозилку, периодически помешивая при замораживании. Перед подачей разложить мороженое в креманки, украсить ягодами клюквы и тонко нарезанной апельсиновой цедрой.

611 Десерт «Шапка Мономаха»

300 г клубники, малины или клюквы, 1 стакан сахара, 500 г творога, 2 ст. ложки изюма, 1/2 л 35%-ных сливок, 3 ст. ложки меда, 3 ст. ложки тертых грецких или других орехов.

Ягоды измельчить вручную или в миксере, оставив часть ягод для украшения. Измельченные ягоды смешать с сахаром, добавить творог, промытый изюм и тщательно растереть до получения однородной массы. Сливки с сахарной пудрой взбить в крутую пену, половину сливок подмешать в творожную массу. Круглую миску смазать растопленным медом и посыпать тертыми грецкими или другими орехами. Переложить в форму творожную массу и поставить на 4 часа в морозильник. Перед подачей опустить форму на 1−2 сек в горячую воду, встряхнуть и выложить творожную массу на блюдо. Верх и края украсить взбитыми сливками и отложенными ягодами.

612   Десерт «Коралловый риф»

4 банана, 8 грецких орехов; банановый или ореховый ликер, взбитые сливки по вкусу.

Бананы вымыть, очистить и разрезать вдоль на половинки. Грецкие орехи очистить от скорлупы и перепонок. На небольшие овальные блюда уложить по две половинки банана и ядра грецких орехов, полить банановым или ореховым ликером. В середине между бананами отсадить взбитые сливки.

613   Десерт «Банановые острова»

4 банана; кокосовая стружка, ломтики апельсина по вкусу.
Для соуса:
1 лимон, 1 стакан воды, 4 ст. ложки меда; банановый ликер или коньяк по вкусу.

Бананы очистить от кожуры, нарезать ломтиками, разложить в креманки. Залить соусом, посыпать обжаренной на сковороде без жира кокосовой стружкой, украсить ломтиками апельсина. **Соус.** В лимонный сок добавить мед, цедру $1/2$ лимона, довести до кипения, перемешать и охладить. В соус можно добавить банановый ликер или коньяк.

614   Десерт «Сладкое мгновение»

1–2 банана, 2 апельсина, 1 ст. ложка изюма, 1 ст. ложка водки или ликера, $1/2$ стакана апельсинового сока, сок $1/2$ лимона, 2 ст. ложки меда; взбитые сливки, шоколад по вкусу.

Бананы очистить от кожуры и нарезать ломтиками. Апельсины очистить, разделить на дольки и нарезать. Промытый изюм залить водкой или ликером. Апельсиновый и лимонный сок смешать с медом. Бананы и апельсины разложить в креманки, посыпать изюмом и залить смесью соков с медом. Сверху уложить взбитые сливки, посыпать тертым шоколадом.

Чтобы приготовить сухое варенье, его еще называют «Киевским», нужно отварить фрукты или ягоды в сахарном сиропе, затем подсушить и пересыпать сахаром.

Цвет зрелого манго может быть желтым, красным или зеленым. Чтобы определить спелый плод, надавите пальцем — у спелого манго кожица проминается.

Очищенные плоды авокадо быстро темнеют. Чтобы этого не произошло, очищенный плод полейте лимонным соком.

Чтобы у граната выдавить легко и побольше сока, покатайте его по столу, слегка нажимая на него, затем сделайте дырочку и выжимайте сок.

615 Десерт «Русский ананас»

1к г кабачков; фруктовый или ягодный сок по вкусу.
Для сиропа:
1 стакан сахара, 2 стакана воды, 1/6 ч. ложки лимонной кислоты.

Кабачки очистить от кожи и семян, нарезать кусочками шириной 1,5–2 см, длиной 5 см. В горячий сироп (рецепт 570) положить кабачки, дать настояться в течение 2 часов, затем вскипятить и варить кабачки на слабом огне 20 мин, после чего охладить. При подаче положить кабачки в фужеры и залить сиропом, разбавленным фруктовым или ягодным соком.

616 Еврейский цимес

5–6 морковок, 2 ст. ложки сливочного масла, 2 ст. ложки риса, 100 г чернослива, 100 г кураги, 3 ст. ложки изюма, 2 яблока, 1 1/2 ст. ложки сахара, 1/2 лимона, 1/3 ч. ложки соли.

Морковь очистить, нарезать, положить в глубокую посуду и обжарить на масле. Добавить промытый рис, соль, горячую воду и варить до полуготовности. Затем положить сахар, курагу, изюм, чернослив без косточек, мелко нарезанные яблоки, нарезанный на дольки вместе с цедрой лимон. Все хорошо перемешать и варить на слабом огне до готовности.

617 Орехи в сахаре

2 стакана сахара, 1/2 стакана воды, 500 г очищенных орехов.

В толстостенную посуду всыпать 1 стакан сахара, влить воду, сварить сироп (рецепт 570), всыпать очищенный миндаль, фундук или другие орехи и варить, помешивая, 10 мин. Затем добавить остальной сахар и, энергично помешивая, обжаривать орехи еще 5–6 мин. Затем высыпать их на блюдо.

Чтобы снять с орехов тонкую кожицу, их нужно замочить ненадолго в соленой воде. Затем промойте их и просушите.

Для того, чтобы у миндаля легко снималась кожица, нужно положить его в кипяток на 1−2 минуты, а затем промыть холодной водой и просушить.

Пену, образующуюся в процессе варки варенья, надо периодически снимать и собирать в глубокую тарелку. Это позволит легко слить обратно сироп, оставшийся под пенкой. Пенку нельзя оставлять в варенье, иначе оно может закиснуть.

Варенье раскладывают в сухие горячие банки. При этом следят, чтобы ягоды и сироп распределялись равномерно.

618 Лазат по-ашхабадски

Грецкие орехи, обжаренный арахис, миндаль в сахаре, изюм разных сортов, курага, вяленая дыня по вкусу.

Изюм и курагу промыть и обсушить. В центре большого блюда выложить очищенные грецкие орехи, обжаренный арахис, миндаль в сахаре и обложить их вокруг полосками вяленой дыни. Затем насыпать шесть небольших горок разных сортов изюма и также обложить их полосками вяленой дыни. Края всего блюда выложить курагой.

619 Индийская фруктовая халава

10 яблок или груш, 3 ст. ложки сливочного масла, 1 ¹/₂ стакана сахара, 4 ст. ложки изюма, 3 ст. ложки нарезанного пластинками миндаля или измельченных грецких орехов.

Яблоки или груши промыть, очистить от кожицы и семян, мелко нарезать, положить в кастрюлю с маслом и обжаривать, часто помешивая, в течение 4−5 мин. Когда фрукты станут мягкими и слегка коричневатыми, добавить 2 ст. ложки воды, уменьшить огонь и варить без крышки, часто помешивая, пока фрукты не разварятся и не загустеют. Затем добавить сахар и, помешивая, продолжать варить, пока смесь не начнет отставать от дна, превратившись в однородную массу. После чего прибавить огонь и, не переставая мешать, продолжать варить на среднем огне, чтобы выпарить всю жидкость. Когда смесь станет прозрачной по краям и такой густой, что ее будет трудно мешать, снять кастрюлю с огня, положить изюм, миндаль или грецкие орехи и перемешать. Затем варить еще 2 мин. Снять с огня, выложить халаву на противень и сделать из нее пласт толщиной 2−3 см, а когда халава остынет, разрезать ее на кубики.

620 Цукаты из лимонных корок

1 кг лимонных корок.
Для сахарного сиропа:
1,2 кг сахара, 300 мл воды.

Корки вымочить в течение 5 суток в холодной воде, меняя ее 2—3 раза в день. Затем корки проварить 10 мин в кипящей воде, откинуть на дуршлаг и дать стечь воде. Положить корки в эмалированную миску, залить горячим сахарным сиропом, приготовленным на воде, в которой варились корки (рецепт 570), и варить в три приема по 10 мин с выдержкой между варками по 10 часов. При третьей варке цукаты необходимо уварить до температуры кипения сиропа 108°, откинуть их на дуршлаг и оставить на 1—1 $^1/_2$ часа для полного стекания сиропа. Затем корки уложить в один слой на сито и немного подсушить в духовке при температуре не выше 40°. Подсушенные корки обсыпать со всех сторон мелким сахаром, после чего снова досушить в духовке. Готовые цукаты уложить в чистые сухие банки и герметически укупорить. Остывшие корки можно сушить и при комнатной температуре. Сначала их нужно подсушить в течение суток, а затем обвалять в сахаре и досушить в течение 1—2 суток.

621 Цукаты из рябины

2 кг рябины.
Для сахарного сиропа:
1,2 кг сахара, 300 мл воды.

Рябину замочить в холодной воде на 1 сутки, дважды меняя воду. Затем готовить из рябины цукаты, как в предыдущем рецепте. Оставшийся от цукатов сироп можно использовать как варенье для чая и мучных блюд, а также для повторного приготовления цукатов. Готовые цукаты можно сушить и при комнатной температуре. Сначала их нужно сушить 1—2 дня, затем обвалять в сахаре, после чего сушить еще 2—3 дня.

622 Жимолость, протертая с сахаром

1 кг ягод жимолости,
1 $^1/_2$ кг сахара.

Спелые ягоды жимолости хорошо промыть, сполоснуть кипяченой водой и деревянной ложкой растереть с сахаром в эмалированной посуде. Затем ягоды с сахаром, перемешивая, подогреть на слабом огне до 60—70° до растворения сахара. После чего разложить жимолость в стерилизованные банки и плотно закрыть крышками. Хранить при температуре 0—5°. При отсутствии соответствующих условий для хранения банки с жимолостью необходимо стерилизовать и герметически закрыть металлическими крышками (рецепт 69).

623 Облепиха, протертая с сахаром

1 кг ягод облепихи,
1 кг сахара;
сахар для засыпки по вкусу.

Ягоды облепихи перебрать, обрезать плодоножки. Ягоды тщательно промыть в холодной воде, откинуть на сито или дуршлаг. Высохшие ягоды сложить в эмалированную миску с высокими краями, добавить сахар и размешать до появления сока. Ягоды с соком разложить в банки и сверху засыпать сахаром.

624 «Холодное варенье» из крыжовника

1 кг крыжовника,
1 $^1/_2$ кг сахара.

Зрелые крупные ягоды крыжовника вымыть в обильном количестве воды, откинуть на дуршлаг или решето и дать стечь воде. Затем ягоды очистить ножом от плодоножек и сухих чашечек, пропустить через мясорубку, засыпать сахаром, несколько раз, с интервалом в 10—15 мин, перемешать и разложить в банки.

625 Варенье «Райские яблоки»

1 кг райских яблок.
Для сахарного сиропа:
1 кг сахара, 1 ¹/₂ стакана воды.

У зрелых, неповрежденных яблок обрезать наполовину плодоножки, удалить чашелистики. Яблоки вымыть, дать стечь воде, сделать наколы на поверхности яблок. Яблоки отварить в кипящей воде в течение 3–4 мин, после чего немедленно охладить в холодной воде. Подготовленные яблоки залить кипящим сахарным сиропом (рецепт 570) и выдержать 4 часа. Затем проварить в течение 15 мин, снова выдержать 4 часа, еще раз проварить 15 мин, выдержать 4 часа и в третий раз варить до готовности. Горячее варенье разложить в горячие сухие банки, укупорить, проверить качество укупорки и охладить на воздухе.

626 Земляничное варенье

1 кг земляники,
1 кг сахара.

Половину количества сахара насыпать на дно посуды для варки варенья. Сверху выложить ровным слоем ягоды, полностью засыпать их оставшимся сахаром и оставить ягоды на 1–2 суток. Затем поставить ягоды на огонь и один раз довести до кипения.

627 Клубника в собственном соку

1 кг клубники,
300 г сахара.

Ягоды очистить от плодоножек, промыть, дать стечь воде. Затем клубнику уложить в банки, пересыпать сахаром, накрыть крышками, стерилизовать 5–10 мин и закатать (рецепт 69).

Чай, кофе и другие безалкогольные и слабоалкогольные напитки

628 Чай черный

На 1 стакан емкостью 250 мл:
1/2–1 ч. ложка черного
байхового чая.

Воду для заваривания чая довести до кипения, но не кипятить. Фарфоровый чайник ополоснуть 1–2 раза кипятком, засыпать чай, залить кипятком, закрыть крышкой и накрыть салфеткой. Дать чаю настояться в течение 4–5 мин, размешать, накрыть салфеткой, дать постоять еще 2–3 мин и разлить в чашки или стаканы. К чаю можно подать мед, сахар, лимон, изюм, варенье, конфеты, молоко, а также мучные изделия.

629 Чай с молоком по-шведски

6–8 ч. ложек черного чая,
4 стакана горячего молока;
сахар по вкусу.

Заварить чай как в предыдущем рецепте, залить половиной горячего молока и накрыть посуду с чаем крышкой. Через 5 мин настой чая процедить через сито, разлить в чашки, добавить горячее молоко, сахар и размешать.

630 Чай с молоком по-казахски

4 ч. ложки черного байхового чая,
1/2 л молока, 1/2 л воды.

В эмалированной кастрюле или жаростойкой керамической или стеклянной посуде вскипятить смесь молока с водой. После чего всыпать в посуду с кипящей молочной смесью чай и варить при слабом кипении 5–8 мин. Готовый чай разлить через ситечко в пиалы и подать со сладостями.

631 Чай-крем

8 ст. ложек черного байхового чая, 1 л воды, 4 яичных желтка, 4 ст. ложки лимонного сиропа.

В чашках или стаканах взбить по яичному желтку с лимонным сиропом. Заварить чай (рецепт 628) и при постоянном помешивании залить горячим чаем яичную смесь. При желании в чай-крем можно добавить немного коньяка, ликера или водки.

632 Зеленый чай с мятой по-марокканоски

1 ст. ложка зеленого чая,
1 1/2 л воды, 5 веточек свежей
мяты, 5–6 ст. ложек сахара.

Большой фарфоровый чайник обдать кипятком, всыпать в него чай, влить стакан кипятка, размешать, дать чаинкам осесть на дно чайника и осторожно слить воду. Мяту ошпарить кипятком, обсушить салфеткой, мелко нарезать, положить в чайник, добавить сахар, залить кипятком и все хорошо размешать. Отлить из чайника немного настоя в стакан и вновь влить его в чайник. Повторить эту операцию еще раз. После этого накрыть чайник салфеткой, выдержать 3–4 мин и разлить чай в стаканы.

Чай и кофе нужно хранить в фарфоровой посуде или металлических банках с плотно закрытыми крышками в сухом, прохладном месте.

Чтобы придать чаю различные ароматы, положите в коробку, в которой он хранится, корочку лимона или апельсина, засушенные лепестки розы или цветы жасмина.

Если добавить к молотому кофе щепотку соли, вкус сваренного кофе будет лучше.

Размалывать жареные зерна кофе следует непосредственно перед приготовлением напитка.

633 Кок-чай — зеленый чай по-узбекски

На 1 стакан емкостью 250 мл:
1–2 ч. ложки зеленого чая.

Зеленый чай засыпать в хорошо согретый фарфоровый чайник, залить кипятком на четверть объема чайника и поместить на 2 мин в ток горячего воздуха, но не непосредственно на огонь. После чего долить чайник до половины, покрыть салфеткой, а еще через 2–3 мин долить кипяток до $^3/_4$ объема чайника. Выдержать 3 мин и долить кипяток в чайник доверху.

634 Шир-чай по-киргизски

*2 ст. ложки черного чая,
2 $^1/_2$–3 стакана воды,
400 г сливок, 2 ст. ложки муки,
150 г меда или очищенных
грецких орехов.*

Фарфоровый чайник ополоснуть горячей водой, насыпать чай, залить кипятком на $^1/_3$ объема чайника, накрыть салфеткой, дать настояться 5 мин, долить кипяток. Муку, периодически помешивая, обжарить до светло-коричневого цвета на сковороде или на противне в духовке при температуре 150–160°. Чайный настой налить в подходящую посуду, довести до кипения, добавить сливки, обжаренную муку, мед или орехи и прокипятить в течение 2–3 мин. Мед и орехи можно подать отдельно.

635 Пряный чай

*3–4 ч. ложки черного чая,
1 л воды, 6 ч. ложек сахара;
лимон, корица, гвоздика по вкусу.*

Заварить чай (рецепт 628), добавить сахар, толстый ломтик лимона, молотые корицу и гвоздику. Все тщательно размешать и процедить через ситечко в чашки.

636 Чай по-турецки

8 ч. ложек черного байхового чая, 1 л воды; измельченные гвоздика, корица и чабрец, сахар, рахат-лукум, изюм и другие сладости по вкусу.

В жаростойкой посуде вскипятить воду, положить чай, гвоздику, корицу, чабрец, накрыть посуду крышкой, укутать и подержать на слабом огне 10–15 мин. Готовый чай разлить в стеклянные стаканчики грушевидной формы. Отдельно подать мелко колотый кусковой сахар, рахат-лукум, изюм и другие сладости.

637 Холодный чай с медом и корицей

3–4 ч. ложки черного чая, 1 л воды, 100 г меда; корица по вкусу.

Заварить чай (рецепт 628), добавить корицу и настаивать 5–7 мин. Затем процедить, растворить мед и охладить.

638 Холодный чай «Матэ» по-кубински

2 ч. ложки черного и 3 ч. ложки зеленого чая, 1 л воды, 200 г ананаса, 2 ч. ложки рома, 4 ч. ложки сахарной пудры, $^1/_2$ лимона; лед по вкусу.

Заварить смесь черного и зеленого чая (рецепт 628), выдержать 10 мин. Ананас нарезать маленькими кубиками, залить ромом, посыпать сахарной пудрой. В остывший чай добавить тертую цедру лимона, его сок, ананас, лед, все разлить в бокалы.

639 Замороженный чай по-американски

На 1 стакан емкостью $^1/_2$ л: 3 ч. ложки черного байхового чая, 300–350 г воды; сахар, лимон, лед по вкусу.

Заварить чай (рецепт 628), дать настояться в течение 5 мин и остудить. Специальный высокий стакан емкостью 0,5 л наполнить несколькими кубиками льда, залить в него весь остуженный чай, добавить сахар, лимон, все размешать.

640   Кофе по-восточному

На чашку емкостью 100 мл:
3 ч. ложки кофе,
1 ¹/₂ ч. ложки сахара.

Мелко молотый кофе положить в кофейную кастрюлю-турку, добавить сахар, воду и довести до кипения. Готовый кофе, не процеживая, подать в той же кастрюле. Отдельно подать в стаканчике холодную кипяченую воду. Набрав в ложечку холодной воды, опустить ее в кастрюлю с кофе. При этом кофейная гуща осядет на дно кастрюли. После этого кофе перелить в чашки.

641   Кофе со взбитыми сливками

На стакан или бокал емкостью 250 мл:
3 ч. ложки молотого кофе,
2 ч. ложки сахара, 1 ст. ложка
35%-ных сливок, ¹/₂ ч. ложки
сахарной пудры.

В кофеварку или кофейник, сполоснутые горячей водой, положить кофе, залить кипятком, довести до кипения, снять с огня и дать отстояться 5–8 мин. Готовый кофе процедить через частое сито или ткань, положить в кофе сахар и довести до кипения. Сливки взбить в миксере или венчиком, смешать с сахарной пудрой и осторожно положить ложкой в стакан или бокал с кофе.

642   Кофе по-варшавски

На чашку емкостью 250 мл:
4 ч. ложки молотого кофе,
1 ч. ложка молотого цикория,
2–3 ч. ложки сахара, ¹/₂ стакана
сливок или топленого молока.

Сварить кофе (рецепт 641), добавив в воду цикорий, процедить в кастрюлю, добавить сахар, сливки или топленое молоко и довести кофе до кипения. Перед подачей взбить кофе венчиком, благодаря чему на поверхности кофе образуется пена. Разлить взбитое кофе в чашки и подать на стол.

643 Кофе с фруктовым соком

4 ч. ложки растворимого кофе, 2 ¹/₂ стакана воды, 1 ¹/₂ стакана виноградного сока, 4 ст. ложки лимонного сока, 4 палочки корицы, 4 ломтика апельсина; сахар, гвоздика по вкусу.

Вскипятить воду, всыпать растворимый кофе, размешать, добавить сахар, виноградный или другой фруктовый сок, сок лимона, все довести до кипения. При подаче разлить кофе в высокие стаканы или бокалы и положить в стаканы с кофе палочки корицы. Украсить ломтиками апельсина с гвоздиками. Палочки корицы можно заменить молотой корицей по вкусу.

644 Кофе «Рута» по-литовски

5 ст. ложек молотого кофе, ¹/₂ л воды, 3 ст. ложки сахара, 1 яичный белок, 3 ст. ложки коньяка.

Сварить черный кофе (рецепт 641), процедить, положить в него сахар и вновь довести до кипения. Затем разлить кофе в кофейные чашки, добавить коньяк, сверху положить взбитый яичный белок и посыпать его сахаром. Чашки с кофе поставить на несколько минут в нагретую духовку и выдержать до зарумянивания белка. После этого готовый кофе немедленно подать.

645 Кофе по-итальянски

4 ст. ложки молотого кофе, 1 стакан воды, 1 стакан молока, шоколад по вкусу.

В кипящую воду всыпать свежемолотый кофе, энергично перемешать и дать отстояться в течение 5–6 мин, после чего процедить. Перед подачей в процеженный кофейный настой влить горячее молоко и довести до кипения. Готовый кофе налить в подогретые кофейные чашки и посыпать тертым шоколадом.

646 Кофе по-венски

10 ст. ложек молотого кофе, 1 л воды, 4–6 ст. ложек сахара, 3 ст. ложки 30%-ных сливок, 2 ст. ложки сахарной пудры; ванильный сахар по вкусу.

Сливки охладить, добавить сахарную пудру, ванильный сахар и взбить в пену. Сварить кофе (рецепт 641), процедить, добавить сахар и довести до кипения. Горячий кофе налить не до самого верха в чашки или стаканы, сверху положить взбитые сливки. Сливки можно посыпать тертым шоколадом.

647 Кофе с мороженым и сливками

4–5 ст. ложек молотого кофе, 1 л воды, 3–4 ст. ложки сахара, 200 г (4 шарика) сливочного мороженого, 100 г 35%-ных сливок, 2 ч. ложки сахарной пудры.

Сварить кофе (рецепт 641), процедить, добавить сахар, перемешать и охладить. Сливки охладить и взбить с сахарной пудрой в миксере или венчиком в пышную массу. При подаче кофе налить не до самого верха в высокие стаканы или бокалы, положить по шарику сливочного мороженого и взбитые сливки.

648 Кофе-какао по-явански

5 ч. ложек молотого кофе, 1/2 л воды, 3 ст. ложки сахара, 5 ч. ложек порошка какао, 1 стакан молока, 4–5 ч. ложек сливок.

Сварить кофе (рецепт 641), процедить. Сахар смешать с порошком какао, залить теплым молоком, размешать до получения однородной массы, добавить в кофейный настой, довести до кипения, перемешать, быстро снять с огня, разлить в кофейные чашки, сверху налить сливки.

649 Какао на молоке

4–5 ст. ложек порошка какао, 5 ст. ложек сахара, 3 1/2 стакана молока; взбитые сливки по вкусу.

Порошок какао засыпать в кастрюлю, добавить сахар, тщательно перемешать, влить немного горячей воды или молока и растереть ложкой или лопаткой до образования однородной массы. Затем, непрерывно помешивая, тонкой струйкой влить горячее молоко и все довести до кипения. В стаканы с какао можно положить взбитые сливки (рецепт 641).

650 Какао с мороженым

4 ст. ложки порошка какао, 5 ст. ложек сахара, 3 стакана молока, 200 г сливочного мороженого.

Сварить какао как в предыдущем рецепте и охладить. При подаче налить охлажденное какао в фужеры или высокие стаканы и положить сверху по шарику сливочного мороженого.

651 Напиток из каркадэ «Суданская роза»

3–4 ч. ложки целых или 3 ч. ложки дробленых лепестков каркадэ, 4 стакана воды; сахар по вкусу.

Воду довести до кипения, но не кипятить. Фарфоровый чайник ополоснуть 1–2 раза кипятком, засыпать каркадэ, залить кипятком, закрыть крышкой и накрыть салфеткой. Дать чаю настояться в течение 4–5 мин, размешать, накрыть салфеткой, дать постоять еще 3–4 мин и разлить в чашки или стаканы. Настой каркадэ отличается красивым вишневым цветом. В сочетании с сахаром напоминает по вкусу вишневый сок. Заварку можно производить только один раз, так как лепестки каркадэ полностью отдают свой сок.

652 Напиток «Лесной терн»

200 г лесного терна, 3 стакана воды, 50 г меда, 200 г сахара.

Терн перебрать, промыть, залить водой и варить в течение 8–10 мин. Затем процедить, добавить мед, сахар и довести до кипения. Подать охлажденным.

653 Напиток «Русский лес»

*2 стакана ягод,
4 ст. ложки фруктового сиропа,
4 ст. ложки сахара или меда,
сок 1/4 лимона или
1 г лимонной кислоты,
3 1/2–4 стакана воды.*

Клюкву, бруснику или чернику промыть, перебрать, промыть, обсушить, размять и отжать сок. Оставшиеся выжимки залить водой, прокипятить в течение 5–7 мин, дать настояться в течение 5–6 часов и процедить. В полученный отвар добавить сироп, сахар или мед, все довести до кипения, добавить ягодный сок, лимонный сок или лимонную кислоту, еще раз довести до кипения и охладить.

654 Морс из клюквы или брусники

*1 кг клюквы или брусники;
вода, сахар по вкусу.*

Клюкву или бруснику перебрать, промыть, размять и отжать сок. Дать соку отстояться и процедить. Выжимки проварить в воде, процедить и охладить. В полученный отвар влить ягодный сок, добавить сахар, размешать до растворения сахара и охладить.

655 Квас «Берендей»

*Морс из 1 кг клюквы или
брусники, 500 г меда или сахара,
25 г дрожжей, 1 1/2 стакана
муки, 5 л воды; сахар по вкусу.*

В морс из клюквы или брусники (рецепт 654) добавить мед или сахар, дрожжи, муку, все перемешать и поставить в теплое место. Когда квас начнет бродить и покроется пеной, процедить его через марлю, сложенную в 2 раза, перелить в бутыль, плотно закупорить и поставить на 2 недели в прохладное место. Перед употреблением можно добавить по вкусу сахар.

Для приготовления прохладительных напитков в домашних условиях нужно иметь шейкер для взбивания напитков, контейнер для приготовления льда, щипцы для его расколки, полиэтиленовые соломинки, шпажки для ягод, сироп для газированной воды — чем вкуснее и красивее приготовлены напитки, тем больше удовольствия они доставят.

Для приготовления прохладных напитков желательно использовать предварительно охлажденные стаканы или фужеры.

Если в напиток добавляется вода, его быстро перемешивают ложкой с длинной ручкой.

656 Напиток «Тонкая рябина»

200 г рябины, 1 л воды, 5–6 ст. ложек сахара, 2–3 ст. ложки меда, 1 г лимонной кислоты.

Ягоды рябины промыть, размять, отжать сок. Мезгу залить горячей водой, проварить 15–20 мин, дать настояться 30 мин и процедить. В полученный отвар добавить сахар, лимонную кислоту, все довести до кипения, снять с огня, добавить охлажденный сок рябины, мед, размешать до растворения меда и охладить.

657 Напиток «Таежный»

1 ¹/₂ стакана брусничного морса или морса из калины, 100 г меда, 1 г лимонной кислоты, 2 стакана воды; молотая корица, гвоздика, водка по вкусу.

Корицу растворить в небольшом количестве воды, добавить гвоздику, довести до кипения, дать остыть и процедить. Оставшуюся воду вскипятить, слегка охладить, растворить в ней мед, лимонную кислоту, добавить отвар корицы и гвоздики, брусничный морс (рецепт 654) или морс из калины (рецепт 660) и охладить. В напиток можно добавить по вкусу водку.

658 Миндальный оршад

1 стакан очищенного миндаля, 1 л воды, 2 ст. ложки лимонного сока, 1 стакан сахара.

Миндаль ошпарить кипятком, очистить от кожицы, промолоть на мясорубке и, постепенно добавляя холодную кипяченую воду, лимонный сок, сахар, растереть до получения однородной массы. Затем добавить оставшуюся воду, размешать и поставить в холодильник на 1–2 часа. Перед подачей процедить, налить в бокалы и подать с мелко колотым льдом.

Коктейли подают
с полиэтиленовыми
соломинками или коктельными
ложками с длинными ручками.

Напитки с ягодами, фруктами
или взбитыми сливками подают
с ложечками.

Температура прохладительных
напитков и безалкогольных
коктейлей должна быть 5–10°,
поэтому их охлаждают и часто
подают со льдом.

Для приготовления льда
обычно используют воду,
иногда добавляют свежие
или консервированные ягоды.

659 Напиток «Лесной аромат»

*¹/₂ стакана рябины,
¹/₂ стакана клюквы,
2 ст. ложки рубленой душистой
мяты, 3 ст. ложки сахара,
4 стакана воды.*

Из перебранной и промытой клюквы отжать сок, положить выжимки в кипящую воду, добавить промытую лесную рябину, мяту и прокипятить в течение 10 мин и дать настояться в течение 4–6 часов. Затем напиток процедить, добавить сахар, клюквенный сок, размешать и охладить.

660 Морс из калины

*2 стакана калины, ¹/₂ стакана
сахара, 4 стакана воды.*

Калину перебрать, вымыть, растолочь, отжать сок. Выжимки и косточки засыпать сахаром, перемешать и оставить на 1–2 часа. Затем залить их водой, поставить на огонь, довести до кипения и кипятить под крышкой на слабом огне в течение 10–15 мин. После чего снять с огня, остудить, отвар процедить и добавить к отжатому соку.

661 Напиток «Калина красная»

*¹/₂ кг калины, 2 л воды,
1 стакан сахара,
2 ст. ложки меда.*

Спелую калину перебрать, вымыть, откинуть на дуршлаг, затем разложить на бумаге и дать обсохнуть. Из воды и сахара приготовить сахарный сироп (рецепт 570). В горячий сироп положить подготовленную калину, добавить мед, размешать, накрыть крышкой и дать настояться в прохладном темном месте в течение 8–10 дней. Затем напиток процедить и охладить.

662 Напиток «Цветень»

2 ст. ложки меда, 1 ч. ложка пыльцы, 4 стакана воды; лимонная кислота по вкусу.

Мед, цветочную пыльцу, лимонную кислоту прокипятить с водой и дать настояться в течение 4–6 часов. Затем напиток перелить в другую посуду, чтобы осадок остался на дне, и охладить.

663 Компот «Янтарный»

2 антоновских яблока, 300 г тыквы, ¹/₂ стакана сахара, 5 стаканов воды; лимонная кислота, чернослив, изюм, курага, корица по вкусу.

Яблоки вымыть, очистить от кожуры и сердцевины и нарезать дольками. Тыкву вымыть, очистить, нарезать соломкой. В горячей воде растворить сахар и лимонную кислоту. В полученный раствор положить промытые сухофрукты, корицу, нагреть все до кипения и варить компот на слабом огне под крышкой в течение 10–15 мин. Затем добавить подготовленную тыкву, через 5 мин — яблоки и варить компот до тех пор, пока яблоки не станут мягкими. После чего компот охладить.

664 Компот из цитрусовых

4 апельсина, 1 лимон, 1 стакан сахара, 1 л воды.

Апельсины и лимон очистить от кожуры, нарезать тонкими ломтиками. Апельсиновую и лимонную цедру очистить от белой мякоти, залить кипятком и дать настояться в течение 4–5 часов. Затем настой процедить, добавить сахар, довести до кипения и снять с огня. Положить в получившийся сироп ломтики апельсинов и лимона, дать компоту остыть и охладить.

665 Компот из свежих фруктов и ягод

¹/₂ кг яблок, или айвы, или груш;
или *¹/₂ кг черешни или вишни,*
или персиков, или слив,
или абрикосов;
лимонная кислота по вкусу.
Для сахарного сиропа:
1 л воды, ¹/₂–1 стакан сахара,
1 г лимонной кислоты.

Яблоки, или айву, или груши вымыть, удалить семенные гнезда, нарезать дольками и положить их до варки в холодную воду, подкисленную лимонной кислотой. Яблоки, или груши, или айву положить в горячий сахарный сироп (рецепт 570) и варить при слабом кипении не более 6–8 мин. Быстроразваривающиеся сорта яблок и очень спелые груши положить в кипящий сироп, прекратить нагрев и оставить в сиропе до охлаждения.

Черешню или вишню перебрать, удалить плодоножки, вымыть. Сливы, или персики, или абрикосы перебрать, вымыть, разрезать пополам, удалить косточки. Все заложить в горячий сахарный сироп и довести до кипения.

Готовый компот охладить, фрукты или ягоды разложить в креманки или стаканы и залить фруктовым отваром.

666 Компот из чернослива, кураги и изюма

100 г чернослива, 50 г кураги,
2 ст. ложки изюма, 3 ст. ложки
сахара, 1 г лимонной кислоты,
1 л воды.

Чернослив и курагу промыть холодной водой, залить горячей водой, нагреть до кипения, добавить сахар, лимонную кислоту и варить при слабом кипении 10–20 мин. За 5–10 мин до окончания варки добавить предварительно размоченный в воде изюм. Дать компоту настояться 3–4 часа и охладить.

667 Крюшон «Изысканный»

1 бутылка полусухого
шампанского, 1 бутылка белого
сухого вина, 6 ст. ложек
апельсинового или абрикосового
ликера, 6 ст. ложек коньяка или
рома, 200 г клубники,
2 апельсина, 1 банка
консервированного ананаса;
сахар, лед по вкусу.

Клубнику вымыть, обсушить, очистить от черешковой части. Апельсины вымыть, очистить от кожуры, нарезать тонкими ломтиками, смешать с клубникой, положить на дно крюшонницы или вазы, засыпать сахаром и поставить в холодильник на 1–2 часа. Затем добавить кусочки ананаса вместе с сиропом, влить вино и осторожно перемешать до растворения сахара. Добавить лед, охлажденное шампанское, ликер, коньяк или ром, осторожно перемешать и маленьким половником разлить крюшон в стаканы или чашки. Отдельно подать мелко колотый лед.

668 Напиток «Мечта»

¹/₂ стакана клюквенного
варенья, 2 ст. ложки меда,
1 г лимонной кислоты, 1 л воды.

Варенье развести ¹/₂ л горячей воды, довести до кипения, охладить, отвар процедить. Клюкву из варенья протереть сквозь сито, соединить с отваром, добавить разведенный кипяченой водой мед, лимонную кислоту, оставшуюся воду и охладить.

669 Напиток «Солнечный»

1 апельсин, 1 стакан свежей
облепихи, 1 стакана воды,
4 ст. ложки меда, 2 ст. ложки
сока лимона, 1 л газированной
воды.

Апельсин вымыть, очистить от кожуры и отжать сок. Апельсиновую цедру очистить от белой мякоти и мелко нарезать. Облепиху вымыть, обсушить, размять через марлю и отжать сок. Апельсиновую и облепиховую отжимки, апельсиновую цедру залить водой, проварить 10–15 мин, остудить и отжать отвар. Апельсиновый и облепиховый соки смешать с отваром, добавить мед, размешать до его полного растворения и поставить полученную смесь в холодильник на 2–3 часа. Перед подачей добавить в смесь лимонный сок, охлажденную газированную воду, быстро размешать и разлить в высокие тонкие стаканы. Украсить ломтиком апельсина или ягодами вишни.

Для приготовления некоторых напитков используют измельченный лед, он сильнее и быстрее охлаждает напитки. Для того чтобы его приготовить, кубики льда кладут в холщовый мешочек и разбивают лед молотком.

Чтобы стаканы и рюмки с напитками не оставляли на скатерти пятен, под них подкладывают бумажные салфетки.

Ободок фужера для коктейля можно украсить «изморозью». Для того наружный край фужера нужно смазать долькой лимона или апельсина по кругу на ширину 6—8 мм, окунуть в сахарную пудру, «изморозь» готова.

670 Компот «Осенний»

1 стакан черноплодной рябины, 2 яблока, $^1/_2$ стакана сахара, сок $^1/_4$ лимона или 1 г лимонной кислоты, 4 стакана воды.

Яблоки вымыть, очистить от кожуры и сердцевины, нарезать маленькими тонкими ломтиками. Промытую черноплодную рябину залить кипятком и варить под крышкой в течение 5—10 мин. В конце варки добавить сахар, нарезанные яблоки, сок лимона или лимонную кислоту, дать настояться в течение 8—10 часов и охладить. При подаче разложить яблоки в стаканы и залить яблочным настоем.

671 Шоколадный коктейль

4 ст. ложки порошка какао, 8 ст. ложек сахара, $^3/_4$ стакана воды, 200 г сметаны, 3 стакана газированной воды, 200 г коньяка или рома.

Порошок какао растереть с сахаром, добавить воду, поставить на огонь и, размешивая, довести до кипения. Затем снять какао с огня, остудить, добавить охлажденные сметану и газированную воду, коньяк или ром, взбить полученную массу в миксере и сразу разлить в стаканы.

672 Банановый коктейль

1 $^1/_2$ стакана крепкого холодного чая, $^2/_3$ стакана бананового сиропа, $^2/_3$ стакана лимонного сока; лед, минеральная вода по вкусу.

Приготовить крепкий чай (рецепт 628) и охладить. На дно четырех высоких стаканов положить на $^1/_4$ высоты стакана кубики льда. Отдельно смешать охлажденный чай, банановый сироп и лимонный сок. Полученную смесь равномерно вылить в стаканы и добавить минеральную воду.

673 Рябиновка по-суздальски

1 стакан рябины, 8 ст. ложек меда, 3 стакана воды, 1 г лимонной кислоты, 1 стакан яблочного сока.

Промытую рябину залить кипятком, добавить мед, лимонную кислоту и варить под крышкой на слабом огне 10 мин. Затем дать настояться в течение 8–10 часов, добавить яблочный сок, перемешать и охладить.

674 Компот «Ассорти»

1 стакан рябины, 1 стакан крыжовника, 1 стакан белой смородины, 1/2 кг сахара, 1 г лимонной кислоты, 2 л воды.

Из сахара, воды и лимонной кислоты сварить сахарный сироп (рецепт 570). Ягоды вымыть, залить сахарным сиропом, довести до кипения, проварить в течение 10–15 мин и остудить. При подаче ягоды разложить в стаканы и залить сиропом.

675 Крюшон «Именинный»

4 мягкие груши, 300 г сладких слив, 3 апельсина, 2 стакана сахарного сиропа, 1 стакан сахара, 1 бутылка красного сухого вина, 1 бутылка фруктовой газированной воды; лед по вкусу.

Груши вымыть, снять кожицу, нарезать дольками, удалить сердцевину. Сливы вымыть, разрезать пополам, удалить косточки, положить вместе с грушами в сироп (рецепт 570), проварить в течение 3–5 мин и охладить. Апельсины очистить от кожуры, нарезать тонкими кружками, вынуть зерна. Уложить апельсины в крюшонницу, засыпать сахаром и поставить в холодильник на 4–5 часов. Перед подачей вылить на апельсины фруктовый отвар, выложить груши и сливы, добавить натертую на терке часть апельсиновой цедры, вино, газированную воду, кусочки льда.

676 Яблочный сидр

Сладкие и кислые яблоки, изюм по вкусу.

Яблоки вымыть, разложить в сухом помещении в один слой на мешковине или соломе и дать им полежать до тех пор, пока они не станут мягкими. Затем мелко их нарезать и отжать сок отдельно для сладких и кислых яблок. Поставить сок в холодное место или холодильник на 3–4 дня для оседания гущи, после чего осторожно слить прозрачную часть сока. Затем смешать соки сладких и кислых яблок в нужной пропорции, в зависимости от желаемого вкуса. Разлить смесь соков в бутылки из-под шампанского, положив в бутылки по 2–3 раздавленные изюминки. Бутылки хорошо закупорить и поставить в холодильник, а зимой — в погреб. Через месяц сидр будет готов. Такой сидр сохраняется в течение года.

677 Яблочный квас

2 кг кислых яблок, 6 л воды, 2 стакана сахара, 500 г меда, 1 стакан рябинового сока, 30 г дрожжей; корица, изюм по вкусу.

Яблоки очистить от сердцевины, нарезать ломтиками, положить в большую кастрюлю, залить водой, довести до кипения, накрыть крышкой и дать настояться в течение 4–5 часов. Затем отвар процедить, добавить сахар, мед, растертые с сахаром дрожжи, корицу, рябиновый сок, все размешать и оставить в теплом месте для брожения на 12–14 часов. После чего квас процедить, перелить в бутыль с узким горлом, добавить изюм, закрыть ватой и поставить в холодное место на 2–3 дня. Затем квас разлить в бутылки, укупорить и поставить в холодильник.

678 Шербеты

Фруктовые и ягодные соки, отвары, настои, сахар, фрукты, ягоды, мороженое, лед по вкусу.

Для шербета абрикосового:
¹/₂ кг абрикосов, ¹/₂ стакана сахара, 2 стакана воды.

Для шербета вишневого:
400 г вишни, 2 ¹/₂ стакана воды, ¹/₂ стакана сахара.

Для шербета из тархуна, или мяты, или мелиссы:
3 ст. ложки измельченных листьев тархуна, мяты или мелиссы, 3 стакана воды, 1 стакан сахара, сок ¹/₂ лимона.

Для шербета клубничного:
3 стакана клубники, 1 ¹/₂ стакана воды, ²/₃ стакана сахара.

Для шербета цитрусового:
2–3 апельсина, 1 лимон, 2 стакана воды, ²/₃–1 стакан сахара.

Для шербета гранатового:
1 стакан гранатового сока, 1 ¹/₂ стакана воды, ²/₃ стакана сахара.

В стаканы или бокалы положить фрукты, ягоды, мороженое или лед и залить охлажденным фруктовым или ягодным соком с сахаром или отваром душистых трав с сахаром. Можно соки и отвары предварительно взбить в миксере.

Шербет абрикосовый. Абрикосы разрезать и удалить косточки. Засыпать абрикосы сахаром, накрыть и оставить на 10–12 часов. Затем абрикосовую массу, помешивая, прогреть на водяной бане 20–30 мин, остудить и отжать сок.

Шербет вишневый. Вишню очистить от косточек, растолочь, отжать сок. Выжимки и косточки засыпать сахаром и оставить на 1–2 часа. Затем залить водой, прокипятить 10–15 мин, отвар процедить, охладить и влить в отжатый сок.

Шербет из тархуна, или мяты, или мелиссы. Тархун, мяту или мелиссу залить кипятком, дать настояться, процедить, добавить сахар, сок лимона и охладить.

Шербет клубничный. Клубнику очистить от плодоножек и отжать из нее сок. Выжимки засыпать сахаром и оставить на 1–2 часа. Затем залить водой, прокипятить 10–15 мин, отвар отжать, процедить, охладить и влить в отжатый сок.

Шербет цитрусовый. Из апельсинов и лимона выжать сок. Выжатые апельсины и лимон прокипятить 10–15 мин с водой и сахаром, остудить, отвар отжать и влить его в сок.

Шербет гранатовый. Воду вскипятить и растворить в ней сахар. Гранат отжать в отдельную посуду, полученный сок добавить в сахарный сироп и охладить.

679 Напиток «Торжок»

200 г свеклы, 2 стакана воды, 2 стакана яблочного сока, сок ¹/₂ лимона или 2 г лимонной кислоты; лимон, лед по вкусу.

Сырую свеклу хорошо промыть, очистить от кожуры, измельчить, залить охлажденной кипяченой водой и оставить настаиваться в закрытой посуде на 10–12 часов. Затем настой процедить, всыпать сахар, добавить яблочный сок, сок лимона или лимонную кислоту, размешать до растворения сахара и охладить. При подаче разлить напиток в бокалы, украсить ломтиками лимона. Отдельно подать колотый лед.

680 Свекольный квас

1 ¹/₂ кг свеклы, 1 кусок ржаного хлеба.

Свеклу очистить, нарезать тонкими ломтиками, залить теплой водой. Для закваски сверху положить кусок ржаного хлеба. Накрыть посуду со свеклой материей и поставить в теплое место на 3–5 дней. Затем снять пену, готовый квас перелить в бутылки, хорошо закупорить и хранить в холодильнике 3–4 месяца.

681 Молдавский квас

2 кг пшеничных отрубей, 12 литров воды.

Пшеничные отруби смочить водой, залить кипятком, накрыть крышкой или полотняной салфеткой и поставить на сутки в теплое место для брожения. Готовый квас процедить и охладить. Оставшуюся массу можно еще раз залить теплой кипяченой водой, выдержать сутки в теплом месте, процедить и охладить.

При большом количестве сахара квас медленнее сбраживается.

Для прекращения брожения кваса его следует поставить в холодное место.

Квас лучше хранить в закупоренных бутылках. Открывать бутылки с квасом следует непосредственно перед употреблением. Открытый квас быстро теряет свои свойства.

682 Свекольный квас по-марийски — пура

3 кг свеклы, 10 л воды, 25 г сухого хмеля, 15 г дрожжей, сахар по вкусу.
Для ржаного солода:
1 кг ржи.

Свеклу промыть, очистить, нарезать тонкими ломтиками и высушить в духовке. Сухую свеклу залить горячей водой и варить, пока свекла не станет мягкой. Затем отвар слить, положить в него хмель, ржаной солод и варить еще 20—30 мин. После чего процедить, охладить до температуры 30—35°, влить разведенные в теплом свекольном отваре дрожжи и поставить в теплое место для брожения. Перед употреблением добавить сахар и охладить. Можно сварить свекольный квас и без солода.

Ржаной солод. Зерна ржи промыть, замочить и поставить в теплое место для прорастания. Проросшую рожь положить в глиняный горшок или кастрюлю и поставить для упревания в горячую духовку на 7—8 часов. Затем солод обсушить и промолоть на мясорубке или в кофемолке.

683 Острый томатный напиток

$^1/_2$ л томатного сока, 2 стакана воды, 2 ч. ложки лимонного сока, 2 ч. ложки тертого корня петрушки, 2 ч. ложки тертого корня сельдерея, 1/5 луковицы; соль, перец, сахар по вкусу.

Корень петрушки вымыть, очистить, сполоснуть кипяченой водой и натереть на мелкой терке. Лук очистить и мелко нарезать. В томатный сок влить охлажденную кипяченую воду, добавить натертые петрушку и сельдерей, нарезанный лук, лимонный сок, размешать и заправить по вкусу солью, перцем и сахаром. Перед подачей напиток охладить.

684 Коктейль «Помидор»

*1 1/3 стакана кефира,
2 стакана томатного сока,
2 дольки чеснока, сок 1 лимона;
соль, сахар, зелень укропа
или петрушки по вкусу.*

В емкость миксера влить охлажденный кефир, добавить мелко нарезанную зелень укропа или петрушки, тертый чеснок, соль, сахар, сок лимона и все хорошо взбить в миксере. Продолжая взбивать, тонкой струйкой влить томатный сок. Готовый коктейль сразу разлить в стаканы.

685 Вишневый коктейль с какао

*1/2 стакана вишневого сока,
6 ч. ложек порошка какао,
6 ч. ложек сахарной пудры,
1 ч. ложка ванильного сахара,
2 стакана молока.*

В чашке миксера смешать порошок какао с сахарной пудрой и ванильным сахаром, добавить сильно охлажденные кипяченое молоко и вишневый сок, все взбить и сразу разлить в стаканы.

686 Вишневый квас

*1 кг вишни, 5 л воды, 1 стакан
сахара, 200 г меда,
20 г дрожжей; лимонная
кислота по вкусу.*

Вишню вымыть, засыпать в стеклянную бутыль, добавить сахар, мед, разведенные в теплой воде дрожжи, залить теплой кипяченой водой, все разболтать, закрыть ватой и оставить при комнатной температуре на 1—2 недели. По окончании бурного брожения сусло слить в другую бутыль, закрыть ватой и поставить в прохладное место для дображивания. Готовый квас разлить в бутылки, укупорить и хранить в прохладном месте.

687 Хлебный квас на солоде

*1/2 стакана ржаного солода,
1/2 стакана ячменного солода,
2 стакана ржаной муки,
20 г дрожжей; мята по вкусу.*

Ржаной и ячменный солоды (рецепт 692) положить в кастрюлю, развести кипятком, добавить ржаную муку, размешать до образования жидкого однородного теста и поставить в горячую духовку на 10—12 часов. Затем добавить холодную кипяченую воду, все размешать и оставить на сутки. После чего сусло процедить, добавить разведенные суслом дрожжи, ошпаренную кипятком мяту и оставить для брожения в теплом месте на 1 сутки. Затем сусло поставить в холодное место на 3—4 дня, после чего процедить, разлить в бутылки, укупорить и держать в прохладном месте или холодильнике.

688 Коктейль медовый с безе

*200 г меда, 4 яйца, 4 стакана
крепкого чая, 1 стакан сахара,
сок 4 лимонов.*

Яйца разделить на желтки и белки. Желтки растереть с медом, влить горячий крепкий чай (рецепт 628), поставить на водяную баню, при постоянном взбивании влить сок лимонов, снять с бани, остудить, разлить в высокие стаканы и поставить в холодильник. При подаче в стаканы с медовой массой положить безе, приготовленное из яичных белков и сахара (рецепт 573).

689 Крепкий медовый напиток

*1 кг меда,
3 л воды, 150 г дрожжей,
20 г пряностей.*

Мед развести в горячей воде и варить при слабом кипении, помешивая и снимая пену, в течение 4 часов. Затем положить гвоздику, молотые корицу, кардамон, имбирь, перец и варить еще 5—7 мин. Затем напиток процедить, охладить до температуры 25—30°, добавить дрожжи, накрыть марлей и поставить на 10—12 часов в теплое место. После чего медовый напиток перелить в бочонок или бутыль, плотно закупорить и поставить в прохладное место на 1—2 недели для созревания.

690 Английский эль

*400 г ячменя или овса,
два раза по 2 л горячей воды,
1,5 л холодной воды, ¹/₂ кг меда
или сахара, 50 г хмеля,
50 г свежих дрожжей.*

Ячмень или овес высушить на противне в духовке при открытой дверце, растолочь, всыпать в кастрюлю, залить в меру горячей водой, размешать и оставить на 3 часа. Затем сусло слить, а осадок вновь залить горячей водой и дать настояться в течение 2 часов. Вновь слить сусло, залить осадок холодной водой и дать настояться в течение 1 часа. Слить сусло, смешать с предыдущими суслами, добавить разведенные в теплой воде мед или сахар, хмель, все прокипятить, помешивая, в течение 10–15 мин и охладить. Затем добавить разведенные в теплой воде дрожжи и оставить сусло при комнатной температуре для брожения. Сброженное сусло процедить, дать ему постоять 3 дня, перелить в бутылки или другую посуду, укупорить и поставить для созревания в холодильник или погреб на 2 недели.

691 Крепкое темное домашнее пиво

*200–250 г хмеля,
3 стакана солодовой муки,
100 г дрожжей, 1 ¹/₂ стакана
меда или сахара, 10 л воды.
Для солода:
1 кг ячменя или ржи.
Для ржаного теста:
500 г ржаной муки, вода.
Для жженки:
1 стакан сахара, вода.*

Пиво приготовить так же, как в рецепте 692, увеличив при этом количество хмеля, дрожжей, меда или сахара и добавив в сусло жженку. Готовое пиво выдержать в холодильнике 10–12 дней.

Жженка. Сахарный песок и стакан воды нагревать, помешивая, в течение 30–40 мин, пока сахар не приобретет темно-коричневый цвет. Затем, в несколько приемов, добавить 1 ¹/₂ стакана горячей воды и продолжать варить смесь еще около 20 мин, пока не получится густой сироп с горьким вкусом.

Проращивать зерна ячменя или ржи для солода следует при температуре не выше 15°.

Цвет пива зависит от температуры высушивания солода: при низкой температуре пиво будет светлым; при более высокой температуре пиво будет темнее.

Ратафии или сладкие водки содержат меньше алкоголя, чем обычные водки, но отличаются большим количеством сахара. Ратафии можно готовить, настаивая водку или спирт на ягодах, фруктах, травах, цветах, пряностях.

692 Домашнее пиво с солодом

*150–200 г хмеля,
3 стакана солодовой муки,
50 г дрожжей, 1 стакан меда
или сахара, 10 л воды.*
Для солода:
1 кг ячменя или ржи.
Для ржаного теста:
*500 г ржаной муки,
вода, сколько возьмет тесто.*

В теплую воду положить хмель, солод и дать настояться 2 часа. Затем все прокипятить на слабом огне в течение 15 мин, охладить до температуры парного молока, добавить ржаное тесто, разведенные в теплой воде дрожжи, мед или сахар, все перемешать и поставить в теплое место для брожения на 6–12 часов. После чего поставить пиво на сутки в холодное место. Затем пиво процедить, перелить в бутылки или другую посуду, укупорить и поставить в холодильник на 3–4 дня.

Солод. Зерна ячменя или ржи промыть, замочить в воде и поставить в теплое место для прорастания. Проросшие зерна высушить в духовке и промолоть на мясорубке или в кофемолке.

Ржаное тесто. Из ржаной муки и воды замесить некрутое тесто.

693 Ратафия из шиповника

*100 г ягод шиповника,
1 1/2 стакана воды,
200 г меда, 1 л водки.*

Ягоды шиповника вымыть, залить стаканом воды, добавить мед и варить под крышкой на слабом огне в течение 1 часа. После чего ягоды вынуть, растереть, снова положить в ягодный отвар, варить еще 10–15 мин и слегка охладить. Полученный сироп отжать через марлю. Выжимки залить 1/2 стакана воды, проварить в течение 25–30 мин, охладить, отжать через марлю и смешать с сиропом. Влить в полученную смесь водку, герметично укупорить и настаивать 2–3 недели. Затем ратафию процедить, разлить в бутылки и укупорить.

При приготовлении сбитней не следует заменять мед сахаром, так как при этом значительно ухудшится его вкус.

Для приготовления сбитней можно использовать различные дикорастущие травы.

В жаркое время года сбитень можно подавать охлажденным.

Основу грога составляет крепко заваренный горячий чай.

При приготовлении грога нежелательно ром заменять коньяком, так как при этом теряется особый аромат напитка.

694 Мятный сбитень

4 ст. ложки меда, 1 ч. ложка сухой мяты, 1 ч. ложка гвоздики, $^1/_2$ ч. ложки корицы, 5 г хмеля, 1 л воды; черный или душистый перец горошком по вкусу.

В воду добавить мед и кипятить под крышкой на слабом огне, снимая пену, в течение 30 мин. Затем добавить мяту, гвоздику, молотую корицу, свежий или сушеный хмель, черный или душистый перец и все кипятить под крышкой на слабом огне в течение 30 мин. После чего сбитень процедить и сразу подать.

695 Английский грог

4 ч. ложки черного чая, 3 стакана кипятка, 3 ст. ложки сахара, 1 стакан рома.

В предварительно нагретый сухой фарфоровый чайник засыпать чай, залить половиной количества кипятка, закрыть крышкой, накрыть салфеткой и дать чаю настояться в течение 4–5 мин. Затем долить оставшийся кипяток, накрыть салфеткой и дать чаю постоять еще 3–4 мин. Готовый чай размешать, разлить через ситечко в чашки или стаканы, добавить сахар, ром и размешать.

696 Горячий пунш «Аркадия»

2 апельсина, 1 лимон, 2 стакана красного сухого вина, 6 ст. ложек меда или сахара, 2 стакана воды, 1 стакан рома или коньяка.

Апельсины и лимон вымыть, обсушить, нарезать вместе с кожурой на кусочки, отжать из них сок и процедить. Добавить в сок красное сухое вино, мед или сахар и нагреть до температуры 70–80°. Затем добавить горячую воду, ром или коньяк, размешать и сразу разлить в чашки или стаканы.

697 Домашнее столовое виноградное вино

Виноград, сахар, изюм по вкусу.

Из винограда выжать сок и поставить в холодное место на 10–12 часов. Затем с помощью сифона отделить сок от осадка, залить на $^3/_4$ объема в стеклянную бутыль с узким горлышком, закрыть ватной пробкой и поставить в теплое место. На 2–3-й день, когда начнется бурное брожение, добавить сахар из расчета 1 $^1/_2$–2 ст. ложки на 1 л сока. Сахар можно заменить полностью или частично изюмом. Изюма следует взять в два раза больше, чем сахара. Когда бурное брожение закончится и дрожжи осядут на дно, сусло с помощью сифона перелить в другую бутыль и плотно закрыть бутыль пробкой со вставленной в нее резиновой трубкой, второй конец трубки опустить в емкость с водой. Во время тихого брожения необходимо через 2–3 дня доливать в бутыль вино того же сорта, чтобы за 10 дней бутыль была полной. Когда из трубки перестанут выходить пузырьки воздуха, вино вновь слить с осадка, разлить в бутылки до середины горлышка, укупорить распаренными корковыми пробками, засмолить и положить горизонтально в холодное место.

698 Домашнее полусладкое вино

Готовое столовое вино, сахар, водка по вкусу.

К готовому столовому вину (рецепт 697) перед розливом в бутылки добавить сахар из расчета 1–2 ст. ложки сахара на 1 л вина, влить водку из расчета 3–4 ст. ложки водки на 1 л вина и размешать до растворения сахара.

699 Яблочное вино

10 л яблочного сока от двух выжимок, 2–3 кг сахара, кипяченая вода.

Из яблок отжать сок. Выжимки залить остуженной кипяченой водой, размешать и также отжать сок. Слить оба сока в стеклянную бутыль с узким горлышком, добавить растворенный в воде сахар, закрыть сусло пробкой с водяным затвором (рецепт 697), поставить в темное место и выдержать при комнатной температуре до окончания брожения. В начале брожения из сусла будет вытекать пена. Для поддержания уровня сусла необходимо доливать в бутыль подслащенную воду. Необходимо также следить за тем, чтобы конец резиновой трубки был постоянно в воде. Когда брожение закончится и из трубки перестанут выходить пузырьки воздуха, бутыль с вином герметично укупорить и поставить в погреб на 2–2 $^{1}/_{2}$ месяца. Готовое вино с помощью сифона перелить в бутылки, плотно закрыть распаренными пробковыми пробками и поместить лежа в прохладное место.

700 Вино из черноплодной рябины

2 $^{1}/_{2}$ кг черноплодной рябины, 1 л воды, 1 $^{1}/_{2}$ л яблочного сока, 3 $^{1}/_{2}$ л сахарного сиропа.
Для закваски:
$^{1}/_{2}$ стакана спелых ягод малины, клубники, земляники, 1 ст. ложка сахара, $^{1}/_{2}$ стакана воды.

Ягоды размять, добавить воду, $^{1}/_{2}$ стакана закваски и, периодически перемешивая, дать перебродить в течение 3–4 дней. Затем сок отжать, добавить сахарный сироп без лимонного сока (рецепт 570), яблочный сок и готовить вино как в рецепте 699.
Закваска. Ягоды положить в бутылку, добавить сахар, воду, перемешать, закрыть ватой и оставить в темном месте на 4–5 дней. Затем сброженный сок отжать через марлю.

701 Глинтвейн

2 бутылки по 0,7 л красного сухого вина, 8–10 ст. ложек сахара, 1 лимон или $^{1}/_{2}$ ч. ложки лимонной кислоты, 2 ч. ложки гвоздики, $^{1}/_{2}$ ч. ложки корицы.

Вино налить в эмалированную кастрюлю, добавить сахар, выжать сок лимона или добавить лимонную кислоту. Отжатый лимон разрезать на мелкие части, положить в кастрюлю с вином, добавить гвоздику, корицу, все размешать. Кастрюлю с вином поставить на огонь и нагревать, помешивая, почти до закипания, но не кипятить. Снять кастрюлю с вином с огня, накрыть крышкой, хорошенько укутать несколькими слоями газет, накрыть подушкой и оставить глинтвейн настаиваться на 10–15 мин. Подать глинтвейн горячим, наливая через ситечко в предварительно ошпаренные кипятком фарфоровые кружки.

702 Домашнее «шампанское»

1 лимон, 100 г изюма, 100 г меда, 3 л воды, 30–40 г свежих дрожжей, 3–4 ст. ложки муки.

Лимон вымыть, очистить от цедры и нарезать тонкими дольками. Дольки лимона очистить от белой мякоти и зерен. Изюм вымыть и обсушить. Дольки лимона, изюм сложить в кастрюлю, добавить мед и все хорошо перемешать. После этого добавить воду, лимонную цедру, все вскипятить и охладить. Дрожжи развести в стакане воды, всыпать муку, все тщательно размешать. Полученную закваску добавить в кастрюлю с лимонно-медовым отваром, все размешать и оставить бродить до тех пор, пока лимонная мякоть, изюм и цедра не поднимутся на поверхность. После этого снять их шумовкой. Жидкость процедить и разлить в бутылки из-под шампанского, положив в бутылки по две изюминки и по кусочку цедры. Бутылки плотно закрыть пробками, обвязать проволокой или веревкой и поставить лежа в холодильник. «Шампанское» будет готово через 3–4 недели.

При приготовлении домашнего вина белое столовое вино следует выдерживать менее продолжительное время, чем красное.

Для ароматизации вина можно использовать различные ароматические травы, семена, корни растений.

В домашних условиях можно приготовить плодово-ягодные вина практически из любых видов фруктов и ягод.

При приготовлении слабоалкогольных напитков можно смешивать вина, коньяки, ликеры, наливки, настойки, а также соки, сиропы, сливки, минеральные воды и др.

703 Напиток «Псковский»

5 ст. ложек клюквы, 1 л воды, 2 ст. ложки клубничного варенья, $^2/_3$ стакана сахарного сиропа, сок $^1/_4$ лимона или 1 г лимонной кислоты, 1–2 ст. ложки коньяка, 4 ст. ложки сухого белого вина.

Из клюквы и $^1/_2$ стакана воды приготовить клюквенный морс (рецепт 654). Оставшуюся воду вскипятить, добавить сахарный сироп (рецепт 570), варенье, лимонный сок или лимонную кислоту, довести до кипения и охладить. Затем добавить клюквенный морс, все перемешать и процедить. Перед подачей добавить в напиток коньяк, вино и размешать.

704 Холодный пунш

1 апельсин, 3 лимона, 200 г консервированного ананаса, 1 $^1/_2$ стакана сахара, 3 стакана воды, $^1/_2$ стакана коньяка, $^2/_3$ стакана водки.

Апельсины и лимоны очистить от кожуры, нарезать тонкими кружочками, удалить косточки. Цедру очистить от белой мякоти, мелко нарезать. Все сложить в кастрюлю, добавить ломтики ананаса, сахар, залить кипятком, размешать и дать остыть. Затем добавить коньяк, водку, накрыть кастрюлю крышкой и подушкой, дать настояться в течение 3–4 часов, отжать настой, процедить, разлить в бутылки, укупорить и поставить в холодильник.

705 Напиток «Бренди-кола»

$^3/_4$ стакана коньяка, 1 $^1/_2$–2 стакана напитка «Байкал», «Кока» или «Пепси»; лед, лимон, ягоды вишни по вкусу.

В 4 высоких стакана положить по 3–5 кубиков льда, влить $^1/_4$ часть коньяка, $^1/_4$ часть газированного напитка, все перемешать. Выжать в напиток дольки лимона, опустить их в стаканы и украсить ягодами вишни. Подать напиток с соломинками.

706 Ирландский напиток «Золотой»

2 яйца, 1 ст. ложка меда,
1 стакан апельсинового сока,
1 стакан яблочного сока,
6 ст. ложек апельсинового
ликера; лед по вкусу.

У яиц отделить желтки от белков. Желтки с медом взбить в электромиксере. Продолжая взбивать, добавить апельсиновый и яблочный соки, апельсиновый ликер, измельченный лед и все взбить до получения пышной однородной массы. Яичные белки взбить отдельно до увеличения в объеме в 5–7 раз. Разлить напиток в стаканы, добавить половину взбитого белка и размешать. Сверху выложить оставшийся взбитый белок.

707 Мятный джулеп

140 мл коньяка или виски,
60 мл сахарного сиропа,
3–4 веточки свежей мяты,
400 мл содовой или
минеральной воды; лед по вкусу.

Мяту вымыть и осушить салфеткой. Часть мяты отложить для украшения. Оставшуюся часть положить на дно стакана, влить сахарный сироп (рецепт 570) и размять мяту ложкой. Затем заполнить стакан до краев мелкими кусочками льда, влить коньяк или виски, содовую или минеральную воду, все размешать, положить сверху листочки мяты и добавить лед до краев стакана.

708 Горячий напиток «Сингапур-джин»

4 ст. ложки джина, 4 ст. ложки
вишневого ликера, 4 ст. ложки
лимонного сока, 1 2/3 стакана
содовой или минеральной воды;
вода, лимон по вкусу.

Джин, вишневый ликер, лимонный сок, содовую или минеральную воду смешать в отдельной посуде, разлить в предварительно подогретые стаканы, разбавить кипятком и перемешать. При подаче украсить напиток ломтиками лимона.

Содержание

ПЕРВЫЕ БЛЮДА 94

Супы из мяса и птицы 96

Супы из рыбы и морепродуктов 122

Супы из овощей, грибов, круп и ягод 130

ВТОРЫЕ БЛЮДА 148

Блюда из мяса 150

ДЕСЕРТЫ И НАПИТКИ

Десерты

Чай, кофе и другие безалкогольные и слабоалкогольные напитки

*Автор будет благодарен читателям,
которые дадут свои советы по улучшению
содержания книги, поделятся своими
рецептами и выразят пожелания по изданию
новых кулинарных книг.
Письма присылайте по адресу: 127299,
Москва, ул. Клары Цеткин, д. 18/5,
издательство «Эксмо»,
Эльмире Меджитовой.*

Эльмира Меджитова
ВКУС ДОМАШНЕЙ КУХНИ

Текст, фотосъемка, макет, оформление
Э. Д. Меджитовой
при участии А. Г. и В. А. Щербинских

Перепечатка издания, какой-либо его части, а также использование
и передача издания электронными, фотокопировальными или другими
средствами без письменного разрешения автора запрещены.

Ответственный редактор *М. Яновская*
Художественный редактор *Н. Кудря*
Компьютерная верстка *О. Яресько*
Корректор *И. Гончарова*

ООО «Издательство «Эксмо»
127299, Москва, ул. Клары Цеткин, д. 18/5. Тел. 411-68-86, 956-39-21.
Home page: **www.eksmo.ru** E-mail: **info@eksmo.ru**

Подписано в печать 27.07.2007.
Формат 60x84$^1/_8$. Гарнитура «Гарамонд». Печать офсетная. Бум. офс. Усл. печ. л. 42,78.
Доп. тираж 15 000 экз. Заказ 2389.

ОАО "Тверской полиграфический комбинат",170024, г. Тверь, пр-т Ленина, 5.
Телефон: (4822) 44-52-03, 44-50-34, Телефон/факс: (4822) 44-42-15
Home page - www.tverpk.ru Электронная почта (E-mail) -sales@tverpk.ru

ISBN 978-5-699-11485-6